ONTKNOPING

JONATHAN KELLERMAN

Ontknoping

SIJTHOFF

© 2006 Jonathan Kellerman
Published by arrangement with Lennart Sane Agency AB
All rights reserved
© 2007 Nederlandse vertaling
Uitgeverij Luitingh ~ Sijthoff B.V., Amsterdam
Alle rechten voorbehouden
Oorspronkelijke titel: *Gone*
Vertaling: Harmien Robroch
Omslagontwerp: Pete Teboskins
Omslagfotografie: Arcangel/Hollandse Hoogte

ISBN 978 90 245 6072 1
NUR 332

www.boekenwereld.com

Dit is voor Linda Marrow

Met bijzondere dank aan hoofdinspecteur
David Campbell b.d.
Gerechtelijk Laboratorium, Los Angeles

I

Ze had bijna een onschuldige man vermoord.

Creighton 'Charley' Bondurant reed heel voorzichtig omdat zijn leven ervan afhing. Latigo Canyon was een kilometerslange weg vol haarspeldbochten waar je pijn in je nek van kreeg. Charley hield niet van overheidsbemoeienis, maar de borden met vijfentwintig kilometer per uur langs de weg waren terecht. Hij woonde vijftien kilometer ten noorden van Kanan Dume Road, op de resten van een ranch van anderhalve hectare, die ten tijde van Coolidge nog van zijn opa was geweest. Al die volbloed arabieren en Tennessee Walkers en de ezels die zijn opa had gehouden omdat hij van het karakter van de beesten hield. Tussen zulke gezinnen was Charley opgegroeid. Nuchtere boeren en wat rijkelui die nog wel te pruimen waren als ze in het weekend kwamen paardrijden. Tegenwoordig had je er alleen maar van die omhooggevallen patsers.

Charley woonde in een klein houten huis met uitzicht op met eiken begroeide bergtoppen en de oceaan daarachter. Achtenzestig, nooit getrouwd, diabetes, reuma en depressies. Een armzalige man, zei hij 's nachts wel eens bestraffend, als de medicijnen en het bier hem mismoedig maakten.

Op betere dagen deed hij alsof hij een oude cowboy was.

Vanochtend zat hij ergens tussen deze twee uitersten in. Hij had verschrikkelijke last van zijn eeltknobbels. Twee paarden waren vorige winter overleden en hij had nog maar drie magere witte merries en een halfblinde herdershond. Zijn uitkering ging grotendeels op aan rekeningen voor voer en hooi. Maar de nachten waren warm voor oktober en hij had geen nachtmerries gehad en zijn botten voelden goed.

Het hooi was de reden dat hij vanochtend om zeven uur was opgestaan, zijn bed uit was gerold, een slok koffie had genomen en een oudbakken zoet broodje naar binnen had gewerkt; zijn bloedsuikerspiegel moest het maar even zelf uitzoeken. Een sanitaire stop om het inwendige op gang te krijgen en om acht uur zat hij aangekleed en wel achter het stuur van de pick-up.

Met de truck in zijn vrij reed hij over de zandweg die uitkwam op Latigo, keek een paar keer naar links en naar rechts, wreef de slaap uit zijn ogen, schakelde naar de eerste versnelling en reed verder. De voedersilo van Topanga lag twintig minuten rijden zuidwaarts. Onderweg wilde hij bij de Malibu Stop & Shop een nieuwe voorraad bier, een blik tabak en chips halen.

Het was een prachtige morgen met hier en daar een wolkje uit het oosten en een zoete lucht vanaf de Grote Oceaan. Creighton zette zijn cassettespeler aan, luisterde naar Ray Price en deed rustig aan om geen herten te raken. Voor het donker zag je niet veel van die rotbeesten, maar in de bergen wist je het nooit.

Sneller dan een hert sprong het naakte meisje de weg op.

Ze keek doodsbang en had haar mond zo ver opengesperd dat Charley zou zweren dat hij haar amandelen zag.

Zwaaiend met haar armen en met wapperende haren rende ze de weg op, recht voor zijn truck.

Charley trapte zo hard op de rem dat de truck begon te slingeren. De auto schoof naar links en ging recht op de vangrail af die hem scheidde van een val van honderden meters.

De blauwe lucht kwam dichterbij.

Hij bleef op de rem trappen. De truck bleef schuiven. Nog een schietgebedje en hij deed het portier open, klaar om uit de truck te springen.

Zijn houthakkersbloes bleef goddomme achter de deurkruk hangen. De eeuwigheid leek nu wel heel dichtbij. Wat een absurde manier om aan je einde te komen!

Vloekend en biddend rukte hij met zijn handen aan de stof van zijn bloes. Charleys knokige lijf verkrampte, zijn benen werden loden pijpen en zijn pijnlijke voet trapte uit alle macht op de rem. De truck bleef over het opspattende grind schuiven en slingeren. Hij slingerde. Schoof. Knalde tegen de vangrail.

Charley kon de rail horen kraken.

De truck kwam tot stilstand.

Hij maakte zijn bloes los en stapte uit. Hij had pijn op zijn borst en kreeg geen lucht. Dat zou lullig zijn: aan een vrije val naar de vergetelheid ontsnappen om vervolgens dood neer te vallen door een godvergeten hartaanval.

Charley hapte naar adem, slikte, zag hoe het hem zwart voor de ogen werd en leunde tegen de truck. Het chassis kraakte en hij sprong naar voren en voelde dat hij door zijn knieën zakte.

Een gil snerpte door de ochtendlucht. Charley deed zijn ogen open, ging rechtop staan en zag het meisje. Rode striemen op haar polsen en enkels. Blauwe plekken in haar hals.

Een prachtig jong lijf met gezonde tieten die op en neer gingen toen ze op hem af kwam rennen – het was een zonde om zo te denken, ze was zichtbaar bang, maar waar kon je anders naar kijken met zulke tieten?

Ze bleef op hem afrennen, met haar armen gespreid alsof ze wilde dat Charley haar vasthield.

Maar omdat ze schreeuwde en zo'n verwilderde blik had, wist hij niet goed wat hij moest doen.

Hij was al heel lang niet zo dicht bij een blote vrouwenhuid geweest.

Hij vergat de tieten, dit was niet sexy. Ze was nog maar een kind, jong genoeg om zijn dochter te zijn. Zijn kleindochter.

Die plekken op haar polsen en enkels, in haar hals.

Ze gilde weer.

'O god, o god, o god.'

Ze stond nu voor hem en haar blonde haar wapperde in zijn gezicht. Hij kon haar angst ruiken. Hij zag het kippenvel op haar gebruinde schouders.

'Hélp me!'

Het arme kind rilde helemaal.

Charley nam haar in zijn armen.

2

L.A. is de stad waar je heen gaat als je nergens anders naartoe kunt. Lang geleden was ik er als zestienjarige vanuit Missouri naartoe gereden, gewapend met een middelbareschooldiploma, een gedeeltelijke studiebeurs en een kop vol wanhoop.

De enige zoon van een chagrijnige, chronisch depressieve alcoholist. Er was niets op het vlakke land van Missouri om nog voor te blijven.

Als armoedzaaier en werkstudent met zo nu en dan een gitaarschnabbel in een bruiloftsbandje, slaagde ik erin mijn studie te volgen. Ik wist wat geld te verdienen als psycholoog, maar nog veel meer door een paar toevalstreffers in aandelen. Ik kon me een huis in de heuvels veroorloven.

Relaties waren een heel ander verhaal, maar dat zou overal zo zijn geweest.

In de tijd dat ik nog kinderen behandelde, hoorde ik vaak de voorgeschiedenis van de ouders en ontdekte ik hoe het gezinsleven in L.A. kon zijn. Mensen die om de paar jaar hun boeltje pakten en verhuisden, die zich overgaven aan impulsen, bij wie de dood een huiselijk ritueel was.

Veel van mijn patiëntjes woonden in door de zon geteisterde delen, zonder andere kinderen in de buurt, en ze reden urenlang met de bus van en naar beige veekralen die zogenaamd scholen moesten voorstellen. Lange, geladen nachten werden verstoord door negatieve elektroden en het dreigende gebonk van stroom door hoogspanningskabels. Slaapkamerramen keken uit op heiige wijken waar een goede buur meestal ver te zoeken was.

Veel denkbeeldige vriendjes in L.A. Dat was onvermijdelijk, dacht ik. Het is een bedrijfsstad en het product is fantasie.

De stad verstikt het gras met rode lopers, aanbidt roem om de roem, vernietigt met genoegen historische monumenten omdat alles om vernieuwing draait en er veel op het spel staat. Ga naar je favoriete restaurant en zie dat het failliet is en dat de ramen zijn afgeplakt. Bel een vriend en merk dat zijn nummer is afgesloten. *Nieuw nummer onbekend.* Het zou een gemeentelijk motto kunnen zijn.

Je kunt in L.A. lang weg zijn voordat iemand je mist.

Toen Michaela Brand en Dylan Meserve verdwenen, leek het niemand op te vallen.

Michaela's moeder had achter de kassa gestaan in een truckerscafé en woonde met een zuurstoftank in Phoenix. Vader onbekend, waarschijnlijk een van de truckers die Maureen Brand door de jaren heen had bediend. Michaela was uit Arizona weggegaan om te ontsnappen aan de verstikkende hitte, de grijze struiken, de bewegingloze lucht en de mensen zonder dromen.

Ze belde haar moeder bijna nooit. Ze werd gek van het sissen van Maureens tank, van Maureens uitgezakte lijf en haar gerochel, van de ogen die waren geteisterd door haar longemfyseem. In Michaela's denkwijze, zo typerend voor L.A., was daar geen plek voor.

De moeder van Dylan Meserve was lang geleden al overleden aan een niet-onderkende progressieve neuromusculaire aandoening. Zijn vader kwam uit Brooklyn, speelde altsaxofoon, had nooit een handenbindertje gewild en was vijf jaar daarvoor aan een overdosis overleden.

Michaela en Dylan waren knap, jong en slank, en het was wel duidelijk waarom ze naar L.A. waren gekomen.

Overdag verkocht hij schoenen bij een Foot Locker-filiaal in Brentwood. Zij was serveerster in een opzichtig Italiaans eethuis in het oosten van Beverly Hills.

Ze hadden elkaar in het PlayHouse ontmoet tijdens een workshop 'Innerlijk drama' van Nora Dowd.

Ze waren voor het laatst gezien op maandag even na tienen 's avonds, toen ze samen uit de theaterworkshop waren gekomen.

Ze hadden zich suf geoefend op een scène uit *Simpatico*. Geen van beiden wist goed uit te beelden wat Sam Shepard bedoelde, maar het toneelstuk had genoeg sappige stukken met al dat geschreeuw. Nora Dowd had erop aangedrongen dat ze helemaal moesten opgaan in de scène, de shit moesten rúíken, zich moesten openstellen voor de pijn en de wanhoop.

Beiden waren ervan overtuigd dat het ze gelukt was. Dylans Vinnie was wild, gek en gevaarlijk geweest en Michaela's Rosie was een stijlvolle, mysterieuze vrouw.

Nora Dowd leek redelijk tevreden met hun optreden, vooral met Dylans bijdrage.

Dat stak Michaela een beetje, maar het verbaasde haar niet.

Ze hoorde hoe Nora een van haar monologen afstak over de linkerhersenhelft en de rechterhersenhelft. Ze had het meer tegen zichzelf dan tegen iemand anders.

De ruimte aan de voorkant van het PlayHouse was als theater ingericht met een podium en klapstoelen. Hij werd alleen gebruikt voor workshops.

Veel workshops en aan deelnemers geen gebrek. Een van Nora's oud-leerlingen, een ex-stripper die April Lange heette, had een rol in een comedyserie van WB gescoord. In de hal hing vroeger een gesigneerde foto van April, maar die had iemand weggehaald. Blond, glanzende ogen, lichtelijk roofzuchtige blik. Michaela dacht vroeger: waarom zij?

Maar goed, misschien was het een goed teken. Als April het kon, dan kon iedereen het.

Dylan en Michaela woonden ieder in een eenkamerflat, hij aan Overland in Culver City, zij aan Holt Avenue ten zuiden van Pico. Het waren allebei kleine, donkere flatjes op de begane grond, krotten eigenlijk. Dit was L.A., waar de huur moordend kon zijn en gewone baantjes amper de vaste kosten dekten, en het was soms moeilijk om niet depressief te worden.

Toen ze twee dagen achtereen niet op hun werk verschenen, werden ze door hun werkgevers ontslagen.

En dat was dat.

3

Ik kreeg het te horen zoals vrijwel iedereen het hoorde: het derde item op het nieuws, vlak na de rechtszaak van een van aanranding beschuldigde hiphopster en overstromingen in Indonesië.

Ik zat in mijn eentje aan mijn avondeten en luisterde met een half oor naar de uitzending. Dit trok mijn aandacht omdat ik geïnteresseerd ben in lokale misdaad.

Een stel, onder bedreiging van een vuurwapen ontvoerd, was naakt en uitgedroogd teruggevonden in de heuvels van Malibu. Ik speelde met de afstandsbediening, maar geen enkele zender had meer details.

De volgende ochtend kwam de *Times* met wat meer: een paar

theaterstudenten die na een avondcursus in het westen van L.A. in de auto van de jonge vrouw naar het oosten waren gereden, naar haar flat in het district Pico-Robertson. Bij een stoplicht op de hoek van Sherbourne en Pico waren ze door een gemaskerde en gewapende man in de achterbak gestopt en had hij een uur lang met hen rondgereden.

Toen de auto tot stilstand kwam en de achterklep openging, was het pikkedonker en waren ze ergens 'buiten'. De plek werd later bekend als Latigo Canyon in de heuvels van Malibu.

De autodief dwong hen om over een steile heuvel naar een dicht-bebost deel te lopen waar de jonge vrouw de jongeman onder be-dreiging van een wapen moest vastbinden en vervolgens zelf vast-gebonden werd. Seksueel misbruik werd gesuggereerd, maar niet vermeld. De dader werd beschreven als 'blank, van gemiddelde lengte, gedrongen, dertig tot veertig jaar met een zuidelijk accent'. Malibu viel onder het district en dus onder de rechtsbevoegdheid van de sheriff. Het misdrijf had tachtig kilometer van het bureau van de sheriff plaatsgevonden, maar omdat misdrijven met ge-weld werden behandeld door rechercheurs Zware Misdaad werd iedereen die informatie had, verzocht het hoofdbureau van poli-tie te bellen.

Toen Robin en ik een paar jaar eerder het huis in de heuvels aan het renoveren waren, zaten we tijdelijk in een huurhuis aan het strand in het westen van Malibu. Met zijn tweeën hadden we de kronkelende ravijnen en verlaten valleien aan de landkant van de Pacific Coast Highway verkend, en hadden we over de met eiken begroeide toppen gewandeld die boven de oceaan uitstaken.

Latigo Canyon bestond in mijn herinnering uit kronkelige wegen en slangen en roodstaartbuizerds. Hoewel het even duurt voor-dat je boven de bewoonde wereld uitkomt, is de beloning de moei-te waard: een prachtig, warm niets.

Als ik nieuwsgierig genoeg was geweest, had ik Milo kunnen bel-len om meer te weten te komen over de ontvoering. Ik was be-zig met drie voogdijzaken, waarvan twee met showbizzouders, en de derde met een stel beangstigend ambitieuze plastisch chi-rurgen uit Brentwood wiens huwelijk op de klippen was gelopen toen hun infomercial voor een 'Facelift-in-een-potje' was geflopt. Op de een of andere manier waren ze erin geslaagd een achtjarig dochtertje te produceren dat ze nu emotioneel kapot leken te willen maken.

Een stil, mollig meisje met grote ogen dat een beetje stotterde. De laatste tijd zweeg ze vaak lange tijd.

In de kinderpsychologie is niets zo akelig als een voogdijevaluatie en zo nu en dan overweeg ik om te stoppen. Ik heb mijn slagingspercentage nooit berekend, maar de zaken waarbij het goed komt houden me op de been zoals de incidentele uitbetaling van een fruitmachine.

Ik schoof de krant opzij en was blij dat deze zaak het probleem van een ander was. Maar terwijl ik me douchte en aankleedde, bleef ik aan de plaats delict denken. Prachtige gouden heuvels met de oceaan als een verbijsterende blauwe oneindigheid.

Ik kan tegenwoordig maar moeilijk schoonheid zien zonder aan het alternatief te denken.

Ik had zo'n vermoeden dat dit een moeilijke zaak was, waarbij de hoop vooral was gevestigd op de kans dat de dader een fout zou maken en een forensisch detail zou achterlaten: een uniek bandenspoor, een zeldzaam soort vezel of een biologisch spoor. Helemaal niet zo waarschijnlijk als je zou denken bij het zien van al die televisieprogramma's. De meest voorkomende afdruk die op een plaats delict wordt aangetroffen is de handpalmafdruk en politie-instanties zijn nog maar net begonnen met het catalogiseren van handpalmafdrukken. Met DNA kun je wonderen verrichten, maar de achterstand is meedogenloos en de databanken zijn bij lange na niet compleet.

Bovendien worden criminelen ook steeds slimmer en gebruiken ze condooms. Deze crimineel was zo te horen een zorgvuldige planner.

Agenten kijken ook naar televisieprogramma's en zo nu en dan steken ze iets op. Maar Milo en andere mensen in zijn positie hebben een uitdrukking: *forensisch onderzoek lost geen misdrijven op, rechercheurs doen dat wel.*

Milo zou wel blij zijn dat deze zaak niet van hem was.

Maar dat was hij wel.

Toen de ontvoering iets anders werd, begonnen de media namen te noemen.

Michaela Brand (23). Dylan Meserve (24).
Politiefoto's zijn niet bevorderlijk voor je uiterlijk, maar zelfs met nummers rond hun nek en een doodsbange blik in hun ogen, waren deze twee voer voor een soap.
Ze hadden een aflevering van een realityshow geproduceerd die fout liep.

Het plan stortte in toen een medewerker van Krentz IJzerwaren in West-Hollywood het verhaal over de ontvoering in de *Times* las en zich een jong stel kon herinneren dat drie dagen vóór de zogenaamde ontvoering contant had betaald voor een rol geel nylondraad.
De videobeelden van de bewakingscamera bevestigden hun identiteit, en de analyse van het touw toonde aan dat het volledig overeenkwam met het touw dat op de plaats delict was aangetroffen en met de kneuzingen rond de armen, benen en nek van Michaela en Dylan.
Politiemensen volgden het spoor naar een outdoorwinkel in Santa Monica waar het stel een zaklamp, water en gedroogd voedsel voor wandelaars had gekocht. Een supermarkt in de buurt van Century City bevestigde dat Michaela Brand nog geen uur voor de ontvoering haar bankpasje had gebruikt om Snickers-ijsjes, twee pakjes gedroogd rundvlees en zes blikjes Miller Lite te betalen. Het geheel werd geïllustreerd door wikkels en lege blikjes die amper een kilometer van waar het stel hun ontvoering in scène had gezet werden gevonden.
De laatste klap was het verslag van een arts op de Spoedeisende Hulp van het Saint John's Hospital: Meserve en Brand beweerden allebei dat ze twee dagen niet hadden gegeten, maar het elektrolytgehalte van hun bloed was normaal. Verder had geen van beide slachtoffers ernstige verwondingen, op wat schaafwonden en een 'lichte' kneuzing van Michaela's vagina na die ook 'zelf toegebracht' kon zijn.
In het licht van zoveel bewijsmateriaal sloeg het stel door en gaven ze toe dat het een grap was. Ze werden aangeklaagd wegens het hinderen van de politie en het doen van een valse aangifte. Ze vertelden allebei dat ze geen geld hadden en kregen ieder een advocaat toegewezen.

Michaela's pro-Deoadvocaat was Lauritz Montez. Hij en ik hadden elkaar bijna tien jaar eerder leren kennen tijdens een bijzonder weerzinwekkende zaak: de moord op een tweejarig meisje door twee jongens van een jaar of tien, van wie een Montez' cliënt was. De afschuwelijke toestand had weer de kop opgestoken toen een van de moordenaars, inmiddels een jongeman, me enkele dagen na zijn vrijlating belde en uren later dood werd aangetroffen.

Lauritz Montez had me vanaf het begin al niet gemogen en toen ik het verleden begon op te rakelen, werd dat alleen maar erger. Het verbaasde me dus dat hij me belde om te vragen of ik Michaela Brand wilde evalueren.

'Waarom zou ik een grapje maken?'

'Het was nou niet bepaald liefde op het eerste gezicht.'

'Ik vraag u niet mee uit,' zei hij. 'U bent een slimme psycholoog en ik wil op een gedegen rapport kunnen steunen.'

'Ze is alleen aangeklaagd voor misdrijven, niet voor zware overtredingen,' zei ik.

'Ja, maar de sheriff baalt en dringt er bij de officier van justitie op aan om gevangenisstraf te eisen. We hebben het hier over een verward kind dat iets stoms heeft gedaan. Ze voelt zich al beroerd genoeg.'

'U wilt dat ik zeg dat ze ontoerekeningsvatbaar was.'

Montez schoot in de lach. 'Tijdelijk stapelmesjokke ontoerekeningsvatbaar zou geweldig zijn, maar ik weet dat u nogal een zeikerd bent als het om iets onbenulligs als feiten gaat. Dus zegt u gewoon hoe het was: ze was in de war, had een moment van zwakte, werd meegesleurd. Er is vast wel een wetenschappelijke benaming voor.'

'De waarheid,' zei ik.

Hij moest opnieuw lachen. 'Doet u het?'

Het dochtertje van de plastisch chirurgen was weer gaan praten, maar beide ouders hadden die ochtend gebeld om me te laten weten dat de zaak opgelost was en dat mijn diensten niet langer nodig waren.

'Best,' zei ik.

'Echt?' vroeg Montez.

'Waarom niet?'

'Bij Duchay ging het niet zo makkelijk.'

'Dat was toch ook niet mogelijk?'

'Dat is waar. Goed, dan zal ik ervoor zorgen dat ze u belt voor een afspraak. Ik zal zien of ik een redelijke vergoeding voor u kan regelen.'

'Redelijk is altijd goed.'

'En zo zeldzaam.'

4

Vier dagen later had Michaela Brand een afspraak met me.

Ik werk thuis ten noorden van Beverly Glen. Halverwege de maand november ziet de hele stad er mooi uit, maar de Glen helemaal.

Ze glimlachte en zei: 'Dag, dokter Delaware. Wauw, wat is het hier mooi, u spreekt mijn naam uit als Michála.'

De glimlach vormde zwaar geschut in het gevecht om op te vallen. Ik liep voor haar uit door de hoge, witte, holle ruimte naar mijn kantoor achterin.

Lang, smalle heupen, volle borsten en een heupwiegende tred. Als haar borsten niet echt waren, dan was hun bewegingsvrijheid goede reclame voor een geweldige chirurgische kunstenaar. Haar gezicht was ovaal en glad, gezegend met grote blauwgroene ogen die moeiteloos spontaan geboeid konden kijken, met daaronder een lange, gladde, smalle nek.

De blauwe plekken in haar nek waren met make-up weggewerkt. De rest van haar gebruinde, zachte huid lag op dunne botten. Zonnebank of zo'n spray die een week blijft zitten. Kleine donkerbruine sproetjes op haar neus toonden een glimp van haar werkelijke huidkleur. Brede lippen die groter leken door de gloss. Een dikke bos goudbruin haar viel over haar schouderbladen. Een kapper had hard gewerkt om het haar volume en een nonchalante uitstraling te geven. Zes kleuren nepblond.

Haar nauwsluitende zwarte spijkerbroek hing zo laag op haar heupen dat haar bikinilijn geharst moest worden. Haar heupen hadden glooiende rondingen die smeekten om een tangopartner. Een zwart mouwloos T-shirt met PORN STAR in kleine nepdiamantjes erop kwam tot vlak boven de spottende glimlach van haar navel. Dezelfde gave goudbruine huid over een superstrakke buik. Ze had lange kunstnagels en haar valse wimpers waren volmaakt. Haar geëpileerde wenkbrauwen droegen bij aan de illusie van permanente verbazing.

Veel tijd en geld om chromosomen te verbeteren die toch al mazzel hadden. Ze had de rechtbank ervan weten te overtuigen dat ze arm was. Dat was ook zo, ze had nog tweehonderd dollar op haar rekening staan.

'Mijn huisbaas heeft me nog een maand gegeven,' zei ze, 'maar als ik dit niet gauw regel en een andere baan krijg, word ik uit mijn huis gezet.'

Er welden tranen op in haar blauwgroene ogen. Een wolk van haar werd opgeschud, danste en daalde weer neer. Hoewel haar benen erg lang waren, was ze erin geslaagd ze onder zich te vouwen op de grote leren patiëntenstoel en ze zag er nietig uit.

'Wat betekent "regelen" voor jou?' vroeg ik.

'Sorry?'

'Het regelen.'

'Nou ja,' zei ze. 'Ik moet deze... puinhoop op zien te lossen.'

Ik knikte en ze hield haar hoofd schuin als een puppy. 'Lauritz zei dat u de beste bent.'

Ze noemde haar advocaat bij zijn voornaam. Ik vroeg me af of Montez werd gedreven door meer dan alleen een gevoel van beroepsmatige verantwoordelijkheid.

Hou toch op, wantrouwige vent. Concentreer je op de patiënt.

Deze patiënte boog zich naar voren en glimlachte verlegen; borsten die tegen de zwarte stof aan duwden. 'Wat heeft meneer Montez je over dit gesprek verteld?'

'Dat ik mezelf emotioneel moet openstellen.' Ze duwde haar vinger tegen haar ooghoek. Toen liet ze haar hand vallen en wreef met haar vinger over haar in zwarte spijkerstof gehulde knie.

'Jezelf openstellen. Hoe?'

'Nou ja, niets voor me houden, gewoon mezelf zijn. Ik ben...'

Ik wachtte.

Ze zei: 'Ik ben blij dat u het bent. U lijkt me aardig.' Ze trok haar ene been onder het andere.

Ik zei: 'Vertel eens hoe het is gebeurd, Michaela.'

'Hoe wat is gebeurd?'

'Die zogenaamde ontvoering.'

Ze huiverde. 'Wilt u niets weten over mijn jeugd of zo?'

'Daar komen we misschien later nog op, maar het is het beste om met het bedrog zelf te beginnen. Ik wil het graag in je eigen woorden horen.'

'Mijn eigen woorden. Goh.' Een halve glimlach. 'Geen voorspel dus?'

Ik glimlachte terug. Ze ontvouwde haar benen en zette een paar zwarte schoenen met hoge hakken op het tapijt. Ze draaide met haar voet. Bekeek de kamer. 'Ik weet dat ik fout zat, maar ik ben een net meisje, dokter. Echt waar.'

Ze sloeg haar armen over elkaar over de PORN STAR-opdruk. 'Waar zal ik beginnen... Ik moet zeggen dat ik me erg naakt voel.'

Ik stelde me haar naakt voor op die weg, toen ze bijna een oude man in zijn truck van de weg af een ravijn in had gejaagd. 'Ik weet dat het moeilijk is om te denken aan wat je hebt gedaan, Michaela, maar het zou echt kunnen helpen om vast te wennen om erover te praten.'

'Zodat u me begrijpt?'

'Ja,' zei ik, 'maar ook omdat je op een gegeven moment kan worden gevraagd te getuigen.'

'Hoe bedoelt u?'

'De rechter vertellen wat je hebt gedaan.'

'Het opbiechten,' zei ze. 'Is getuigen een chic woord voor opbiechten?'

'Ik denk het wel.'

'Al die woorden die ze gebruiken.' Ze lachte zachtjes. 'Ik leer tenminste weer eens wat.'

'Waarschijnlijk niet op de manier die je had verwacht.'

'Reken maar... advocaten, agenten. Ik weet niet eens meer wat ik aan wie heb verteld.'

'Het is nogal verwarrend,' zei ik.

'Nogal, dokter. Daar ben ik goed in.'

'Waarin?'

'Verwarring. In Phoenix – op de middelbare school – dachten mensen wel eens dat ik een leeghoofd was. De studiebollen, weet u wel? Maar ik was gewoon vaak in de war. Nog steeds. Misschien komt het omdat ik op mijn hoofd ben gevallen toen ik klein was. Ik viel van de schommel en raakte bewusteloos. Daarna heb ik op school nooit meer echt goed gepresteerd.'

'Dat was zo te horen een akelige val.'

'Ik kan me er niet veel van herinneren, dokter, maar ze zeiden dat ik een halve dag buiten westen was.'

'Hoe oud was je?'

'Drie, of zo. Misschien vier. Ik schommelde heel hoog, ik was gek op schommelen. Kennelijk liet ik los en toen vloog ik door de lucht. Ik heb mijn hoofd wel vaker gestoten. Ik viel en struikelde altijd. Toen ik vijftien was, groeiden mijn benen zo snel dat ik in een halfjaar tijd van een meter vijftig naar een meter zeventig ben gegaan.'

'Je hebt vaak ongelukjes.'

'Mijn moeder zei vroeger altijd dat ik een wandelend ongeluk was. Had ik haar net overgehaald om een mooie spijkerbroek voor me te kopen, dan scheurde ik gelijk de knieën en dan werd ze boos en zei ze dat ze nooit meer iets voor me zou kopen.'

Ze legde haar hand tegen haar linkerslaap, nam een pluk haar tussen haar vingers en draaide eraan. En pruilde. Ze deed me aan iemand denken. Ik keek naar haar gefriemel en opeens wist ik het weer: een jonge Brigitte Bardot.

Zou ze weten wie dat was?

Ze zei: 'Mijn hoofd loopt over. Sinds die toestand. Het lijkt wel of ik door de scènes van het script van iemand anders zweef.'

'Het rechtssysteem kan overweldigend zijn.'

'Nooit gedacht dat ik ín het systeem zou zitten! Ik bedoel, ik kijk niet eens naar die advocatenseries op tv. Mijn moeder leest detectives, maar ik hou er niet van.'

'Wat lees jij?'

Ze wendde zich af en gaf geen antwoord. Ik herhaalde de vraag.

'O sorry, ik was even weg. Wat ik lees... *Us Magazine*. *People*, *Elle*, dat soort dingen.'

'Zullen we het eens hebben over wat er is gebeurd?'

'Best, best... het was gewoon... misschien zijn Dylan en ik te ver gegaan, maar mijn theaterdocente... Haar doel van de training is dat je helemaal opgaat in de scène, dat je jezelf loslaat, weet je, je ego. Dat je helemaal in de scène opgaat en je laat gaan.'

'En dat is wat jij en Dylan deden,' zei ik.

'Ik denk dat we dáchten dat we dat deden en ik denk... Ik weet niet goed wat er daarna is gebeurd. Het is zo krankzinnig, hoe ben ik in die waanzin verzeild geraakt?'

Ze sloeg met haar vuist in haar handpalm, huiverde en wierp haar armen in de lucht. Ze begon zachtjes te huilen. In haar hals klopte een ader door de make-up heen, waardoor de blauwe plek geaccentueerd werd.

Ik gaf haar een zakdoekje. Haar vingers bleven even op mijn knokkels liggen. Ze snifte. 'Bedankt.'

Ik ging weer zitten. 'Dus je dacht dat je deed wat Nora Dowd je had geleerd?'

'Kent u Nora?'

'Ik heb de processen-verbaal gelezen.'

'Staat Nora daarin?'

'Haar naam wordt genoemd. Dus volgens jou had de zogenaamde ontvoering met je opleiding te maken.'

'U zegt steeds "zogenaamd",' zei ze.

'Hoe moet ik het volgens jou noemen?'

'Ik weet het niet... iets anders. De oefening. Wat dacht u daarvan? Zo begon het eigenlijk.'

'Een acteeroefening.'

'Mmm.' Ze sloeg haar benen over elkaar. 'Nora heeft ons nooit specifiek een oefening opgedragen, maar we dachten – ze drong er altijd op aan om in het hart van ons gevoel te kruipen. Dylan en ik dachten dat als we...' Ze beet op haar lip. 'Het was niet de bedoeling om zo ver te gaan.'

Ze raakte haar slaap weer aan. 'Ik was niet goed bij mijn hoofd. Dylan en ik wilden alleen maar artistiek authentiek zijn. Toen ik hem had vastgebonden en het touw om mezelf heen wond, hield ik het een tijd strak om ervoor te zorgen dat ik blauwe plekken zou krijgen.' Ze fronste haar wenkbrauwen en raakte een blauwe plek aan.

'Ik zie het.'

'Ik wist dat er niet veel voor nodig was. Om een blauwe plek te

23

maken. Ik krijg heel snel blauwe plekken. Misschien kan ik daarom niet goed tegen pijn.'

'Wat bedoel je?'

'Ik ben een schijterd als het om pijn gaat, dus ga ik het uit de weg.' Ze legde haar hand op de plek waar de laag uitgesneden ronde hals van het t-shirt haar huid ontmoette. 'Dylan voelt helemaal niks, ik bedoel, die is bikkelhard. Toen ik hem vastbond, zei hij steeds dat het strakker moest, hij wilde het vóélen.'

'De pijn?'

'O, ja,' zei ze. 'Niet meteen zijn nek, eerst alleen zijn armen en benen. Maar zelfs dat doet pijn als je het maar strak genoeg doet, hè? En hij bleef het maar zeggen: strakker, strakker. Tot ik tegen hem schreeuwde dat ik het niet strakker kon.' Ze staarde naar het plafond. 'Hij lag daar maar. Toen glimlachte hij en zei dat ik mijn nek op dezelfde manier moest doen.'

'Heeft Dylan een doodswens?'

'Dylan is een freak... het was eng daarboven, donker, koud, de leegte van de lucht. Je kon er dingen horen kruipen.' Ze sloeg haar armen om zich heen. 'Ik zei dat het gestoord was, dat het misschien toch niet zo'n goed idee was.'

'Wat zei Dylan toen?'

'Hij lag daar maar met zijn hoofd opzij.' Ze deed haar ogen dicht om het te laten zien, liet haar mond slap hangen en toonde het puntje van een roze tong. 'Hij deed of hij dood was, snapt u? Ik zei: "Hou nou op, dat is niet leuk." Maar hij wilde niks zeggen, bewoog zich niet en ik werd er uiteindelijk gek van. Ik rolde naar hem toe en gaf een duw tegen zijn hoofd en hij liet het gewoon vallen, weet u?'

'Methodacting.'

Vragende blik.

'Als je je volledig inleeft in je rol, Michaela.'

Ze leek ergens anders met haar gedachten. 'Zal wel...'

'Hoelang waren jullie al met de oefening bezig voordat je hem vastbond?'

'Dit was de tweede nacht, alles was in de tweede nacht. Daarvoor deed hij normaal, maar toen begon hij me in de zeik te nemen. Ik zei maar niks, want ik was bang. Het was allemaal... ik was zo, zo stom.'

Ze bracht een aantal goudkleurige lokken naar voren en verborg haar gezicht. Ik moest aan een spaniël tijdens een rashondenshow denken. Eigenaren die de oren voor de neus hangen zodat de jury de schedel goed kan zien.

'Je was bang voor Dylan.'

'Hij bewoog zich héél lang niet,' zei ze.

'Was je bang dat je hem te strak had vastgebonden?'

Ze liet haar haar los, maar bleef naar de grond staren. 'Zelfs nu zou ik u niet kunnen zeggen waarom hij het deed. Misschien was hij echt bewusteloos, misschien hield hij me volkomen voor de gek. Hij is... het was eigenlijk zijn idee, dokter. Dat zweer ik.'

'Dylan had het allemaal bedacht?'

'Alles. Zoals het touw en waar we naartoe moesten.'

'Hoe kwam hij bij Latigo Canyon?'

'Hij zei dat hij daar een keer had gewandeld, hij wandelt graag in zijn eentje, dan kan hij zich beter in een rol inleven.' Het puntje van haar tong gleed over haar onderlip en liet een vochtig spoortje achter.

'Hij zegt ook dat hij er ooit een huis wil hebben.'

'In Latigo Canyon?'

'In Malibu, maar dan aan het strand, bijvoorbeeld in de Malibu Colony. Hij is waanzinnig gedreven.'

'Als het om zijn carrière gaat?'

'Er zijn mensen die een scène doen met alles wat ze hebben, weet je? Maar ze weten wanneer ze moeten stoppen. Dylan is tof als hij zichzelf is, maar hij heeft van die ambíties. Dat hij op de omslag van *People* wil staan, de plaats van Johnny Depp wil innemen.'

'Wat heb jij voor ambities, Michaela?'

'Ik? Ik wil gewoon werken. Televisie, film, series, reclames, maakt niet uit.'

'Dat zou Dylan niet willen.'

'Dylan wil als Meest Sexy Man verkozen worden.'

'Heb je hem sinds de oefening nog gesproken?'

'Nee.'

'Wiens beslissing was dat?'

'Lauritz zei dat ik uit zijn buurt moest blijven.'

'Hadden Dylan en jij een hechte band hiervoor?'

'Best wel. Dylan zei dat er een natuurlijke spanning tussen ons was. Daarom heb ik me waarschijnlijk... laten meeslepen. Het was allemaal zijn idee, maar in de bergen werd ik bang voor hem. Ik praatte tegen hem, schudde hem door elkaar en hij leek echt... nou ja.'

'Dood.'

'Niet dat ik ooit echt een dode heb gezien, maar toen ik jong was keek ik graag naar bloederige films. Nu niet meer. Ik word er misselijk van.'

'Wat deed je toen je dacht dat Dylan dood was?'

'Ik ging door het lint en begon het touw om zijn nek los te maken, maar hij bewoog nog steeds niet en zijn mond stond open en hij zag er echt heel...' Ze schudde haar hoofd. 'De sfeer daar, ik flípte echt. Ik sloeg hem in zijn gezicht en schreeuwde dat hij moest ophouden. Zijn hoofd rolde maar heen en weer. Net als bij van die ontspanningsoefeningen die we van Nora moeten doen voor een belangrijke scène.'

'Eng.'

'Doodeng. Ik ben dyslectisch, niet heel erg, niet analfabeet of dat alles onleesbaar is, ik kan wel lezen. Maar het duurt heel lang voordat ik woorden uit mijn hoofd ken. Ik kan woorden niet hardop lezen. Ik bedoel, ik kan mijn tekst uit mijn hoofd leren, maar daar moet ik heel hard voor werken.'

'Was het enger om Dylan zo te zien omdat je dyslectisch bent?'

'Omdat mijn hoofd helemaal warrig was en ik niet helder kon nadenken. En omdat ik zo bang was, wist ik het allemaal niet meer. Mijn gedachten waren niet logisch – alsof ze in een andere taal waren, snapt u?'

'Je was gedesoriënteerd.'

'Ik bedoel, als je ziet wat ik deed,' zei ze. 'Ik maakte me los, klom de heuvel op en rende de weg op zonder kleren aan te trekken. Ik móét wel gedesoriënteerd zijn geweest. Als ik helder had nagedacht, had ik dat toch niet gedaan? En toen, na die oude man op de weg, die...' Haar frons kwam helemaal tot aan haar linkermondhoek voordat hij verdween.

'De oude man die...'

'Ik wilde zeggen, de oude man die me gered heeft, maar ik was helemaal niet in gevaar. Al was ik wel behoorlijk bang. Want ik wist nog steeds niet of Dylan nog leefde. Tegen de tijd dat de oude man de reddingsdienst had gebeld en die kwamen, had Dylan zich uit de touwen losgemaakt en stond hij daar. En toen niemand keek, glimlachte hij even. Ha ha, goeie grap, zoiets.'

'Je vindt dat Dylan je gemanipuleerd heeft.'

'Dat is het trieste. Het verlies van vertrouwen. Terwijl het allemaal júíst om vertrouwen ging. Nora zegt ons altijd dat het leven van een kunstenaar voortdurend in gevaar is. Je werkt altijd zonder vangnet. Dylan was mijn eerste partner en ik vertrouwde hem. Daarom deed ik met hem mee.'

'Kostte het hem moeite om je over te halen?'

Ze fronste haar wenkbrauwen. 'Hij bracht het als een avontuur. Al die spullen die we kochten. Hij gaf me het gevoel dat ik een kind was dat plezier maakte.'

'Het plan bedenken was leuk,' zei ik.

'Precies.'

'Het touw en het eten kopen.'

'Mmm.'

'Een zorgvuldig plan.'

Haar schouders spanden zich. 'Wat bedoelt u?'

'Jullie betaalden contant en gingen naar verschillende winkels in verschillende buurten.'

'Dat was allemaal Dylans idee,' zei ze.

'Zei hij waarom hij het zo gepland had?'

'Daar hebben we het eigenlijk niet over gehad. Het was meer... We hadden al zoveel oefeningen gedaan, dit was gewoon de zoveelste. Ik had het gevoel dat ik de rechterhelft moest gebruiken. Van mijn hersenen. Nora heeft ons geleerd om ons te concentreren op de rechterhersenhelft.'

'De creatieve kant,' zei ik.

'Precies. Niet te veel nadenken, gewoon doen.'

'De naam Nora valt wel vaak.'

Stilte.

'Wat zou zij hiervan vinden, Michaela?'

'Ik weet precies wat zij ervan vindt. Ze is hartstikke kwaad. Nadat ik was gearresteerd, heb ik haar gebeld. Ze zei dat het stom en amateuristisch was dat we gepakt waren en dat ik niet terug hoefde te komen. Toen hing ze op.'

'Dat jullie gepakt waren,' zei ik. 'Ze was niet boos over het plan op zich?'

'Dat zei ze. Het was stom om gepakt te worden.' Haar ogen werden vochtig.

'Het moet akelig zijn geweest om dat van haar te horen,' zei ik.

'Ze heeft een machtspositie.'

'Heb je geprobeerd nog een keer met haar te praten?'

'Ze wil mijn telefoontjes niet meer aannemen. Dus nu kan ik niet meer naar het PlayHouse. Niet dat het er iets toe doet. Denk ik.'

'Tijd voor een nieuwe stap?'

De tranen stroomden over haar wangen. 'Ik heb geen geld voor een opleiding want ik ben blut. Ik moet me maar inschrijven bij zo'n bureau. Persoonlijk assistent of nanny worden. Of in een hamburgertent werken, of zoiets.'

'Zijn dat je enige opties?'

'Wie geeft mij nou een goede baan als ik steeds op auditie moet? En zolang dít niet voorbij is.'

Ik gaf haar nog een zakdoekje.

'Ik was echt niet van plan om iemand te schaden, echt niet, dokter. Ik weet dat ik beter had moeten nadenken en minder op mijn gevoel had moeten afgaan, maar Dylan...' Ze trok haar benen weer onder zich. Door haar weinige lichaamsvet was ze in staat zich als een papiertje op te vouwen. Met dat gebrek aan isolatie moest ze het die twee nachten in de heuvels wel koud gehad hebben. Zelfs als ze loog over haar angst kon de ervaring niet echt prettig zijn geweest: in het uiteindelijke proces-verbaal van de politie stond dat er verse menselijke uitwerpselen aangetroffen waren onder een nabijgelegen boom, met bladeren en wikkels die als wc-papier gebruikt waren.

'Nu denkt iedereen dus dat ik een dom blondje ben,' zei ze.

'Sommige mensen zijn van mening dat slechte publiciteit niet bestaat.'

'O ja?' zei ze. 'Vindt u dat ook?'

'Ik denk dat mensen kunnen veranderen.'

Ze keek me recht aan. 'Ik was stom en ik heb er heel, heel erg veel spijt van.'

Ik zei: 'Wat jullie ook van plan waren, het zijn wel een paar moeilijke nachten geweest.'

'Hoe bedoelt u?'

'In de kou. Zonder wc.'

'Dat was góór,' zei ze. 'Het was íjskoud en ik had het gevoel dat er allemaal beestjes over me heen kropen die me opaten. Naderhand deden mijn armen en benen en nek zéér. Omdat ik mezelf te strak had vastgebonden.' Ze grimaste. 'Ik wilde authentiek zijn. Om Dylan iets te bewijzen.'

'Wat te bewijzen?'

'Dat ik een serieuze actrice ben.'

'Wilde je nog meer mensen behagen, Michaela?'

'Wat bedoelt u?'

'Je moet hebben geweten dat het verhaal aandacht zou krijgen. Heb je erover gedacht hoe anderen zouden reageren?'

'Zoals?'

'Laten we beginnen bij Nora.'

'Ik dacht echt dat ze er respect voor zou hebben. Voor onze integriteit. In plaats daarvan is ze kwaad.'

'En je moeder?'

Ze haalde haar schouders op.

'Dacht je niet aan je moeder?'

'Ik praat niet met haar. Ze speelt geen rol in mijn leven.'

'Weet ze wat er is gebeurd?'

'Ze leest geen kranten, maar misschien wel als het in de *Phoenix Sun* heeft gestaan en iemand haar die heeft laten lezen.'

'Heb je haar niet gebeld?'

'Ze kan me toch niet helpen.' Ze mompelde.

'Waarom is dat, Michaela?'

'Ze is ziek. Ze heeft een longziekte. Ze is mijn hele jeugd ziek geweest. Zelfs toen ik op mijn hoofd viel, moest een buurman me naar de dokter brengen.'

'Je moeder was er niet voor je.'

Ze wierp een blik opzij. 'Als ze stoned was, sloeg ze me.'

'Je moeder gebruikte drugs.'

'Meestal wiet, soms slikte ze pillen voor haar humeur. Meestal rookte ze wiet. Wiet én tabak én Courvoisier. Haar longen zijn helemaal weggebrand. Ze ademt met een tank.'

'Een moeilijke jeugd.'

Ze mompelde weer iets.

Ik zei: 'Dat verstond ik niet.'

'Mijn jeugd. Ik heb het er niet graag over, maar ik ben helemaal eerlijk tegen u. Geen illusies, geen emotionele sluier, snapt u? Het is net een mantra. Ik hou mezelf steeds voor: eerlijk zijn, eerlijk zijn, eerlijk zijn. Lauritz zei dat ik dat niet mocht vergeten.' Met haar vingertopje raakte ze haar gladde bruine voorhoofd aan.

'Waar hoopte jíj op toen het verhaal bekend werd?'

Stilte.

'Michaela?'

'Misschien tv.'

'Dat je op televisie zou komen?'

'Reality-tv. Een soort combinatie van *Punk'd* en *Survivor* en *Fear Factor*, maar zonder dat iemand weet wat echt is en wat niet. Het was niet onze bedoeling gemeen te zijn. We wilden doorbreken.'

'Hoe doorbreken?'

'Mentaal.'

'En wat betreft je carrière?'

'Hoe bedoelt u?'

'Dacht je dat je misschien een rol in een realityshow zou krijgen?'

'Dat dacht Dylan,' zei ze.

'Jij niet?'

'Ik dacht niet na. Punt. Misschien dacht ik diep vanbinnen – onbewust – dat het ons zou helpen de muur af te breken.'

'Welke muur?'

'De muur die tussen jou en het succes in staat. Je doet auditie en ze zien je niet eens staan, en zelfs als ze zeggen dat ze je terugbellen, doen ze dat niet. Je hebt net zoveel talent als het meisje dat wel gebeld wordt, dingen gebeuren zomaar, zonder reden. Dus waarom niet? Val op, doe speciaal of gek of eng. Máák dat je bijzonder bent, omdat je bijzonder bent.'

Ze stond op, liep de kamer door. Schopte met haar ene schoen tegen de andere en struikelde bijna. Misschien was ze echt een beetje onhandig.

'Het is een kloteleven.'

'Als acteur.'

'Als welke kunstenaar dan ook. Iedereen vindt kunstenaars geweldig, maar tegelijk ook weer niet!'

Ze greep haar haar met beide handen vast, rukte eraan en had een verachtelijke blik op haar gezicht.

'Hebt u enig idee hoe moeilijk het is?' zei ze met een vertrokken gezicht.

'Wat?'

Ze liet het haar los en zag op me neer alsof ik achterlijk was.

'Om... op... te... vallen!'

5

Hierna zag ik Michaela nog drie keer. Meestal dwaalde ze terug naar jeugdherinneringen die waren bezoedeld door verwaarlozing en eenzaamheid. Haar moeders overspelige gedrag en vele ziektebeelden werden elk gesprek erger. Ze herinnerde zich jaren van mislukte schoolprestaties, tienerproblemen en chronische eenzaamheid omdat ze eruitzag als 'een giraf met pukkels'.

Psychometrisch onderzoek wees uit dat ze gemiddeld intelligent was, een slechte zelfbeheersing had en een neiging tot manipuleren. Niets duidde op leer- of concentratieproblemen en haar MMPI-uitslag was verhoogd, wat wilde zeggen dat ze altijd aan het acteren was.

Desondanks leek ze een trieste, bange, kwetsbare, jonge vrouw. Dat weerhield me er echter niet van haar te vragen wat gevraagd moest worden.

'Michaela, er zijn kneuzingen rond je vagina aangetroffen.'

'Dat zal wel.'

'Volgens de arts die je heeft onderzocht.'

'Misschien heeft hij wel voor die kneuzingen gezorgd toen hij me onderzocht.'

'Deed hij ruw?'

'Hij had ruwe vingers. Een Aziatische vent. Ik kon merken dat hij me niet moest.'

'Waarom zou hij je niet moeten?'

'Dat moet u hem vragen.' Ze keek op haar horloge.

Ik zei: 'Is dat het verhaal waar je het bij houdt?'

Ze rekte zich uit. Een spijkerbroek vandaag, laag, met een blote buik en een wit kanten topje. Haar tepels waren vage grijze puntjes.

'Heb ik een verhaal nodig dan?'

'Het kan ter sprake komen.'

'Als u erover begint.'

'Het heeft niets met mij te maken. Het staat in je dossier.'

'Mijn dossier,' zei ze. 'Alsof ik een of ander groot misdrijf heb gepleegd.'

Ik gaf geen antwoord.

Ze frunnikte aan het kant. 'Wat maakt het nou uit? Wat kan het u nou schelen?'

'Ik wil graag begrijpen wat er in Latigo Canyon is gebeurd.'

'Dylan sloeg door, dát is er gebeurd,' zei ze.

'Lichamelijk?' zei ik.

'Hij werd vreselijk hartstochtelijk en was nogal hardhandig.'

'Wat gebeurde er?' zei ik.

'Wat meestal gebeurt.'

'En...'

'Zo gíng dat.' Ze zwaaide met de vingers van een hand. 'Als we elkaar aanraakten. Die paar keer.'

'De paar keer dat jullie vreeën.'

'We hebben nooit gevreeën. Af en toe waren we geil en dan zaten we aan elkaar. Natúúrlijk wilde hij meer, maar dat wilde ik niet.' Ze stak haar tong uit. 'Een paar keer mocht hij me beffen, maar meestal was het vingerwerk, want ik wilde niet dat hij zo dichtbij kwam.'

'Wat is er in Latigo Canyon gebeurd?'

'Wat heeft dat nou te maken met... wat er is gebeurd?'

'Jouw relatie met Dylan zal ongetwijfeld ter...'

'Oké, oké,' zei ze. 'In de Canyon was het allemaal vingerwerk en op een gegeven moment werd hij een beetje te ruw. Toen ik daar iets van zei, zei hij dat hij het expres deed. Om het echt te laten lijken.'

'Voor als jullie zouden worden ontdekt.'

'Zal wel,' zei ze.

Ze keek de andere kant op.

Ik wachtte.

Ze zei: 'Het was de eerste nacht. Wat moesten we anders? Het was stomvervelend om daar maar te zitten. Op een gegeven moment waren we wel uitgepraat.'

'Hoe snel waren jullie uitgepraat?' vroeg ik.

'Heel snel. Want hij was helemaal van de zen, en de stilte. Als voorbereiding op de tweede nacht. Hij zei dat we ons beelden in ons hoofd moesten vormen. Dat we onze emoties moesten versterken door de woorden uit ons hoofd te bannen. Totdat hij geil werd. Toen kostte het hem geen moeite om te zeggen wat hij wilde. Hij dacht dat het anders zou zijn als we daar boven waren. Dat ik hem wel zou pijpen. Ja, dág.'

Haar blik werd hard. 'Ik haat hem.'

Pas een dag later schreef ik een samenvatting voor mijn verslag. Haar verhaal kwam neer op verminderde toerekeningsvatbaarheid in combinatie met die aloude tactiek: *Ik heb het niet gedaan. Híj heeft het gedaan.*

Ik vroeg me af of Lauritz Montez soms haar nieuwe theaterdocent was, en dus belde ik zijn kantoor in het gerechtsgebouw van Beverly Hills. 'Ik denk niet dat ik je blij kan maken.'

'Ach, het doet er niet meer toe,' zei hij.

'Is het tot een schikking gekomen?'

'Nog beter. De zaak is zestig dagen verdaagd dankzij mijn collega die Meserve vertegenwoordigt. Marjani Coolidge... Ken je haar?'

'Nee.'

'Ze had een reis naar Afrika gepland, naar het land van haar voorvaderen, en heeft om uitstel gevraagd. Als de zestig dagen voorbij zijn wordt er wel weer verdaagd, en nog een keer. Tegen die tijd hebben de media alle interesse verloren, staat de rol propvol zware misdrijven en kost het geen enkele moeite om onbeduidende zaken weg te werken. Als de rechtszaak eenmaal begint, kan het niemand nog een zak schelen. De zaak wordt aangezwengeld door het district, en die lui hebben het concentratievermogen van een verslaafde mug. Het ergste wat die twee kan gebeuren is dat ze kansarme stadskinderen iets over Shakespeare moeten leren.'

'Ze doet geen Shakespeare.'

'Wat dan?'

'Improvisatie.'

'Ja, nou ja, dat leert ze dan wel. Bedankt voor je hulp.'

'Je hebt geen verslag meer nodig?'

'Je mag het sturen, maar ik beloof niet dat ik het lees. Maar daar zal jij niet mee zitten, want ik kan je toch alleen betalen voor de sessies. Veertig dollar per uur, niks bruto en niets voor enige documentatie.'

Ik zei niets.

'Tja,' zei hij, 'bezuinigingen en zo. Het spijt me.'

'Hoeft niet.'

'Vind je het niet erg?'

'Showbizz is toch niks voor mij.'

6

Twee weken na Michaela's laatste sessie, las ik achter in het *Metro*-katern een artikeltje.

DADERS ONTVOERINGSGRAP VEROORDEELD

Twee acteurs beschuldigd van het in scène zetten van hun eigen ontvoering met als doel hun carrière in de schijnwerpers te zetten, hebben een taakstraf opgelegd gekregen als onderdeel van een schikking tussen de sheriff, de officier van justitie en de pro-Deogroep.

Dylan Roger Meserve (24) en Michaela Ally Brand (23) was een serie vergrijpen ten laste gelegd die tot gevangenisstraf had kunnen leiden. Het stel beweerde aanvankelijk dat ze in West-Los Angeles in hun auto waren ontvoerd en door een gewapende en gemaskerde man gedwongen waren geweest naar Latigo Canyon in Malibu te rijden. Onderzoek wees uit dat het duo het incident in scène had gezet, zich zelfs had vastgebonden en twee dagen niet had gegeten.

'Dit was de beste regeling,' zei hulpofficier Heather Bally, aan-

klager in de zaak. Ze noemde hierbij hun leeftijd en het feit dat
ze geen van beiden een strafblad hadden, en ze benadrukte wat
Meserve en Brand zouden kunnen betekenen voor de 'theater-
gemeenschap', nu het tweetal was toegewezen aan twee theater-
programma's: TheaterKids in Baldwin Hills en de Drama Pos-
se in Oost-Los Angeles.
De sheriff had geen commentaar.

Eén verdaging was al genoeg geweest. Ik vroeg me af of ze in de
stad zouden blijven. Waarschijnlijk wel, als ze nog steeds roem
voor ogen hadden.
De rekening voor honderdzestig dollar die ik naar het kantoor
van Lauritz Montez had gestuurd was nog steeds niet betaald. Ik
belde hem, liet een beleefd berichtje achter op zijn antwoordapparaat en vergat de zaak verder.
Maar inspecteur Milo Sturgis dacht daar heel anders over.

Met oud en nieuw was ik alleen geweest, en de daaropvolgende
weken waren zonder bijzonderheden verlopen.
De hond die ik samen met Robin Castagna had, werd van de ene
op de andere dag stokoud.
Spike, een stevige Franse buldog met poten als boomstammen en
de kritische blik van een geoefende snob, had zijn neus opgehaald
voor gedeelde voogdij en was bij Robin gaan wonen. De laatste
paar maanden van zijn leven was zijn egocentrische wereldbeeld
vervaagd en was hij passief en slaperig geworden. Toen hij steeds
verder achteruitging, belde Robin me. Ik begon met enige regelmaat bij haar langs te gaan in haar huis in Venice, zat dan op
haar uitgezakte bank, terwijl zij in haar studio snaarinstrumen-
ten bouwde en repareerde.
Spike liet zich op schoot trekken en legde zelfs zijn loodzware
kop onder mijn arm. Zo nu en dan keek hij met zijn grauwe ogen
van de staar naar me op.
Als ik wegging, glimlachten Robin en ik altijd heel even naar elkaar, maar we spraken nooit over wat ging komen of over iets
anders.
De laatste keer dat ik Spike zag, was hij erg verzwakt en werd
hij niet eens wakker van het getik van Robins hamer en het ge-

jammer van haar mechanische gereedschap. Hij reageerde niet op lekkere hapjes bij zijn oude neus. Ik keek hoe zijn ribbenkast traag en moeizaam bewoog en luisterde naar zijn rasperige ademhaling.

Hartfalen. Volgens de dierenarts was hij moe, maar had hij geen pijn en was er geen reden om hem in te laten slapen, tenzij wij deze manier van sterven niet aankonden.

Spike viel op mijn schoot in slaap en toen ik zijn poot optilde, voelde deze koud aan. Ik wreef erover tot hij wat warmer was, bleef een tijdje zitten en legde hem toen voorzichtig in zijn mand en gaf hem een zoen op zijn knobbelige kop. Hij rook verrassend lekker, als een atleet die net heeft gedoucht.

Toen ik mezelf uitliet, was Robin nog steeds bezig met een oude Gibson F5-mandoline. Een peperduur instrument, dus opperste concentratie vereist.

Bij de deur keek ik nog even achterom. Spike had zijn ogen dicht en zijn platte kop leek vredig, bijna kinderlijk.

De volgende ochtend zuchtte hij drie keer en stierf toen in Robins armen. Ze belde me en vertelde me huilend de details. Ik reed naar Venice, wikkelde het beestje in een deken, belde de crematiedienst en keek toe hoe een vriendelijke man het treurig kleine hoopje meenam. Robin zat nog steeds in haar slaapkamer te huilen. Toen de man weg was, ging ik naar haar toe. En van het een kwam het ander.

Toen Robin en ik uit elkaar waren, legde zij het aan met een andere man en had ik een knipperlichtrelatie met Allison Gwynn, een slimme, beeldschone psychologe.

Van tijd tot tijd had ik nog contact met Allison. Zo nu en dan stak de lichamelijke aantrekkingskracht die we allebei hadden gevoeld de kop weer op. Voor zover ik wist had ze verder geen relaties. Maar dat zou vast niet lang duren, dacht ik.

Met oud en nieuw was ze bij haar oma en een lading neven en nichten in Connecticut geweest.

Ze had me voor kerst een das gestuurd. Ik had dit beantwoord met een victoriaanse granaatrode broche. Ik wist nog steeds niet goed wat er mis was gegaan. Zo nu en dan had ik er moeite mee dat ik kennelijk niet tot een langdurige relatie in staat was. Soms vroeg ik me af wat ik zou zeggen als ik mijn eigen patiënt was. Ik hield mezelf voor dat je hersens gingen rotten van te veel zelfbeschouwing en dat je je maar beter op andermans problemen kon concentreren.

Milo was uiteindelijk degene die voor afleiding zorgde toen hij, een week na de schikking in de zogenaamde ontvoeringszaak, op een koude, droge maandagochtend om negen uur belde.

'Dat meisje dat je hebt geëvalueerd – Mikki Brand, die haar eigen ontvoering in scène had gezet? Haar lichaam is gisteravond gevonden. Gewurgd en met een mes toegetakeld.'

'Ik wist niet dat ze Mikki werd genoemd.' De dingen die je zegt als je wordt overvallen.

'Zo noemt haar moeder haar.'

'Die kan het weten,' zei ik.

Ik sprak veertig minuten later met hem af. De moord was zondagavond gepleegd. De plaats was inmiddels schoongemaakt, ontleed en geanalyseerd, en de gele tape was weggehaald.

De enige tekenen van wreedheid waren korte stukjes van het witte touw dat de chauffeurs van het gerechtelijk laboratorium gebruiken om het lichaam vast te binden nadat ze het in dik doorschijnend plastic hebben gewikkeld. Matgrijs plastic. Dezelfde kleur als grauwe staarogen, bedacht ik.

Michaela Brand was in grasachtig terrein gevonden, zo'n vijftien meter ten westen van Bagley Avenue, ten noorden van National Boulevard, waar de straten onder snelweg 10 doorgaan. Waar het lichaam het onkruid had platgedrukt was nog een vage, langwerpige glans zichtbaar die opviel in het zonlicht. Het viaduct creëerde een koude schaduw en onafgebroken lawaai. De betonnen muren waren bedekt met schreeuwerige, vloekende graffiti. Op sommige plekken stond het onkruid meer dan een meter hoog en was het een gevecht om voedsel tussen het harig vingergras en de ambrosia, de paardenbloemen en andere kruipende planten, die ik niet herkende.

Dit behoorde tot de stad, was deel van de snelweg, ingeklemd tussen de keurige, welvarende straten van Beverlywood in het noorden en de flats van de arbeidersklasse van Culver City in het zuiden. Een paar jaar geleden hadden ze hier wat bendeproblemen gehad, maar daar had ik de laatste tijd niets meer over gehoord. Toch was het geen plek waar ik 's avonds graag zou lopen en ik vroeg me af wat Michaela hier te zoeken had gehad. Haar flat aan Holt Avenue lag een paar kilometer verderop. In L.A. doe je dat met de auto, niet te voet. Haar vijf jaar oude Honda was nog niet gevonden, en ik vroeg me af of ze was ontvoerd. Echt, deze keer.

Ironisch.

Milo zei: 'Wat denk je?'

Ik haalde mijn schouders op.

'Je hebt een peinzende blik. Zeg op, man.'

'Ik heb niks te zeggen.'

Hij wreef met zijn hand over zijn grote, bolle gezicht en keek me met half toegeknepen ogen aan alsof we net aan elkaar waren voorgesteld. Hij was gekleed op smerig werk: een roestbruine nylon windstopper, een makkelijk wasbaar wit overhemd met een opkrullende kraag, een dunne wijnrode das die eerder op twee repen gedroogd vlees leek en bruine laarzen met roze rubberzolen.

Zijn kortgeknipte kapsel had de gebruikelijke 'stijl': kaal van opzij, wat al het grijs en zwart bovenop benadrukte; een hanenkam van vechtende vetkuiven. Zijn bakkebaarden hingen een dikke centimeter onder zijn dikke oorlellen waarmee hij wel een Elvis-imitator leek. Zijn gewicht was inmiddels stabiel: ik schatte hem met zijn omvang van bijna twee meter op ongeveer honderdtwintig kilo, waarvan de kilo's voornamelijk in zijn buik zaten.

Toen hij onder het viaduct vandaan liep, accentueerde het zonlicht zijn pokdalige gezicht en de wrede neigingen van de zwaartekracht. We scheelden maar een paar maanden in leeftijd. Hij vertelde me regelmatig dat ik minder snel oud werd dan hij. Meestal antwoordde ik dan dat omstandigheden snel konden veranderen.

Hij doet alsof het hem niet kan schelen hoe hij eruitziet, maar ik heb al heel lang het vermoeden dat er diep in zijn psyche een bepaald zelfbeeld verankerd ligt: homo, maar anders dan je zou verwachten.

Rick Silverman koopt allang geen kleren meer voor hem die hij toch niet draagt. Rick gaat twee keer per maand naar een dure salon in West-Hollywood. Milo rijdt eens in de twee maanden naar La Brea en Washington waar hij zeven dollar plus fooi betaalt aan een negenentachtigjarige herenkapper die beweert dat hij Eisenhowers haar nog heeft geknipt tijdens de Tweede Wereldoorlog. Ik ben één keer bij die kapper geweest met de grijze linoleumvloer, de krakende stoelen, de vergeelde posters voor Brylcreem, de blanke mannen met vooruitstekende tanden en de antieke potten ontkroezende haarcrème van Murray's voor de voornamelijk zwarte clientèle.

Milo schepte graag op over de Ike-connectie.

'Waarschijnlijk een eenmalige actie,' zei ik.

'Hoezo?'

'Zodat Maurice aan de krijgsraad kon ontkomen.'

Tijdens dat gesprek hadden we in een Ierse pub gezeten aan Fairfax in de buurt van Olympic, en hadden we Chivas gedronken en onszelf ervan overtuigd dat we verheven denkers waren. Een man en een vrouw die hij zogenaamd had gezocht, waren bij een verkeerscontrole in Montana opgepakt en vochten nu tegen hun uitlevering. Ze hadden een wrede moordenaar afgeslacht, een roofzuchtige man die dringend vermoord had moeten worden. De wet kende geen morele subtiliteiten en door het nieuws van hun arrestatie begon Milo een humeurige, filosofische preek. Hij sloeg een dubbele Chivas achterover, verontschuldigde zich voor zijn afdwaling en begon over het barbiersvak.

'Is Maurice niet *courant* genoeg voor je?'

'Als je maar lang genoeg wacht, wordt alles courant.'

'Maurice is een kunstenaar.'

'Daar was George Washington het vast mee eens.'

'Dat is leeftijdsdiscriminatie. Hij kan nog steeds prima overweg met de schaar.'

'Wat een bedrevenheid,' zei ik. 'Hij had chirurg moeten worden.'

Zijn groene ogen begonnen te glimmen van pret en de alcohol.

'Een paar weken geleden moest ik een praatje houden bij een buurtwacht in West-Hollywood Park. Misdaadpreventie, niets bijzonders. Ik kreeg het gevoel dat een paar jonge lieden helemaal niet opletten. Later kwam er een naar me toe. Mager, bruin, Aziatische tatoeages op zijn arm, één bonk spieren. Zei dat hij de boodschap begreep, maar dat ik de saaiste homo was die hij ooit had ontmoet.'

'Vast een versiertruc.'

'O, vast.' Hij trok aan een uitgezakte kaak, liet zijn huid los en nam een slok. 'Ik bedankte hem voor het compliment, maar zei dat ik vond dat hij wat vaker achterom moest kijken als hij aan het cruisen was. Dat vond hij erg dubbelzinnig en hij liep bulderend van het lachen weg.'

'West-Hollywood valt onder de sheriff,' zei ik. 'Waarom jij?'

'Je kent het wel. Als het publiek wat alternatief is, wijzen ze mij aan als onofficiële woordvoerder van de politie.'

'Met andere woorden, het was een bevel en je kon er niet onderuit.'

'Dat ook,' zei hij.

Ik liep naar de plek waar Michaela was gevonden. Milo bleef een paar passen achter me en nam zijn aantekeningen van de vorige avond door.

Er lag iets wits tussen het onkruid. Nog een stuk touw. De chauffeurs van het gerechtelijk lab hadden er stukken afgeknipt omdat Michaela een slank meisje was geweest.

Ik wist wat er op de plaats delict was gebeurd: haar zakken waren leeggehaald, het vuil onder haar nagels was verwijderd, haar haar was uitgekamd en al het materiaal was verzameld. Ten slotte hadden ze haar ingepakt, op een brancard gelegd en naar een wit busje van het gerechtelijk lab gereden. Nu lag ze samen met tientallen andere plastic bundels op een plank gestapeld in een van de grote, koele ruimtes in de catacomben aan Mission Road.

De doden worden met respect behandeld aan Mission Road, maar door de achterstand – de enorme hoeveelheid lichamen – verliezen ze hun waardigheid.

Ik pakte het stuk touw. Glad, stevig. Dat moest ook wel. Hoe kon je het vergelijken met het gele koord dat Michaela en Dylan hadden gekocht voor hun 'oefening'?

Waar was Dylan nu?

Ik vroeg of Milo enig idee had.

Hij zei: 'Het eerste wat ik heb gedaan, was het nummer bellen dat op zijn arrestatieformulier stond. Afgesloten. We hebben zijn huisbaas nog niet getraceerd. Die van Michaela ook niet, trouwens.'

'Ze zei dat ze bijna geen geld meer had en nog een maand had voordat ze het huis uitgezet zou worden.'

'Als ze inderdaad het huis uitgezet is, zou het goed zijn om te weten waar ze daarna is gaan wonen. Denk je dat ze zijn gaan samenwonen?'

'Niet als ze eerlijk tegen mij was,' zei ik. 'Ze gaf hem overal de schuld van.'

Ik bekeek de dumpplaats. 'Niet veel bloed. Is ze ergens anders vermoord?'

'Daar lijkt het wel op.'

'Wie heeft het lichaam gevonden?'

'Een vrouw die haar poedel uitliet. De hond rook het direct.'

'Gewurgd en neergestoken.'

'Met de hand gewurgd, hard genoeg om het strottenhoofd te verbrijzelen. Daarna volgden vijf steken in de borst en een in de nek.'

'Niets rond de geslachtsdelen?'

'Ze had al haar kleren nog aan en de manier waarop ze erbij lag was niet opvallend seksueel.'

Wurging op zich kan al seksueel zijn. Sommige lustmoordenaars beschrijven het als een ultieme vorm van dominantie. Je moet lang naar iemands gezicht staren dat worstelt, naar adem hapt en waar uiteindelijk het leven uit weg sijpelt. Een van de monsters die ik had geïnterviewd moest erom lachen: 'Gezelligheid kent geen tijd.'

Ik zei: 'Is er nog iets onder haar nagels gevonden?'

'Niets wat bijzonder interessant is. Het is afwachten wat het lab nog vindt. Geen haren of iets dergelijks. Zelfs niet van de hond. Kennelijk verharen poedels niet zo erg.'

'Heeft ze verdedigingswonden?'

'Nee. Ze was al dood voordat ze werd gestoken. De nekwond zat aan de zijkant en was niet echt diep, maar diep genoeg om de nekader te raken.'

'Vijf keer is te vaak voor een opwelling, maar minder dan je zou verwachten bij een vlaag van waanzin. Zit er een patroon in?'

'Omdat ze haar kleren nog aanhad, was het lastig überhaupt iets te zien behalve kreukels en bloed. Ik ben aanwezig bij de obductie. Ik zal het je laten weten.'

Ik staarde naar de glanzende plek.

Milo zei: 'Ze gaf Meserve dus de schuld van die grap. Was ze erg boos?'

'Ze zei dat ze hem was gaan haten.'

'Haat is een prima motief. Laten we die filmster maar eens opzoeken.'

7

Dylan Meserve had zijn flat in Culver City zes weken eerder verlaten zonder de huur op te zeggen. Het bedrijf dat het pand in bezit had en vertegenwoordigd werd door een gespannen man die Ralph Jabber heette, was veel lakser geweest dan Michaela's huisbaas: Dylan had een huurachterstand van drie maanden.

We kwamen Jabber tegen toen die door de lege flat liep en aantekeningen maakte op een klembord. Het was een van de achtenvijftig woningen in een gebouw van twee hoog met de warme kleur van een rijpe meloen. Volgens de kilometerteller van de Seville was het vijf kilometer van de plek waar Michaela's lichaam was gevonden. Daarmee was de plaats van de moord ongeveer even ver van de beide flats van het stel. Dat zei ik tegen Milo.

'Wat, dat ze met zijn tweeën een soort punt van overeenkomst hadden bereikt?'

'Ik zeg het alleen maar, ik trek verder geen conclusies.'

Hij gromde wat en we liepen door de onbewaakte dubbele glazen deuren en kwamen in een muffe hal met koperkleurig behang, pompoenkleurig kantoortapijt en Scandinavisch meubilair van iets geels wat dolgraag hout had willen zijn.

Dylan Meserves flat lag aan de andere kant van een donkere, smalle gang. Op tien meter afstand zag ik de openstaande deur en hoorde ik het geloei van een industriële stofzuiger.

'Daar gaat ons sporenonderzoek,' zei Milo, en hij versnelde zijn pas.

Ralph Jabber gebaarde naar de donkere, kleine vrouw met de stofzuiger. Ze zette een schakelaar om waardoor de machine stiller werd, maar niet uitging.

'Wat kan ik voor u doen?'

Milo liet zijn penning zien en Jabber liet zijn klembord zakken. Ik ving een glimp op van zijn checklist. *1. vloeren: a) normale slijtage; b) huurder aansprakelijk 2. muren...*

Jabber was bleek en klein en had een ingevallen borstkas. Hij droeg een glimmend zwart overhemd over een witzijden t-shirt en bruine instappers zonder sokken.

Milo vroeg aan de vrouw wat ze wist en kreeg een niet-begrijpende glimlach. Ze was nog geen een meter vijftig met een stevig postuur en een rimpelig gezicht.

Ralph Jabber zei: 'Ze kent de huurders niet.'

De stofzuiger ronkte als een raceauto. De vrouw wees naar het tapijt. Jabber schudde zijn hoofd, wierp een blik op zijn Rolex die veel te opzichtig was en veel te veel diamantjes had om echt te zijn. '*El otro apartmente.*'

De vrouw trok de machine met zich mee en liep de flat uit.

Dylan Meserves flat was een rechthoekige witte kamer van ongeveer achtentwintig vierkante meter. Hij had een aluminium raam dat hoog in een van de lange muren zat, met uitzicht op een grijze muur. Het tapijt was ruw en beige. Het kleine keukentje had een oranje formica aanrecht waar stukken af waren, prefab witte kastjes die groezelig waren bij de handvatten en een kleine bruine koelkast die openstond.

Een lege koelkast. Op het aanrecht stonden flessen Glassex en ovenreiniger en een merkloos ontsmettingsmiddel. Slijtplekken onder aan de muren. Er zaten kleine vierkante putten in het tapijt waar meubeltjes hadden gestaan. Niet veel meubeltjes, aan het aantal putten te zien.

Ralph Jabbers klembord lag nu plat tegen zijn borst. Ik vroeg me af hoe hij het tafereel had beoordeeld.

'Drie maanden huurachterstand,' zei Milo. 'Jullie zijn behoorlijk flexibel.'

'Zo gaat dat,' zei Jabber, zonder enig enthousiasme.

'Hoe?'

'We houden niet van uitzettingen. We houden het percentage leegstaande flats het liefst zo laag mogelijk.'

'En dus lieten jullie hem zitten.'

'Ja.'

'Heeft iemand daar met meneer Meserve over gesproken?'

'Ik zou het niet weten.'

'Na hoeveel tijd zou meneer Meserve uitgezet worden?'

Jabber fronste zijn wenkbrauwen. 'Elke situatie is anders.'

'Heeft meneer Meserve ooit om uitstel gevraagd?'

'Dat is mogelijk. Zoals ik al zei, ik weet het niet.'

'Waarom weet u dat niet?'

'Ik regel de huur niet. Ik ben de beëindigings- en overgangsmanager,' zei Jabber.

Het klonk eerder als een eufemisme voor een begrafenisondernemer.

Milo zei: 'En dat wil zeggen...?'

'Ik knap de boel op als een flat leegstaat en maak hem klaar voor de volgende huurder.'

'Hebt u al een nieuwe huurder voor deze flat?'

Jabber haalde zijn schouders op. 'Dat duurt niet lang. Deze flats zijn in trek.'

Milo bekeek de kleine, trieste kamer. 'Locatie, locatie, locatie.'

'Precies. Overal dichtbij, inspecteur. De studio's, de snelwegen, het strand, Beverly Hills.'

'Ik begrijp dat dit niet uw kennisgebied is, maar ik probeer meneer Meserves gangen na te trekken. Als hij niet om uitstel heeft gevraagd, waarom hebt u hem dan drie maanden zijn gang laten gaan?'

Jabber kneep zijn ogen halfdicht.

Milo kwam dichterbij, gebruikte zijn lengte en gewicht in zijn voordeel. Jabber deed een stap naar achteren. 'Even onder ons?'

'Ligt het gevoelig, meneer Jabber?'

'Nee, nee, dat niet... Weet u, dit is een groot gebouw en we hebben nog wel grotere. Soms zien we wel eens iets over het hoofd.'

'Dus misschien had meneer Meserve geluk en glipte hij ertussendoor.'

Jabber haalde zijn schouders op.

'Maar uiteindelijk,' zei Milo, 'zou zijn huurachterstand toch zijn opgevallen.'

'Natuurlijk, ja. Maar goed, we hebben een maand huur en een

borgsom. Hij krijgt niks terug, want hij heeft niet opgezegd.'
'Hoe bent u erachter gekomen dat hij was vertrokken?'
'De telefoon en de elektriciteit werden afgesloten wegens wanbetaling. Wij betalen het gas, maar de nutsbedrijven waarschuwen ons als de rest wordt afgesloten.'
'Een soort vroeg waarschuwingssysteem.'
Jabber glimlachte ongemakkelijk. 'Niet vroeg genoeg.'
'Wanneer zijn de telefoon en de elektriciteit afgesloten?'
'Dat moet u op het hoofdkantoor vragen.'
'Of ú doet dat even.'
Jabber fronste zijn wenkbrauwen, haalde zijn mobiele telefoon tevoorschijn en toetste een driecijferig nummer in. 'Is Samir er? Hé Sammy, met Ralph. Ja, je kent het wel... Zeg, wanneer is Overland D-14 precies afgesloten? Waarom? Omdat de smerissen dat willen weten. Ja... Geen idee, Sammy, zeg het nou maar, dan ben ik ze hier kwijt – dan hebben ze wat ze willen. Hoor eens, ik heb er nóg zes te doen, Sammy, inclusief twee in de Valley en het is al elf uur... ja, ja...'
Anderhalve minuut ging voorbij. Met de telefoon tussen zijn oor en zijn schouder geklemd liep Jabber naar het keukentje, trok de kastjes open en liet zijn vingers langs de binnenkant glijden. 'Best. Ja. Oké. Ja, doe ik, goed.'
Hij hing op. 'De boel is vier weken geleden afgesloten. Een van onze controleurs zei dat er zes weken geen post was geweest.'
'Vier weken geleden en u komt nu pas langs.'
Jabber kleurde. 'Zoals ik al zei, het is een groot bedrijf.'
'Bent u de eigenaar?'
'Mocht ik willen. Mijn schoonvader.'
'Had u hem zojuist aan de lijn?'
Jabber schudde zijn hoofd. 'Mijn zwager.'
'Een familiebedrijf,' zei Milo.
'Aangetrouwd,' zei Jabber. Hij klemde zijn lippen in een smal bleekroze streepje op elkaar. 'Zijn we zo klaar? Ik moet afsluiten.'
'Wie is de controleur?'
'Mijn schoonzus. Samirs vrouw. Samir stuurt haar op pad om dingen na te gaan. Ze is niet al te slim, heeft nooit iemand verteld dat er geen post meer kwam.'

'Hebt u enig idee waar meneer Meserve naartoe is gegaan?'

'Ik zou hem niet eens herkennen als hij nu binnenkwam. Vanwaar al die vragen? Wat heeft hij gedaan?'

Milo zei: 'Is er iemand binnen het bedrijf die meer informatie over hem heeft?'

'O, nee,' zei Jabber.

'Wie heeft hem de flat verhuurd?'

'Waarschijnlijk heeft hij een van de diensten gebruikt. Rent-Search of zo. Via internet of per telefoon, de meeste mensen doen het online.'

'Hoe gaat dat in zijn werk?'

'De aanvrager dient een aanvraag in bij de dienst, de dienst geeft die aan ons door. Als de aanvrager in aanmerking komt, betaalt hij een voorschot en de eerste maand huur en trekt hij erin. Zodra de woning bezet is, betalen we commissie aan de dienst.'

'Had Meserve een contract?'

'Van maand tot maand, we doen niet aan huurtermijnen.'

'Hou je daarmee de leegstand niet laag?'

'Dan krijg je van die nietsnutten,' zei Jabber, 'maakt niet uit wat er op papier staat.'

'Wat moet je hier doen om als huurder in aanmerking te komen?'

'Hé,' zei Jabber, 'er zijn genoeg daklozen die een moord zouden doen om hier te mogen wonen.'

'Hebt u referenties gevraagd?'

'Tuurlijk.'

'Wie heeft Meserve opgegeven?'

'Zoals ik al zei, ik ben alleen de...'

'Bel uw zwager. Als u zo goed wilt zijn.'

Drie referenties: een vroegere huisbaas in Brooklyn, de manager van de Foot Locker waar Dylan Meserve werkte voordat hij werd gearresteerd en Nora Dowd, artistiek leider van het PlayHouse in West-L.A., waar de jongeman 'creatief adviseur' was.

Jabber bekeek wat hij had opgeschreven voordat hij het aan Milo gaf.

'Die vent is acteur?' Hij lachte.

'Verhuurt u vaak aan acteurs?'

'Acteur betekent nietsnut. Samir is een sukkel.'

46

Ik reed achter Milo aan naar het bureau van West-L.A., waar hij zijn auto op het personeelsterrein parkeerde en in de Seville stapte.

'Meserve liet zijn post blokkeren kort nadat hij gepakt was,' zei hij. 'Waarschijnlijk was hij van plan ervandoor te gaan als het in de rechtbank niet naar wens verliep.' Hij tuurde naar zijn notitieboekje voor het adres van de toneelopleiding. 'Hoe zou het zitten met dat "creatief adviseur", denk je?'

'Misschien kluste hij bij voor de centen. Michaela gaf Dylan de schuld van de grap, maar Nora Dowd klaarblijkelijk niet.'

'Wat vond Michaela daarvan?'

'Ze had het nooit over Nora's reactie naar Dylan. Ze was wel verbaasd over Nora's boze reactie naar haar.'

'Dowd wipt haar eruit, maar houdt hem aan als adviseur?'

'Als het waar is.'

'Denk je dat Meserve over zijn referenties heeft gelogen?'

'Meserve heeft wel vaker de boel mooier voorgedaan.'

Milo belde Brooklyn en traceerde de huisbaas die Dylan als referentie had opgegeven. 'Die vent zegt dat hij Dylans vader heeft gekend omdat hij zelf parttime muzikant is en ze wel eens samen een schnabbel hadden. Hij kan zich Dylan vaag herinneren als kind, maar heeft nooit een woonruimte aan hem verhuurd.'

'Een creatief adviseur,' zei ik.

'Laten we dan maar eens een babbeltje gaan maken met de geadviseerde.'

8

Het PlayHouse was een oud gebouw in *craftsman*-stijl op een groot perceel even ten noorden van Venice Boulevard in West-L.A. De houten zijkant was diepgroen geschilderd met een roomkleurige rand, een lage romp met een overhangende dakrand die een kleine, donkere veranda vormde. De garage aan de linkerkant had ouderwetse schuurdeuren, maar was pas geschilderd. Het tuinontwerp kwam uit een heel andere tijd: een paar hoge kokospalmen, lukraak gesnoeide, verwilderde paradijsvogelbloemen, Afrikaanse lelies en witte aronskelken rond een vlak bruin grasveld.

Het stond in een arbeidersbuurt met voornamelijk flats en hoekige huizen die wachtten om gesloopt te worden. Je zou niet zeggen dat hier een toneelopleiding was. De ramen waren donker.

Milo zei: 'Als de meeste klantjes overdag werken, is dit waarschijnlijk een avondschool.'

'Laten we toch maar even kijken.'

We liepen naar de veranda. De vloer bestond uit dik beschilderde groene planken. Voor het raampje in de eikenhouten deur hing wat ondoorschijnend kant. Rechts zat een koperen brievenbus. Milo lichtte het klepje op en keek erin. Leeg.

Hij drukte op een knop en er klonk een bel.

Geen reactie.

Twee deuren verderop reed een oude Dodge Dart achteruit de oprit af de straat op. Er zat een latino van ongeveer dertig jaar achter het stuur, die net een lichtblauwe bungalow verliet. Milo liep naar hem toe en gebaarde met zijn arm dat hij het raampje omlaag moest doen.

Geen penning, maar mensen gehoorzamen hem vaak. De man draaide zijn raampje omlaag.

'Goedemorgen, meneer. Kunt u me iets over uw buren vertellen?'

De man haalde zijn schouders op. Een zenuwachtige glimlach. *'No hablo Ingles.'*

Milo wees. 'De school. *La escuela.'*

Hij haalde weer zijn schouders op. *'No se.'*

Milo keek hem recht in zijn ogen en gebaarde toen dat hij weg kon. Terwijl de Dart snel wegreed, liepen we weer naar de veranda, en Milo drukte nog een paar keer op de bel. De dingdong werd niet beantwoord.

'Oké, dan probeer ik het vanavond nog een keer.'

Toen we ons omdraaiden, klonken er voetstappen in het Play-House. Het kant voor het raampje bewoog, maar er werd niet opengedaan.

Vervolgens niets.

Milo draaide zich om en klopte hard op de deur. Er klonk een krassend geluid toen er een grendel opzij werd geschoven. De deur zwaaide open en een forse man met een bezem en een afwezige blik in zijn ogen zei: 'Ja?'

Nog voordat het woord uit zijn mond was, kneep hij zijn ogen samen en kreeg hij een berekenende blik.

Deze keer had Milo zijn penning klaar. De grote man keek er amper naar. Zijn tweede 'ja' was zachter, op zijn hoede.

Hij had een vlekkerig, rond gezicht, een dikke, scheve neus, bosjes grijze krullen bij zijn slapen, kleurloze bakkebaarden. De snor boven zijn droge lippen was het enige beetje verzorgde haar: een keurig geknipt grijsbruin streepje. Gespannen ogen met de kleur van sterke thee die een actieve blik uitstraalden zonder te bewegen.

Een kreukelig, grijs shirt met bijpassende broek, sandalen, dikke witte sokken. Op de wit katoenen tenen zaten stof en vuil. De tatoeages die zijn vlezige handen versierden liepen door tot onder zijn mouwen. Blauwzwarte kunst op de huid, grof en hoekig. Het was niet helemaal zichtbaar, maar ik kon een kleine, grijnzende demon zien, eerder ondeugend dan duivels, die naar een rimpelige knokkel staarde.

Milo zei: 'Is Nora Dowd aanwezig?'

'Nee.'

'En Dylan Meserve?'

'Nee.'

'Kent u meneer Meserve?'

'Ik weet wie het is.' Een lage, binnensmondse stem, enigszins vertraagde lettergrepen. Met zijn rechterhand omklemde hij de bezemsteel. Met zijn linkerhand trok hij de stof van zijn overhemd over zijn dikke buik omlaag.

'Wat kunt u me over meneer Meserve vertellen?' vroeg Milo.

Dezelfde aarzeling. 'Dat is een leerling hier.'

'Hij werkt hier niet?'

'Niet dat ik weet.'

'We hebben begrepen dat hij creatief adviseur is.'

Geen reactie.

'Wanneer hebt u hem voor het laatst gezien?'

Kleine gele tanden onder een gebarsten bovenlip. 'Een tijdje geleden.'

'Dagen?'

'Ja.'

'Weken?'

'Zou kunnen.'

'Waar is mevrouw Dowd?'

'Weet ik niet.'

'Geen idee?'

'Nee, meneer.'

'Ze is uw werkgeefster.'

'Ja, meneer.'

'Zou u een gokje kunnen wagen?'

De man haalde zijn schouders op.

'Wanneer hebt u haar voor het laatst gezien?'

'Ik werk overdag, zij is hier 's avonds.'

Milo haalde zijn notitieboekje tevoorschijn. 'Uw naam, alstublieft.'

Geen antwoord.

Milo deed een stap dichterbij. De man deed een stap naar achteren, net als Ralph Jabber had gedaan.

'Meneer?'

'Reynold.'

'En uw voornaam?'

'Reynold. Mijn achternaam is Peaty.'

'Is dat Peaty met twee e's of met e-a?'

'P-E-A-T-Y.'

'Werkt u hier fulltime, meneer Peaty?'

'Ik maak schoon en maai het gras.'

'Fulltime?'

'Parttime.'

'Hebt u nog een andere baan?'

'Ik maak gebouwen schoon.'

'Waar woont u, meneer Peaty?'

Peaty spande zijn linkerhand. De grijze stof van zijn overhemd bewoog heen en weer. 'Guthrie.'

'Guthrie Avenue in L.A.?'

'Ja.'

Milo vroeg naar het adres. Reynold Peaty dacht even na voordat hij het gaf. Even ten oosten van Robertson Boulevard. Een korte wandeling vanaf de flat van Michaela Brand aan Holt Avenue. Ook dicht bij de plek van haar dood.

'Enig idee waarom we hier zijn, meneer Peaty?'

'Nee, meneer.'

'Hoelang werkt u hier al?'

'Vijf jaar.'

'Dus u kent Michaela Brand.'

'Een van de meisjes,' zei Peaty. Zijn borstelige wenkbrauwen schoten op en neer. De stof over zijn pens trilde nog meer.

'Hebt u haar wel eens gezien?'

'Een paar keer.'

'Als u hier overdag werkt?'

'Soms loopt het wel eens uit,' zei Peaty. 'Als ik laat ben.'

'U weet haar naam.'

'Zij heeft dat toen samen met hem gedaan.'

'Dat?'

'Met hem,' herhaalde Peaty. 'Dat ze deden alsof ze ontvoerd waren.'

'Ze is dood,' zei Milo. 'Vermoord.'

Reynold Peaty duwde zijn onderkaak naar voren als een buldog, bewoog hem heen en weer alsof hij op een stuk kraakbeen kauwde.

'Wat hebt u daarop te zeggen, meneer?' zei Milo.

'Vreselijk.'

'Enig idee wie zoiets zou willen doen?'

Peaty schudde zijn hoofd en liet zijn hand over de bezemsteel op en neer glijden.

'Ja, het is vreselijk,' zei Milo. 'Zo'n knap meisje.'

Peaty's kleine ogen vernauwden tot speldenprikjes. 'Denkt u dat hij het heeft gedaan?'

'Wie?'

'Meserve.'

'Enig idee waarom we dat zouden denken?'

'U vroeg naar hem.'

Milo zei niets.

Peaty schoof de bezem heen en weer. 'Ze deden dat samen.'

'Dat.'

'Het was op tv.'

'Denkt u dat dat verband houdt met de moord op Michaela, meneer Peaty?'

'Misschien.'

'Waarom?'

Peaty liet zijn tong over zijn lippen glijden. 'Ze kwamen hier niet meer samen.'

'Voor toneellessen.'

'Ja, meneer.'

'Kwamen ze apart?'

'Hij kwam alleen.'

'Meserve bleef komen, maar Michaela niet.'

'Ja, meneer.'

'Zo te horen gaan uw middagen wel vaker 's avonds door.'

'Soms is hij hier overdag.'

'Meneer Meserve?'

'Ja.'

'Alleen?'

Hij schudde zijn hoofd.

'Met wie?'

Peaty wipte de bezem van zijn ene in zijn andere hand. 'Ik wil geen problemen krijgen.'

'Waarom zou u?'

'Dat snapt u wel.'

'Nee, meneer Peaty.'

'Met haar. Nora Dowd.'

'Nora Dowd is hier wel eens overdag samen met Dylan Meserve.'

'Soms,' zei Peaty.

'Nog anderen?'

'Nee, meneer.'

'Alleen jij.'

'Ik ga weg als ze zegt dat ik genoeg heb gedaan.'

'Wat doen zij en Meserve als ze hier zijn?'

Peaty schudde zijn hoofd. 'Dan ben ik aan het werk.'

'Wat kunt u me nog meer vertellen?' zei Milo.

'Waarover?'

'Michaela, Dylan Meserve, alles wat u nog meer kunt bedenken.'

'Niks,' zei Peaty.

'Die grap van Michaela en Dylan,' zei Milo. 'Wat vond u daarvan?'

'Het was op tv.'

52

'Wat vond ú ervan?'

Peaty probeerde op zijn snor te kauwen, maar het getrimde haar was te kort voor zijn tanden. Hij trok aan zijn rechterbakkebaard. Ik kon me niet herinneren wanneer ik voor het laatst zulke wilde bakkebaarden had gezien. Tijdens mijn studie? Op een portret van Martin van Buren?

Peaty zei: 'Je mag niet liegen.'

'Daar ben ik het mee eens. In mijn werk liegen mensen altijd tegen me, en dat werkt me op mijn zenuwen.'

Peaty liet zijn blik omlaag gaan.

'Waar was u gisteren, meneer Peaty, tussen ongeveer acht uur 's avonds en twee uur vannacht?'

'Thuis.'

'Aan Guthrie Avenue.'

'Ja, meneer.'

'Wat deed u daar?'

'Eten,' zei Peaty. 'Kipkluifjes.'

'Had u die ergens besteld?'

'Uit de diepvries. Opgewarmd. Met een biertje.'

'Welk merk?'

'Old Milwaukee. Drie stuks. Daarna heb ik tv gekeken en toen ben ik naar bed gegaan.'

'Waar hebt u naar gekeken?'

'Family Feud.'

'Hoe laat bent u in slaap gevallen?'

'Geen idee. De tv stond nog aan toen ik wakker werd.'

'Hoe laat?'

Peaty krulde zijn bakkebaard. 'Een uur of drie.'

Een uur langer dan het tijdsbestek dat Milo hem had gegeven.

'Hoe weet u dat het drie uur was?'

'U vroeg een tijd dus toen zei ik maar wat.'

'Waarom drie uur?'

'Ik word wel eens wakker en dan is het drie uur of halfvier. Zelfs als ik niet veel heb gedronken, word ik nog wel eens wakker.' Peaty keek weer omlaag. 'Om te zeiken. Soms wel twee of drie keer.'

'Dat heb je als je oud wordt.'

Peaty gaf geen antwoord.

'Hoe oud bent u, meneer Peaty?'

'Achtendertig.'

Milo glimlachte. 'U bent nog een jonge vent.'

Geen reactie.

'Hoe goed kende u Michaela Brand?'

'Ik heb het niet gedaan,' zei Peaty.

'Dat vroeg ik niet.'

'Die andere dingen die u wilt weten. Waar ik was en zo.' Peaty schudde zijn hoofd. 'Ik wil verder niks meer zeggen.'

'Gewoon routinevragen,' zei Milo. 'U hoeft...'

Hoofdschuddend deed Peaty een stap achteruit in de richting van de deur.

Milo zei: 'Staan we net gezellig te praten, vraag ik hoe goed u Michaela Brand kende en opeens wilt u niets meer zeggen. Dan ga ik me toch echt wel achter mijn oren krabben.'

'Dat is het niet,' zei Peaty, en hij stak zijn hand uit naar de deurkruk. Hij had de eikenhouten deur op een kier laten staan en hij kon er net niet bij.

'Wat niet?' vroeg Milo.

'Het is niet goed. Praten alsof ik iets gedaan heb.' Peaty deed nog een stap naar achteren, vond de deurkruk en duwde de deur open. Er werden eikenhouten vloeren en muren zichtbaar, een glimp van glas-in-lood. 'Ik heb een biertje gedronken en toen ben ik in slaap gevallen.'

'Drie biertjes.'

Geen reactie.

'Hoor eens,' zei Milo. 'Ik wilde u niet beledigen, maar het is nou eenmaal mijn taak om vragen te stellen.'

Peaty schudde zijn hoofd. 'Ik heb gegeten en tv gekeken. Dat betekent verder niks.'

Hij ging het huis binnen en wilde de deur dichtdoen. Milo hield hem met zijn schoen tegen. Peaty verstijfde, maar liet de deur los. Hij omklemde de bezemsteel totdat zijn knokkels wit werden. Hij schudde zijn hoofd en er vielen losse haren omlaag die op zijn dikke, ronde schouders landden.

'Meneer Peaty...'

'Laat me met rust.' Het was eerder een jammerklacht dan een eis.

'We proberen alleen maar wat feiten op een rijtje te krijgen. Als we nu eens binnenkomen en...'

Peaty greep de deurpost vast. 'Dat mag niet!'

'Mogen we niet binnenkomen?'

'Nee! Dat zijn de regels!'

'Van wie?'

'Mevrouw Dowd.'

'Als ik haar nu eens opbel? Wat is haar nummer?'

'Geen idee.'

'U werkt voor haar, maar u weet niet...'

'Geen idee!'

Peaty sprong naar achteren en duwde de deur hard dicht. Milo liet hem dichtslaan.

Even bleven we op de veranda staan. Er reden verschillende auto's langs.

Milo zei: 'Voor hetzelfde geld heeft hij binnen touw en een bloederig mes liggen. Maar daar komen we niet achter.'

Ik zei niets.

Hij zei: 'Je zou me kunnen tegenspreken.'

'Het is wel een vreemde snoeshaan.'

'Ja, ja,' zei hij. 'En hij woont aan Guthrie, vlak bij Robertson. Denk jij wat ik denk?'

'Een paar straten van Michaela. Niet veel verder van de plaats waar het lichaam is gedumpt.'

'En het is een vreemde snoeshaan.' Hij wierp een blik op de deur. Belde een paar keer aan.

Geen reactie.

'Ik vraag me af hoe laat hij vanmorgen naar zijn werk is gegaan.' Hij drukte nog een keer op de bel. We wachtten. Hij stopte zijn notitieboekje weg. 'Ik zou dolgraag een kijkje willen nemen binnen, maar ik ben niet van plan om achterom te lopen en een of andere advocaat de kans te geven om te beginnen over wederrechtelijk binnendringen.'

Hij grijnsde. 'We zijn nog maar een dag bezig en ik heb al rechtbankvisioenen. Laten we maar eens kijken wat we binnen de grenzen van de wet kunnen bereiken.'

We liepen de veranda af en begaven ons naar de auto.

'Het is waarschijnlijk toch niet belangrijk,' zei hij. 'Dat we niet binnen kunnen komen. Zelfs als Peaty de dader is, waarom zou hij bewijsmateriaal meenemen naar zijn werk? Hoe schat jij hem in?'

'Hij staat zonder meer op het verdachtenlijstje,' zei ik. 'Hij werd duidelijk zenuwachtig toen het over Michaela ging.'

'Alsof hij een oogje op haar had?'

'Ze was een mooi meisje.'

'En ver buiten zijn bereik,' zei hij. 'Het zal best frustrerend zijn voor zo'n vent om tussen al die aankomende sterretjes te werken.'

We stapten in de Seville.

Ik zei: 'Toen Peaty zijn hoofd schudde, vielen er haren uit. Iemand die zo wild behaard is zou toch sporen op het lichaam moeten achterlaten, of op zijn minst op de plaats delict.'

'Misschien had hij tijd om de boel schoon te maken.'

'Misschien.'

'Er stond gisteravond behoorlijk wat wind,' zei Milo. 'Misschien lag het lichaam er al een tijdje voordat die poedel langskwam. Voor hetzelfde geld heeft die verdomde hónd sporen weggelikt.'

'Heeft de bazin van de hond het beest zijn gang laten gaan?'

Milo wreef met zijn hand over zijn gezicht. 'De eigenaar beweert dat ze hem heeft weggerukt zodra ze zag wat het was. Maar toch...'

Ik startte de motor.

Hij zei: 'Ik moet oppassen dat ik me niet te snel te veel op één verdachte richt.'

'Lijkt me logisch.'

'Ach ja, zo ben ik soms.'

9

Volgens de Dienst Wegverkeer stonden er geen voertuigen op naam van Reynold Peaty. Er was ook nooit een rijbewijs voor hem uitgeschreven door de staat Californië.

'Lastig om een lichaam te vervoeren zonder auto,' zei ik.

Milo zei: 'Ik vraag me af hoe hij naar zijn werk gaat.'

'Met de bus. Of met de limousine.'

'Heel grappig. Als we redenen hebben om hem verder in de gaten te houden, dan zal ik de busroutes controleren om te zien of hij een vaste klant is.' Hij begon te lachen.

Ik zei: 'Wat?'

'Hij komt een beetje sullig en vreemd over, maar denk eens na: hij bezemt de vloer van een tonéélopleiding.'

'Denk je dat hij een spelletje met ons speelde?'

'De wereld is een schouwtoneel,' zei hij. 'Het zou fijn zijn als we het script hadden.'

'Als het een act van hem was, waarom speelde hij dan zo'n vreemde rol?' zei ik.

'Dat is waar... Kom, we gaan terug.'

Ik reed in de richting van het politiebureau van West-L.A. terwijl hij de Openbaar Vervoersdienst belde om te achterhalen welke busroute Peaty moest hebben genomen van Pico-Robertson naar het PlayHouse. Het autoritje van een halfuur duurde met de bus negenennegentig minuten, inclusief overstappen en stukken lopen.

Ik zei: 'Is Michaela's Honda al terecht?'

'Nee... Denk je dat Peaty haar met auto en al heeft ontvoerd?'

'Die ontvoeringsgrap heeft hem misschien op ideeën gebracht.'

'Het leven imiteert de kunst.' Hij toetste wat nummers van zijn mobieltje in, sprak kort en hing toen op. 'Nee, daar is nog geen spoor van. Maar het is ook geen opvallende auto. Een Civic, zwart ook nog. Als de kentekenplaat vervangen of verwijderd is, kan het nog wel een tijdje duren.'

'Als Peaty de dader is,' zei ik, 'dan is hij vanmorgen misschien met de auto naar zijn werk gegaan en heeft hij die onderweg naar het PlayHouse mogelijk ergens gedumpt.'

'Dat zou knap stom zijn.'

'Ja.'

Hij beet op zijn wang. 'Zullen we anders maar teruggaan?'

We reden langer dan een uur in een straal van een kilometer rondjes om de school, door straten en stegen, langs opritten en parkeerplaatsen. Daarna verruimden we de straal naar nóg een kilometer en waren we nog eens anderhalf uur bezig. Heel wat Civics, drie zwarte, maar alle kentekens waren in orde.

Op weg naar het bureau belde Milo het gerechtelijk lab en kwam te weten dat Michaela's obductie over vier dagen zou plaatsvinden, misschien nog wel later als de achterstand niet werd ingelopen. 'Kunnen we haar hoger op de lijst zetten? Ja, ja, dat weet ik... maar als je iets kunt doen, heel graag. Dit kan nog een lastige worden.'

Ik zat in een stoel in Milo's kleine, raamloze kantoortje terwijl hij de naam van Reynold Peaty in de databases invoerde. Het duurde heel lang voordat zijn computer sputterend tot leven kwam en nog langer voordat er icoontjes in beeld kwamen. Daarna verdwenen ze weer, werd het beeldscherm zwart en kon hij opnieuw beginnen.

De vierde pc in acht maanden tijd, het zoveelste afdankertje. Deze was afkomstig van een middelbare school in Pacific Palisades. De laatste paar geschonken computers hadden de levensduur van rauwe melk gehad. Tussen rotkast één en rotkast drie had Milo van zijn eigen geld een dure laptop gekocht, maar door een foutje in de bedrading van het bureau was zijn harde schijf doorgebrand.

Toen de diskdrives aan het brommen waren, sprong hij op, mompelde iets over 'middelbare leeftijd' en 'afwateren' en verdween een paar minuten. Hij kwam terug met twee kopjes koffie, gaf mij er een, dronk die van hem leeg, greep een goedkope cigarillo uit de la van zijn bureau, haalde het cellofaan ervan af en stak de niet-opgestoken cilinder tussen zijn snijtanden. Hij trommelde met zijn vingers terwijl hij naar het scherm staarde, klemde te hard zijn tanden op elkaar, beet de sigaar door en veegde tabakssliertjes van zijn lippen. Hij wierp de Nicaraguaanse fopspeen weg en pakte er nog een.

Roken is in het hele gebouw verboden. Soms steekt hij er toch een op. Vandaag was hij te gespannen om van deze overtreding te genieten. Terwijl de computer sputterend herstartte, bekeek hij zijn berichten en las ik het voorlopig rapport over Michaela Brand en bekeek ik de foto's van de plaats delict. Een beeldschoon, gebruind gezicht had een bekend grijsgroene kleur gekregen.

Milo grimaste toen het scherm oplichtte, zwart werd en weer oplichtte. 'Als je zin hebt om *Oorlog en vrede* te vertalen, ga je gang.'

Ik proefde de koffie, zette hem weg, deed mijn ogen dicht en probeerde even nergens aan te denken. Er kwam geluid door de muren, te gedempt om het te verstaan.

Milo's kamer lag aan het eind van een gang op de eerste verdieping, gescheiden van de rechercheurskamers. Geen kwestie van overbezetting; híj was apart gezet. Hij was op papier inspecteur, maar had geen leidinggevende taken en deed nog steeds veldwerk.

Het maakte deel uit van een deal die hij had gesloten met de voormalig hoofdcommissaris, een fraai staaltje politiek waardoor de hoofdcommissaris met een gouden handdruk kon vertrekken en Milo zijn baan behield.

Zolang hij zaken oploste en niet te koop liep met zijn seksuele geaardheid, viel niemand hem lastig. Maar de nieuwe hoofdcommissaris hield van veranderingen en Milo verwachtte elk moment een memo dat zijn leven overhoop zou gooien.

In de tussentijd deed hij zijn werk.

Brom, brom, klik, klik. Hij ging rechtop zitten, 'Oké, we kunnen.' Hij typte. 'Geen strafblad, jammer. Laten we de landelijke database eens proberen. Kom op, schatje, vertel het oom Milo... Ja!'

Hij drukte op een knop en de oude matrixprinter bij zijn voeten begon papier uit te spugen. Milo scheurde het papier langs de gaatjes af, las het, en gaf het aan mij.

Reynold Peaty had vier veroordelingen wegens zware misdrijven in Nevada op zijn naam staan: voor een inbraak dertien jaar geleden in Reno, drie jaar later voor gluren in dezelfde stad, wat was teruggebracht tot openbare dronkenschap en verstoring van de openbare orde, tweemaal dronken achter het stuur in Laughlin, zeven en acht jaar geleden.

'Hij drinkt nog steeds,' zei ik. 'Drie biertjes die hij heeft toegegeven. Een langdurig probleem met alcohol kan de reden zijn dat hij geen rijbewijs heeft.'

'Een zuipende gluurder. Heb je die tatoeages gezien?'

'Een bajesklant. Maar geen zware misdrijven sinds hij vijf jaar geleden de staatsgrens over is gekomen.'

'Vind je dat erg bijzonder?'

'Nee.'

'Wat ík bijzonder vind,' zei hij, 'is de combinatie van inbreken en voyeurisme.'

'Inbreken voor de seksuele kick,' zei ik. 'Al die DNA-overeenkomsten die van inbrekers blijken te zijn die de overstap naar verkrachter hebben gemaakt.'

'Drank om de remmen los te gooien, jonge, sexy meisjes die in en uit lopen. Een heerlijke combinatie.'

We reden naar het huis van Reynold Peaty aan Guthrie Avenue en hielden onderweg de tijd bij vanaf de plaats waar het lichaam was gedumpt. Het was niet echt druk op de weg en het ritje duurde slechts zeven minuten vanaf Beverlywoods smetteloze, door bomen omzoomde straten. 's Avonds in het donker ging het waarschijnlijk nog sneller.

Op de eerste hoek ten oosten van Robertson bestond de buurt uit matig onderhouden flatgebouwen. Peaty's flat op de eerste verdieping was een van de tien woningen in een grijze blokkendoos van één hoog. De inwonende conciërge was een vrouw van in de zeventig die Ertha Stadlbraun heette. Lang, mager en hoekig, met een huid in de kleur van bittere chocolade en gewatergolfd grijs haar. Ze zei: 'Die rare blanke.'

Ze nodigde ons uit voor een kopje thee in haar flatje op de begane grond en liet ons plaatsnemen op een citroengele fluwelen bank met hoge rugleuning. De woonkamer was dwangmatig netjes met een olijfgroen tapijt, keramische lampen en snuisterijtjes op planken aan de wand. Het zitkamerameublement bestond uit wat je vroeger mediterrane meubeltjes noemde. Er hing een airbrushportret van Martin Luther King aan de wand boven de bank, geflankeerd door schoolfoto's van een stuk of tien glimlachende kinderen.

Ertha Stadlbraun had de deur opengedaan in haar ochtendjas. Ze trok zich snel even terug in de slaapkamer en kwam terug in een blauwe jurk met een klokkenpatroon en bijpassende pumps met blokhakken. Haar eau de cologne deed me denken aan de cosmetica-afdeling van een middelgroot warenhuis uit mijn jeugd in de Midwest. Wat mijn moeder vroeger 'toiletwater' noemde.

'Dank u voor de thee, mevrouw,' zei Milo.

'Is hij heet genoeg, heren?'

'Zeker,' zei Milo, en hij nam demonstratief een slokje sinaasappelthee. Hij keek naar de schoolfoto's. 'Kleinkinderen?'

'Kleinkinderen en petekinderen,' zei Ertha Stadlbraun. 'En twee kinderen van de buren die ik heb opgevoed nadat hun moeder op jonge leeftijd was overleden. Echt geen suiker? Of wat fruit of een koekje?'

'Nee, dank u, mevrouw Stadlbraun. Wat goed van u.'

'Wat?'

'Dat u de buurkinderen in huis hebt genomen.'

Ertha Stadlbraun wuifde de lof weg en pakte de suikerpot. 'Ik zou het niet moeten doen. Vanwege mijn bloedsuikerspiegel, ziet u, maar ik doe het toch.' Twee volle scheppen wit poeder dwarrelden in haar kopje. 'En wat wilt u weten over die rare vent?'

'Hoe raar is hij, mevrouw?'

Stadlbraun leunde achterover en streek de rok over haar knieën glad. 'Ik zal u eerst uitleggen waarom ik erop wees dat hij blank is. Niet omdat ik hem daarop aankijk, maar omdat hij de enige blanke is hier.'

'Is dat ongewoon?' zei Milo.

'Kent u deze buurt een beetje?'

Milo knikte.

Ertha Stadlbraun zei: 'Dan weet u het zelf ook. In een paar van de vrijstaande huizen wonen tegenwoordig weer blanken, maar in de huurhuizen zitten Mexicanen. Zo nu en dan krijg je zo'n halve hippie die niet kredietwaardig is en iets wil huren. Maar het zijn voornamelijk Mexicanen. Hele hordes. In onze flat heb je mevrouw Lowery en meneer en mevrouw Johnson, die zijn al erg oud en zwart. De rest zijn Mexicanen. Behalve hij.'

'Veroorzaakt dat problemen?'

'De mensen vinden hem vreemd. Niet omdat hij tekeergaat, maar juist omdat hij zo stil is. Met die man valt niet te communiceren.'

'Zegt hij nooit wat?'

'Hij kijkt je nooit recht aan,' zei Ertha Stadlbraun, 'en hij maakt iedereen zenuwachtig.'

'Asociaal,' zei ik.

'Als iemand jouw kant op komt, groet je die, omdat je als kind goede manieren hebt geleerd van je moeder. Maar deze man heeft dat nooit geleerd en hij heeft niet het fatsoen om je terug te groeten. Hij loert hier maar wat rond... Dat is het woord. Loeren. Net als die butler in dat oude televisieprogramma. Daar doet hij me aan denken.'

'*The Addams Family*,' zei Milo. 'Lurch.'

'Lurch, loeren, het komt op hetzelfde neer. Maar wat ik bedoel is dat hij altijd omlaag kijkt, naar de grond staart alsof hij op zoek is naar een schat.' Met gebogen hoofd stak ze als een schildpad haar nek uit en keek gapend naar haar tapijt. 'Zo. Ik begrijp niet dat hij nog kan zien waar hij loopt.'

'Heeft hij wel eens iets anders gedaan wat u zenuwachtig maakte, mevrouw?'

'Ik word zenuwachtig van deze vragen.'

'Het zijn routinevragen, mevrouw. Doet hij wel eens...'

'Het gaat er niet om wat hij doet. Hij is gewoon typisch.'

'Waarom verhuurt u dan een woning aan hem?'

'Dat heb ik niet gedaan. Hij zat er al toen ik hier kwam wonen.'

'Hoelang geleden is dat?'

'Ik ben hier kort na de dood van mijn man komen wonen, dat was vier jaar geleden. Ik heb een eigen woning in Crenshaw gehad, een fijne buurt die daarna verpauperde, maar nu wordt opgeknapt. Toen Walter was overleden, dacht ik: wat moet ik met al die ruimte en een grote tuin om te onderhouden? Een makelaar die erg rap van tong was bood me naar mijn idee een goede prijs, dus heb ik het huis verkocht. Had ik nooit moeten doen. Ik heb het geld gelukkig wel geïnvesteerd en ik zit erover te denken ergens iets te kopen. Misschien in Riverside waar mijn dochter woont. Daar krijg je meer voor je geld.'

Ze streek haar haar glad. 'Maar voorlopig zit ik hier en met wat ze me betalen als conciërge kan ik mijn vaste lasten betalen en hou ik nog wat over ook.'

'Wie zijn "ze"?'

'De eigenaren. Twee broers, rijke kinderen die het gebouw, met nog een heleboel andere gebouwen, van hun ouders hebben geërfd.'

'Betaalt meneer Peaty zijn huur op tijd?'

'Dat is het enige wat hij altijd doet,' zei Stadlbraun. 'Op de eerste van de maand met een cheque.'

'Gaat hij elke dag naar zijn werk?'

Stadlbraun knikte.

'Waar?'

'Dat zou ik niet weten.'

'Krijgt hij wel eens bezoek?'

'Híj?' Ze lachte. 'Waar zou hij het moeten laten? Als ik u zijn woning kon laten zien, zou u het begrijpen. Piepklein. Het was vroeger een wasruimte, totdat de eigenaren het tot een eenpersoonsflatje hebben verbouwd. Er is amper ruimte voor zijn bed, en naast zijn bed heeft hij alleen maar een kookplaat, een tv'tje en een ladekast.'

'Wanneer bent u voor het laatst bij hem binnen geweest?'

'Dat moet een paar jaar geleden zijn geweest. Zijn wc was verstopt en ik heb een loodgieter gebeld om de leidingen te laten ontstoppen. Ik wilde hem al de schuld geven – u kent het wel, rommel in de wc-pot gooien, zoals sommige mensen doen.' Ze liet haar blik zakken uit wroeging. 'Maar toen bleek het pluis te zijn. Toen ze die ruimte aan het verbouwen waren, was niemand zo slim om de filters schoon te maken, en op de een of andere manier was het pluis een dikke prop geworden en had het een enorme bende veroorzaakt. Ik weet nog dat ik toen dacht wat een píépkleine woning het was en dat ik me afvroeg hoe iemand daar kon wonen.'

Milo zei: 'Klinkt haast als een cel.'

'Dat is het precies.' Stadlbraun kneep haar ogen toe, leunde achterover en sloeg haar armen over elkaar. 'Dat had u me direct moeten vertellen, jongeman.'

'Wat, mevrouw?'

'Als een cel? Hij is een ex-gevangene, of niet? Waarvoor heeft hij vastgezeten? En nog belangrijker, wat is de reden dat u nu hier bent?'

'Niets, mevrouw. We moeten u alleen een paar vragen stellen.'

'Kom, kom,' zei Ertha Stadlbraun. 'Nu niet weifelen.'

'Op dit moment...'

'Jongeman, u stelt mij géén vragen omdat die vent presidentskandidaat wil worden. Wat heeft hij gedaan?'

'Niets, voor zover we op dit moment weten. Dat is de waarheid, mevrouw Stadlbraun.'

'U weet niets zeker, maar u verdenkt hem wel ergens van.'

'Ik kan u echt niet meer zeggen, mevrouw Stadlbraun.'
'Dat is niet juist, meneer. Het is uw taak om burgers te beschermen, dus u hoort het júíst te zeggen. Hij is een rare vent en een ex-gevangene die in dezelfde flat woont als normale mensen.'
'Mevrouw, hij heeft niets gedaan. Dit maakt deel uit van een inleidend onderzoek en we praten met verschillende mensen, en ook met hem.'
Ze sloeg haar armen over elkaar. 'Is hij gevaarlijk, ja of nee?'
'We hebben geen reden om aan te nemen...'
'Dat is een advocatenantwoord. Stel nou dat hij zo'n wandelende tijdbom is over wie je wel eens op het nieuws hoort, heel rustig totdat hij ontploft? Sommige Mexicanen hier hebben kinderen. Stel dat het zo'n viezerik is en u zegt niets?'
'Waarom denkt u dat, mevrouw?'
'Is hij dat?' vroeg Stadlbraun. 'Een viezerik? Gaat het dáárom?'
'Nee mevrouw, en het lijkt me geen goed idee als u...'
'Je ziet het elke dag op het nieuws, al die viezeriken. Zo was het vroeger niet. Waar komen ze allemaal vandaan?'
Milo gaf geen antwoord.
Ertha Stadlbraun schudde haar hoofd. 'Ik krijg de kriebels van hem. En nu vertelt u doodleuk dat hij een ex-gevangene en een kinderverkrachter is.'
Milo boog zich voorover. 'Dat zeg ik beslist niet, mevrouw. Het zou een bijzonder slecht idee zijn als u zulke geruchten zou verspreiden.'
'Beweert u dat hij mij zou kunnen aanklagen?'
'Ik zeg u dat meneer Peaty nergens van verdacht wordt. Mogelijk is hij een getuige en zelfs dat weten we niet zeker. Dit noemen we een achtergrondonderzoek. Dat doen we heel vaak om zo volledig mogelijk te zijn. Meestal leidt het nergens toe.'
Ertha Stadlbraun dacht hier even over na. 'Wat een baan.'
Milo onderdrukte een glimlach. 'Als u in gevaar zou zijn, zou ik u dat zeggen. Dat beloof ik u, mevrouw.'
Ze streek weer over haar haar. 'Tja, ik heb verder niets meer te zeggen. Ik wil niet loslippig zijn en geruchten verspreiden.'
Ze stond op.
Milo zei: 'Mag ik u nog een paar vragen stellen?'
'Zoals?'

'Als hij uit zijn werk komt, gaat hij dan nog wel eens weg?'

Ze haalde zwaar adem. 'Hij is zo onschuldig als een lammetje, maar u wilt wel alles weten over zijn komen en gaan... O, laat ook maar, u gaat me de waarheid toch niet zeggen.'

Ze keerde ons de rug toe.

'Gaat hij nog wel eens weg nadat hij thuis is gekomen?' vroeg Milo.

'Voor zover ik kan zien niet, maar ik hou het niet allemaal in de gaten.'

'En gisteravond?'

Ze draaide zich weer om en wierp ons een afkeurende blik toe. 'Gisteravond was ik aan het koken. Drie hele kippen, sperzieboontjes met ui, yam, koolsla met uitgebakken bacon en vier taarten. Ik kook aan het begin van de week altijd en dan stop ik alles in de vriezer zodat ik me op zondag kan ontspannen als mijn kinderen langskomen. Dan laat ik het op zondagochtend ontdooien voordat ik naar de kerk ga, en als ik terugkom, warm ik het op en hebben we een echte maaltijd, niet zo'n snelle vette hap.'

'Dus u hebt niet gezien hoe laat meneer Peaty thuiskwam.'

'Dat zie ik nooit,' zei ze.

'Nooit?'

'Nou ja, zo nu en dan misschien.'

'Hoe laat komt hij meestal uit zijn werk?

'Om een uur of zes, zeven.'

'En in het weekend?'

'Volgens mij is hij altijd het hele weekend thuis. Maar ik zou niet durven zweren dat hij nooit weggaat. Hij zegt me nooit gedag met die blik naar de grond alsof hij mieren aan het tellen is. Ik kan u zéker niets zeggen over gisteravond. Ik had tijdens het koken muziek op staan en toen heb ik naar het journaal en naar de Essence Awards gekeken, daarna heb ik een kruiswoordpuzzel gedaan en toen ben ik naar bed gegaan. Als u soms denkt dat ik die halvegare een alibi ga verschaffen, dan hebt u het mis.'

10

Er is veel gezegd over geografische daderprofilering – dat criminelen in hun vertrouwde omgeving blijven. Zoals elke theorie, klopt ze soms maar niet altijd, en krijg je moordenaars die de staatsgrens overgaan of zich ver van huis wagen zodat ze een vertrouwde omgeving kunnen creëren, vér weg van nieuwsgierige blikken.

Net als bij alle veronderstellingen over menselijk gedrag, heb je geluk als je beter scoort dan het toeval. Maar het vier minuten durende ritje van Peaty's flat naar de woning van Michaela Brand aan Holt Avenue viel niet te negeren.

Het gebouw waar ze woonde was een mintgroene blokkendoos uit de jaren vijftig. Aan de voorkant was een open carport achter een met olie besmeurde betonnen muur. Zes parkeerplaatsen waarvan er één bezet was door een stoffig bruin minibusje. De gevel was versierd met twee olijfgroene diamanten. Spikkels in het gipspleister lichtten op in de middagzon. Veel te frivool.

Op de rij brievenbussen in de muur even ten zuiden van de parkeerplaats stonden geen namen, alleen huisnummers. Er was zo te zien ook geen conciërge. Michaela's brievenbus was afgesloten. Milo keek door de gleuf. 'Er ligt van alles in.'

Haar flat lag achterin. De jaloezieramen waren de droom van elke inbreker. De glazen luiken zaten dicht, maar de groene gordijnen stonden iets open. Het was donker binnen, maar de contouren van de meubeltjes waren zichtbaar.

Milo begon op deuren te kloppen.

De enige bewoonster die thuis was, was een vrouw van in de twintig met een stijve goudbruine pruik en een blauwe overgooier over een witte trui met lange mouwen. De pruik deed me aan chemotherapie denken, maar ze zag er gezond uit en had heldere grijze ogen. Dezelfde sproetige huid die Michaela Brand ook had. Een open gezicht dat enigszins gespannen was door het onverwachte bezoek.

Toen ik de pijpenkrullen en het keppeltje op het blonde hoofd van het jongetje zag dat tegen haar been aan geklemd stond, begreep ik het: sommige orthodox-joodse vrouwen bedekten hun haar uit fatsoen.

Toen ze de penning zag, klemde ze haar zoon tegen haar borst. 'Ja?'

De jongen stak tegelijk zijn armen en benen uit waardoor ze hem bijna liet vallen. Hij leek me een jaar of drie. Hij was dik en stevig, kronkelde in zijn moeders armen en maakte kleine, grommende geluidjes.

'Doe eens rustig, Gershie Yoel!'

De jongen zwaaide met zijn vuistje. 'Held, held, Judas. Val, olifant!'

Hij wurmde nog wat, waarna de vrouw het opgaf en hem op de grond zette. Hij wiegde even op zijn voeten heen en weer en gromde nog wat. Toen keek hij naar ons en zei: 'Val!'

'Gershie Yoel, ga naar de keuken en pak maar een koekje. Eentje, hoor. En maak de baby's niet wakker.'

'Held, held! Judas Maccabeus gaat je aan zijn speer rijgen, slechte Griek!'

'Nú, en braaf zijn, anders krijg je geen koekje!'

'*Grr*!' Gershie Yoel rende weg langs muren vol boekenplanken. Op de tafels en de bank lagen ook allemaal boeken. Alle overige ruimte stond vol met een box, speelgoed en pakken wegwerpluiers.

Het geschreeuw van de jongen werd minder.

'Hij is nog steeds met de feestdagen bezig,' zei de jonge vrouw.

'Chanoeka?' vroeg Milo.

Ze glimlachte. 'Ja. Hij denkt dat hij Judas is, Judas de Maccabeeër. Dat is de grote held in het verhaal van Chanoeka. De olifant komt uit een verhaal over een van diens broers...' Ze zweeg en bloosde. 'Wat kan ik voor u doen?'

'We zijn hier vanwege uw buren, mevrouw...'

'Winograd. Shayndie Winograd.'

Milo vroeg of ze dit wilde spellen en schreef het op.

Ze zei: 'Hebt u mijn naam nodig?'

'Alleen voor de administratie, mevrouw.'

'Over welke buren gaat het, die punkers?'

'Welke punkers bedoelt u?'

Ze wees naar een flat op de volgende verdieping een paar deuren verder. 'Daar, op nummer 4. Ze wonen er met zijn drieën, denken dat ze muzikanten zijn. Volgens mijn man zijn het punkers, ik zou het niet weten.' Ze sloeg haar handen voor haar oren.

'Geluidsoverlast?' vroeg Milo.

'Nu niet meer,' zei Shayndie Winograd. 'Iedereen klaagde erover bij de eigenaar en nu gaat het goed... Neem me niet kwalijk, ik moet even bij de baby's kijken. Komt u verder.'

We haalden wat boeken van de bruine ribfluwelen bank. Boeken van namaakleer met Hebreeuwse titels in goud erop gedrukt.

Shayndie Winograd kwam terug. 'Ze slapen nog, *boruch*... goddank.'

'Hoeveel baby's?' vroeg Milo.

'Een tweeling,' zei ze. 'Zeven maanden.'

'Mazzeltof,' zei Milo. 'Met drie heb je je handen vol.'

Shayndie Winograd glimlachte. 'Drie zou een makkie zijn. Ik heb er zes, drie zitten er op school. Gershie Yoel zou ook naar school moeten, maar hij was vanmorgen zo aan het hoesten dat ik dacht dat hij ziek werd. En toen ging het opeens op wonderbaarlijke wijze over.'

Milo zei: 'Gods wegen zijn ondoorgrondelijk.'

Haar glimlach werd nog breder. 'Misschien moet u eens met hem praten over eerlijkheid... Zijn de punkers het probleem?'

'Dit gaat over mevrouw Brand, de bewoonster van nummer 3.'

'Het fotomodel?' vroeg Shayndie Winograd.

'Was ze fotomodel?'

'Zo noem ik haar omdat ze eruitziet als een fotomodel. Knap, heel slank. Wat is het probleem?'

'Ze is helaas gisteravond vermoord, mevrouw.'

Shayndie Winograd sloeg haar hand voor haar mond. 'O, mijn hemel... O, nee.' Ze pakte de leunstoel vast, haalde een speelgoedauto weg en ging zitten. 'Wie heeft het gedaan?'

'Daar proberen we achter te komen, mevrouw Winograd.'

'Haar vriend misschien?'

'Wie is dat?'

'Ook zo'n mager ding.'

Milo haalde de politiefoto van Dylan Meserve uit zijn koffertje, die was genomen na de ontvoeringsgrap.

Winograd wierp een blik op de foto. 'Die bedoel ik. Is hij gearresteerd? Is hij een crimineel?'

'Mevrouw Brand en hij waren bij iets betrokken. Het heeft in de krant gestaan.'

'We lezen geen kranten. Wat voor iets?'

Milo vertelde haar in het kort over de nepontvoering.

Ze zei: 'Waarom zouden ze zoiets doen?'

'Kennelijk was het een publiciteitsstunt.'

Shayndie Winograd keek Milo nietszeggend aan.

'Om hun acteercarrière een handje te helpen,' zei Milo.

'Dat begrijp ik niet.'

'Het is ook moeilijk te begrijpen, mevrouw. Ze dachten dat ze door de media-aandacht zouden opvallen in Hollywood. Waarom denkt u dat meneer Meserve mevrouw Brand iets zou aandoen?'

'Ze gingen soms wel eens tegen elkaar tekeer.'

'Dat kon u hier op de eerste verdieping horen?'

'Het was hard.'

'Waar schreeuwden ze over?'

Shayndie Winograd schudde haar hoofd. 'Ik kon ze niet verstaan, ik hoorde alleen het lawaai.'

'Hadden ze vaak ruzie?'

'Is hij een slecht mens? Gevaarlijk?'

'U verkeert niet in gevaar, mevrouw. Hoe vaak gingen hij en mevrouw Brand tegen elkaar tekeer?'

'Ik weet het niet... Hij woonde hier niet, hij kwam alleen langs.'

'Hoe vaak?'

'Zo nu en dan.'

'Wanneer hebt u hem voor het laatst gezien?'

Ze dacht even na. 'Weken geleden.'

'Wanneer hadden ze voor het laatst ruzie?'

'Dat is langer geleden... Een maand, misschien nog langer?' Ze haalde haar schouders op. 'Het spijt me. Ik probeer er niet op te letten.'

'U wilt niet nieuwsgierig zijn,' zei Milo.

'Ik wil geen *nahrish*... vervelende dingen in mijn leven.'

'Dus meneer Meserve is hier al een paar weken niet meer geweest.'

'Minstens,' zei Shayndie Winograd.

'En wanneer hebt u mevrouw Brand voor het laatst gezien?'
'Haar... even denken... Haar heb ik de laatste tijd niet gezien. Maar ze kwam altijd laat thuis. De enige keren dat ik haar zag, was als ik laat uit was met mijn man, en dat is niet vaak.'
'Vanwege de kinderen.'
'De kinderen zijn vroeg wakker, er is er altijd wel eentje die iets wil.'
'Ik begrijp niet hoe u het doet, mevrouw.'
'Je concentreert je op wat belangrijk is.'
Milo knikte. 'Dus u hebt mevrouw Brand de laatste tijd niet gezien. Wilt u goed nadenken, misschien kunt u een bepaald moment bedenken?'
De jonge vrouw streek een lok stijf gespoten extra haar naar achteren. 'Een week of twee, drie geleden, denk ik. Anders zou ik het niet weten. Ik wil u geen valse informatie geven.'
Milo onderdrukte een glimlach. De jonge vrouw schudde haar hoofd. 'Ik ga de deur uit, ga naar mijn werk. Ik kijk gewoon niet naar dingen die niet belangrijk zijn.'
'U hebt nog tijd om te werken met zes kinderen?'
'Op de kleuterschool. Halve dagen. Wat afschuwelijk dat dit gebeurd is met haar. Kwam het door haar leven?'
'Hoe bedoelt u, mevrouw?'
'Ik wil haar niet beledigen, maar wij leven op onze manier, zij leven anders.'
'Zij?'
'De buitenwereld.' Shayndie Winograd kleurde. 'Ik zou zulke dingen niet moeten zeggen. Mijn man zegt altijd dat iedereen op zijn eigen daden moet letten en niet op die van anderen.'
'Is uw man rabbijn?'
'Hij heeft zijn *smicha*... hij is rabbijn, maar werkt niet als rabbijn. Hij werkt halve dagen als boekhouder en de rest van de tijd studeert hij.'
'Wat studeert hij?'
Shayndie Winograd glimlachte weer. 'De Thora. De joodse leer. Hij gaat naar een *kollel*... dat is een soort hogeschool.'
'Hij werkt aan zijn vervolgopleiding,' zei Milo.
'Hij leert om het leren.'
'Ah... Maar goed, zo te horen hebt u beiden uw handen vol...

Vertelt u eens over Michaela Brands manier van leven.'
'Ze was normaal. Wat tegenwoordig normaal is in Amerika.'
'Wat bedoelt u daarmee?'
'Strakke kleren, korte rokjes, altijd uitgaan.'
'Met wie?'
'De enige die ik wel eens bij haar zag was de man op de foto.
Soms ging ze alleen uit.' Shayndie Winograd knipperde met haar
ogen. 'We zeiden elkaar wel eens gedag. Ze zei dat mijn kinderen lief waren. Een keer bood ze Chaim Sholom, mijn zoon van
zes, een chocoladereep aan. Ik heb hem aangenomen omdat ik
haar niet voor het hoofd wilde stoten, maar hij was niet koosjer,
dus heb ik hem aan de Mexicaanse mevrouw van de kinderop-
vang gegeven. Ze glimlachte altijd naar de kinderen. Het leek me
een aardig meisje.' Diepe zucht. 'Wat afschuwelijk voor haar familie.'
'Had ze het wel eens over haar familie?'
'Nee, meneer. We spraken elkaar eigenlijk nooit, we groetten elkaar alleen vriendelijk.'
Milo borg zijn notitieboekje op. Hij had niets opgeschreven. 'Is
er nog iets anders wat u kunt bedenken?'
'Zoals?'
'Wat er maar in u opkomt?'
'Nee, dit is het,' zei Shayndie Winograd. Opnieuw bloosde ze.
'Ze was heel mooi, maar ik had medelijden met haar. Ze liet...
erg veel van zichzelf zien. Maar ze was aardig, glimlachte naar
de kleintjes. Een keer liet ik haar een vasthouden omdat ik net in
de auto wilde stappen en allemaal pakjes bij me had.'
'U had dus geen problemen met haar.'
'Nee, nee, helemaal niet. Ze was aardig. Ik had alleen medelijden
met haar.'
'Waarom?'
'Ze woonde alleen. Al dat uitgaan. Mensen denken maar dat ze
uit kunnen gaan en alles kunnen doen wat ze willen, maar het is
een gevaarlijke wereld. Dat blijkt nu maar weer eens, nietwaar?'
Er klonken kreetjes uit de slaapkamer. 'O, jee.' We liepen achter
haar aan naar een piepklein kamertje met twee wiegjes. Er lagen
twee baby's in die rood waren aangelopen van de opwinding en,
aan de lucht te ruiken, net hun luier hadden bevuild. Gershie Yoel

danste om hen heen en probeerde zijn moeder omver te stoten terwijl zij de kinderen een schone luier gaf.

'Hou op! Deze mannen zijn politieagenten en als je je niet gedraagt, nemen ze je mee naar de *beis hasohar*, net als Yosef Aveenu.'

Het jongetje gromde.

'*Beis hasohar*, ik meen het, lief zijn.' En tegen ons: 'Dat is de gevangenis. Yosef... Jozef, uit de bijbel, zat daar zeven jaar totdat de farao hem eruit haalde.'

'Wat had hij gedaan?' vroeg Milo.

'Niets,' zei ze. 'Maar hij was beschuldigd. Door een vrouw.' Ze rolde de vieze luier op en maakte haar handen schoon. 'Van slechte dingen. Zelfs toen gebeurden er al slechte dingen.'

Milo liet zijn kaartje bij de andere woningen achter. Toen we weer beneden waren, stond juist de postbode daar.

'Goedemiddag,' zei Milo.

De postbode was een grijze Filippino, kort en tenger. Zijn busje stond bij de stoep. In zijn rechterhand had hij een sleutelbos die met een ketting aan zijn broekriem vastzat, terwijl hij met zijn linkerhand een stapel post tegen zijn borst gedrukt hield.

'Hallo,' zei hij.

Milo toonde hem zijn penning. 'Hoe ziet de brievenbus van nummer 3 eruit?'

'Hoe bedoelt u?'

'Wanneer is hij voor het laatst geleegd?'

De postbode opende Michaela's brievenbus. 'Zo te zien al een tijdje niet meer.' Hij liet de sleutelbos vallen en scheidde de stapel post met beide handen. 'Twee stuks voor haar vandaag. Dit is niet mijn vaste route... Ze mag blij zijn dat ze niet meer heeft, er is niet veel ruimte meer.'

Milo wees naar de twee enveloppen. 'Mag ik die eens zien?'

De postbode zei: 'U weet dat dat niet mag.'

'Ik wil ze niet openmaken,' zei Milo. 'Ze is gisteravond vermoord. Ik wil alleen weten wie haar brieven stuurt.'

'Vermoord?'

'Inderdaad.'

'Dit is niet mijn vaste route.'

'Dat zei u al.'

De postbode aarzelde en overhandigde toen de enveloppen. Huis-aan-huisreclame voor een voordelige hypotheek en een 'Laatste kans!'-aanbieding om een abonnement op *InStyle* te verlengen.

Milo gaf ze terug.

'En de post in de brievenbus?'

'Dat is privébezit,' zei de postbode.

'Wat gebeurt er als u over een paar dagen terugkomt en er is geen ruimte meer?'

'Dan laten we een berichtje achter.'

'Waar gaat de post naartoe?'

'Die blijft op kantoor.'

'Ik kan een bevelschrift aanvragen, terugkomen en alles openmaken.'

'Als u het zegt.'

'Ik zeg alleen dat ik de enveloppen in de brievenbus even wil bekijken. De brievenbus is toch al open.'

'Privacy...'

'Die was ze kwijt op het moment dat ze werd vermoord.'

Met veel omhaal negeerde de postbode ons toen hij verderging met het bezorgen van de post bij de andere bewoners. Milo keek in bus 3, haalde er een dikke stapel post uit die zo klem zat dat hij hem eruit moest wrikken, en bladerde erdoorheen.

'Veel reclame... een paar rekeningen... een dringende van het gasbedrijf, waarschijnlijk een herinnering... hetzelfde van de telefoonmaatschappij.'

Hij bekeek de poststempels. 'Tien dagen aan post. Zo te zien was ze hier al een tijd niet meer geweest toen ze overleed.'

'Ze zal niet op vakantie zijn geweest,' zei ik. 'Ze was blut.'

Hij keek me aan. Allebei dachten we hetzelfde.

Misschien had iemand haar een tijd vastgehouden.

11

We zaten in de auto voor het gebouw waar Michaela had gewoond.

Ik zei: 'Dylan Meserve heeft zijn woning weken geleden al verlaten. De buurvrouw hoorde hem en Michaela ruziën, en Michaela heeft mij verteld dat ze hem haatte.'

'Misschien heeft hij haar meegenomen,' zei Milo.

'Meegenomen voor een nieuw avontuur.'

'En meneer Peaty, de sekscrimineel? Misschien heeft hij ze allebei ontvoerd.'

'Als Peaty iemand heeft ontvoerd, heeft hij hem of haar niet meegenomen naar zijn huis,' zei ik. 'Dat zou hij nooit voor mevrouw
Stadlbraun of de andere huurders verborgen kunnen houden.'

'Te klein om mensen te ontvangen.'

'Maar goed, hij is wel degene met een strafblad.'

'En het is een vreemde snoeshaan. Dus nu heb ik twee verdachten op nummer 1 staan.'

Toen we wegreden, zei hij: 'Ik lust wel een kop koffie om een
beetje wakker te blijven.'

Ik stopte bij een tentje aan Santa Monica Boulevard in de buurt
van Bundy. Daar krabbelde ik de mogelijkheden op een servetje.
Ik schoof dit over tafel, toen Milo terugkwam na het plegen van
een paar telefoontjes.

> *1. Dylan Meserve ontvoert en vermoordt Michaela en slaat
> dan op de vlucht.*
> *2. Reynold Peaty ontvoert en vermoordt Michaela en Dylan.*
> *3. Reynold Peaty ontvoert en vermoordt Michaela, en
> Dylans verdwijning is toeval.*
> *4. Geen van drieën.*

'Vooral die laatste vind ik geweldig.' Milo wenkte de serveerster
en bestelde een stuk notentaart met ijs. In drie happen had hij het
stuk taart al haast naar binnen; op de rest kauwde hij uitgebreid
alsof dat zijn zelfbeheersing moest bewijzen.

'Ik heb Michaela's moeder weer gebeld, maar het ging allemaal om haar... "O, wat ben ik zielig." Te ziek om het lichaam te komen halen. Aan haar gehijg te horen, zal dat wel waar zijn.'
Ik vertelde hem in het kort over Michaela's jeugd.
'Het lelijke jonge eendje?' vroeg hij. 'Dat zeggen alle beeldschone meisjes. Wat die joodse dame zei, over de levensstijl... misschien had ze gelijk.'
'Michaela raakte verblind door Hollywood.'
'Je weet wat dat doet met de negenennegentig procent van de mensen die mislukken. De vraag is, werd ze erdoor meegesleurd of had ze gewoon pech?'
'Zoals ze in aanraking kwam met Peaty.'
Hij nam een laatste hap taart, veegde zijn mond af, legde te veel geld op tafel en hees zich overeind. 'Ik moet weer aan het werk. Saaie klusjes.'
Saai was zijn codewoord voor: ik wil even alleen zijn. Ik bracht hem naar het bureau en ging naar huis.
Die avond begonnen alle lokale journaaluitzendingen met het nieuws over de moord op Michaela. Keurig geföhnde nieuwslezers glimlachten half terwijl ze monotoon het 'schokkende misdrijf' verhaalden en herinneringen ophaalden aan de 'publiciteitsstunt' van Michaela en Dylan.
Dylan werd 'iemand die we graag willen spreken, maar geen verdachte' genoemd. De stilzwijgende implicatie was duidelijk, zoals altijd als de politie het op die manier verwoordt. Ik wist dat dit citaat niet van Milo afkomstig was. Waarschijnlijk van een of andere persofficier die met een clichéverklaring was gekomen.
De volgende ochtend stond er een artikel in de krant op pagina drie dat vijf keer groter was dan het artikel over de grap destijds, en er stonden twee foto's bij van Michaela: een sensuele, geretoucheerde portretfoto van een fotograaf die ze bij bosjes maakte voor hoopvolle sterretjes, plus haar politiefoto die op het bureau in L.A. was gemaakt. Ik vroeg me af of een van beide foto's in de roddelbladen of op internet terecht zou komen, of allebei. Je kunt ook beroemd worden door op de verkeerde manier aan je einde te komen.
Ik hoorde die dag verder niets meer van Milo en ging ervan uit dat de tips wel zouden binnenstromen en dat hij heel veel of heel

weinig te weten kwam. Ik bracht mijn tijd door met het bijwerken van verslagen, overwoog om weer een hond te nemen en nam een nieuwe patiënt aan op verwijzing van een advocate, Erica Weiss.

Weiss had een rechtszaak aangespannen tegen Patrick Hauser, een psycholoog uit Santa Monica, wegens aanranding van drie vrouwelijke patiënten die in zijn sensitivitytrainingsgroep zaten. De kans was groot dat er een schikking zou worden getroffen en dat de zaak niet voor de rechtbank zou verschijnen. Ik sprak een hoog uurtarief af en was heel tevreden over de deal.

Ik zocht het praktijkadres van Hauser op. Op de hoek van Santa Monica Boulevard en Seventh Street. Allison had ook een praktijk in Santa Monica, een paar kilometer verder aan Montana. Ik vroeg me af of ze Hauser kende en wilde haar bellen. Maar omdat ze het misschien als een smoesje van mij zou zien om haar weer te spreken, besloot ik het niet te doen.

Om kwart voor zes, toen zij waarschijnlijk net tussen twee patiënten in zat, veranderde ik van gedachten. Haar privénummer zat nog steeds onder mijn voorkeuzetoets.

'Hoi, met mij.'

'Hoi,' zei ze. 'Hoe is het met je?'

'Goed. En met jou?'

'Goed... Ik wou eigenlijk zeggen: "Hoe is het met jou, lekker ding?" Ik moet oppassen voor die versprekingen.'

'Complimentjes zullen dankbaar worden ontvangen, o schoonheid.'

'Moet je ons nou horen flikflooien.'

'Ik mag omvallen als het niet waar is.'

Stilte.

Ik zei: 'Eigenlijk bel ik je om een beroepsmatige reden, Alli. Ken jij een gewaardeerd collega van je die Patrick Hauser heet?'

'Ik heb hem wel eens bij bijeenkomsten gezien. Hoezo?'

Ik vertelde het haar.

Ze zei: 'Dat verbaast me niet. Hij schijnt te drinken. Een sensitivitytrainingsgroep, hè? Dat verbaast me wel.'

'Waarom?'

'Ik vind hem eerder het type bedrijfspsycholoog. Om hoeveel patiënten gaat het?'

'Drie.'

'Dat is behoorlijk belastend.'

'Hauser beweert dat het een groepswaan is. Er is geen lichamelijk bewijs dus komt het neer op "hij zei, zij zeiden". Bij de Vereniging van Psychologen zijn ze hier al maanden mee bezig en ze hebben nog steeds geen besluit genomen. De vrouwen beginnen ongeduldig te worden en hebben een advocaat in de arm genomen.'

'Ze hebben samen één advocaat?'

'Ze brengen het als een klein groepsproces in de hoop dat het bekend wordt en anderen naar voren komen.'

'Hoe zijn ze erachter gekomen dat ze soortgelijke ervaringen met Hauser hadden?'

'Na een sessie raakten ze aan de praat en gingen ze ergens wat drinken. Zo kwam het aan het licht.'

'Niet al te slim van Hauser om ze in dezelfde ruimte te zetten.'

'Patiënten betasten is ook geen geniale daad.'

'Jij denkt dus dat hij het gedaan heeft.'

'Ik heb nog geen oordeel geveld, maar ze kwamen alle drie bij Hauser vanwege een lichte depressie, niet vanwege waanideeën.'

'Zoals ik al zei, staat hij bekend als een drinker. Verder zou ik het niet weten.'

'Dank je. Hoe is het verder met je?'

'Het leven in het algemeen?' zei ze. 'Wel goed.'

'Zin om met me uit eten te gaan?'

Waar kwam dát vandaan?

Ze gaf geen antwoord.

Ik zei: 'Sorry. Laat maar.'

'Nee,' zei ze. 'Ik dacht na over je aanbod. Wanneer had je in gedachten?'

'Maakt mij niet uit. Het zou vanavond kunnen.'

'Mmm... Ik ben over een uur klaar en ik moet toch eten. Waar?'

'Zeg het maar.'

'Dat steakhouse?' zei ze. 'Waar we elkaar voor het eerst hebben ontmoet?'

Ik vroeg om een afgezonderd tafeltje uit de buurt van de mahoniehouten bar, het geroezemoes van drinkers en de sport op tv.

Toen Allison tien minuten later arriveerde, had ik mijn Chivas op en dronk ik een tweede glas water.

Het was donker in het restaurant en ze bleef een paar seconden staan om haar ogen te laten wennen. Haar lange zwarte haar hing los en ze had een ernstige blik op haar ivoren gezicht. Het viel me op dat haar schouders gespannen waren.

Ze deed een stap naar voren en liet meer kleur zien. Een oranje broekpak over haar strakke, kleine lichaam. Feloranje. Met zulk haar zou een Halloweenkostuum een probleem kunnen zijn geweest, maar haar stond het goed.

Ze zag me zitten en liep op haar hoge hakken met grote passen op me af. Ze had de gebruikelijke glimmers in haar oren en om haar pols en nek. Goud en saffier; de stenen haalden het diepblauw van haar ogen op en vormden een fraai contrast met het oranje. Haar make-up was tot in de puntjes verzorgd en ze droeg kunstnagels. Ik kon niets opmaken uit de glimlach om haar lippen.

Een heel wezenlijke vrouw die veel werk van zichzelf maakt.

De kus op mijn wang was snel en koel. Ze schoof aan tafel, net zo dichtbij dat we elkaar konden verstaan maar te ver weg om elkaar gemakkelijk aan te raken. Voordat we een gesprek konden beginnen, kwam de ober voor ons staan. Eduardo, de opvliegende. Een tachtigjarige Argentijnse immigrant die beweerde dat hij beter vis kon bereiden dan de kok.

Hij boog voor Allison. 'Goedenavond, dokter Gwynn. Het gebruikelijke?'

'Nee, dank je,' zei ze. 'Het is een beetje koud buiten, dus ik wil graag een Irish coffee. Cafeïnevrij alsjeblieft, Eduardo, anders bel ik je vannacht om drie uur uit bed voor een spelletje kaarten.'

Zijn glimlach gaf aan dat hij dat niet erg zou vinden. 'Uitstekend. Nog een Chivas voor u, meneer?'

'Graag.'

Hij verdween. Ik zei: 'Kom je hier vaak?'

'Nee. Hoezo?'

'Hij noemde je bij naam.'

'Ik kom hier eens in de drie weken, denk ik.'

Alleen of met een andere man?

Ze zei: 'De T-bonesteak was gedenkwaardig.'

Eduardo keerde terug met de drankjes en de menukaart. Extra slagroom voor Allisons Irish coffee. Hij boog opnieuw en verdween.

We klonken met onze glazen en namen een slok. Allison likte wat schuim van haar onderlip. Haar gezicht was glad en blank als verse room. Ze is negenendertig, maar als ze zich eens wat minder zou optuigen zou ze er tien jaar jonger uitzien.

Ze schoof haar drankje weg. 'Hoe is het met Robin?'

Ik deed mijn best om nonchalant mijn schouders op te halen. 'Wel goed, geloof ik.'

'Zie je haar niet zo vaak?'

'Niet echt.'

'Ga je met haar naar bed?'

Ik zette mijn whisky neer.

Ze zei: 'Ja, dus.'

Bij twijfel terugvallen op psychologentrucjes. Ik zei niets.

'Sorry, dat was helemaal niet netjes.' Ze streek haar haar uit haar gezicht. 'Dat wist ik en toch vroeg ik het.' Ze boog zich over haar koffie heen en ademde de damp in. 'Het is jouw goed recht om te vrijen met wie je wilt, ik had gewoon zin om even te snauwen. Soms zou ik ook wel met je willen vrijen.'

'Soms is beter dan nooit.'

'Als je het goed bekijkt, waarom ook niet?' zei ze. 'Twee gezonde, wellustige mensen. We waren geweldig samen.' Een flauwe glimlach. 'Behalve toen we dat niet waren... Niet erg diepzinnig, hè?'

We namen in stilte een slokje. De tweede Chivas gaf me een lekker warme roes. Misschien zei ik daarom: 'Wat is er verdomme misgegaan tussen ons?'

'Zeg jij het maar.'

'Ik vraag het jou.'

'En ik vraag het jou.'

Ik schudde mijn hoofd.

Ze nam een slok en lachte. 'Niet dat het grappig is.'

Eduardo kwam onze bestelling opnemen, zag onze gezichten en draaide zich om.

Allison zei: 'Misschien is er helemaal niets misgegaan, maar was het gewoon evolutie.'

'Devolutie.'

'Alex, toen we net iets hadden, voelde ik een golf van emoties als ik naar je keek. Ik hoefde je stem maar te horen of het sympathisch zenuwstelsel deed iets met me – een ongelooflijke gólf van emoties. Als de deurbel ging en ik wist dat jij het was, kreeg ik het ontzettend warm – als een opvlieger. Ik was bijna bang dat ik al in de overgang was.' Ze keek in haar Irish coffee. 'Soms werd ik gewoon drijfnat. Dát was nog eens iets.'

Ik legde mijn hand even op de hare. Koel.

Ze zei: 'Misschien was het gewoon een kwestie van hormonen en stierf het weg. Misschien is alles verdomme een kwestie van hormonen en zitten wij in het verkeerde vak.'

Ze wendde zich af. Grabbelde in haar tas naar een zakdoekje en depte haar ogen. 'Eén drankje en mijn emotionele filters zijn verdwenen.'

Ze kneep haar lippen op elkaar. 'Ik krijg hier waarschijnlijk spijt van, maar wat me echt dwarszat toen ik merkte dat het minder werd, was dat het met Grant helemaal niet zo was.'

Haar overleden man. Afgestudeerd aan Wharton, rijkeluiskind, succesvol zakentype. Hij was op jonge leeftijd getroffen door een beangstigend zeldzame vorm van kanker. Zelfs toen Allison nog van me hield, had ze vol liefde over hem gesproken.

'Je had iets heel moois met hem,' zei ik.

'Je was geen vervanging, Alex. Dat zweer ik.'

'Er zijn ergere dingen.'

'Doe nou niet zo nobel,' zei ze. 'Dan voel ik me helemáál rot.'

Ik zei niets.

Ze zei: 'Dat was een enorme leugen net. Met Grant stierf dat gevoel ook weg. Toen hij was begraven, was hij niet langer een lichaam voor me en veranderde ik in een... een... schim. Daar voelde ik me... daar voel ik me nog steeds schuldig over.'

Ik zocht naar een antwoord. Elke mogelijkheid klonk als psychologenpraat. Ik had hier niet moeten komen.

Opeens duwde Allison haar heup tegen de mijne. Ze nam mijn gezicht tussen haar handen en kuste me hard. Daarna trok ze zich terug en ging nog verder weg zitten.

En zo zaten we.

'Alex, wat ik in het begin voor jou voelde was net zo intens als met Grant. Nog intenser als het om de seks ging. Daardoor voelde ik me ook schuldig. Ik begon een toekomst voor ons te zien. Vroeg me af hoe dat zou zijn. Toen kregen we die ellende met de zaak-Malley en veranderde alles. Ik weet dat dat niet de enige oorzaak kan zijn geweest, er moeten andere... O, moet je horen, zo praat elk loslippig wijf ... Het is verwarrend. Het werk vond ik opwindend, en opeens walgde ik ervan.'

De zaak-Malley ging over de moord op een achtjarig kind. Een van Allisons patiënten – een kwetsbare jonge vrouw – was erbij betrokken geraakt. Ik had haar bedrogen. Allemaal in naam van de waarheid, gerechtigheid...

Robin wilde nooit over het werk horen. Allison had alle gore details willen weten.

Ik zei: 'Dingen veranderen.'

'Ja. Verdomme.' Ze wendde haar blik af. 'Als ik zou zeggen: jouw huis of het mijne, zou je dan het gevoel hebben dat je werd gemanipuleerd?'

'Misschien een fractie van een seconde.'

'Ik ga het niet zeggen. Vanavond niet. Ik voel me erg onaantrekkelijk.'

'Dát is nog eens een waanidee.'

'Vanbinnen ben ik onaantrekkelijk,' zei ze. 'Je zou niets aan me hebben, geloof me.'

Ik hief mijn glas op. 'Op de pijnlijke waarheid.'

'Sorry. Zullen we het eten maar vergeten?'

'Het eten was geen list om bij je in bed te duiken.'

'Wat dan?'

'Dat weet ik niet... misschien een list om bij je in bed te duiken.'

Ze glimlachte. Ik glimlachte.

Eduardo zat aan de andere kant van de ruimte naar ons te kijken, terwijl hij deed alsof het hem allemaal niet interesseerde.

Ik zei: 'Ik lust best wat.'

'Ik ook.' Ze wenkte hem. 'Een etentje met een oude minnaar. Erg beschaafd, net als in een Franse film.'

Ze kwam wat dichter bij me zitten, pakte mijn linkerhand en trok een spoor langs mijn vingernagel. 'Het zit er nog steeds.'

'Wat?'

'Die barst in het halvemaantje – die kleine Pacman die uit je nagel groeit. Dat vond ik altijd heel schattig.'
Mijn lichaamsdeel, het was me nooit opgevallen.
Ze zei: 'Je bent nog dezelfde.'

12

De dag daarop interviewde ik de drie vrouwen die een rechtszaak hadden aangespannen tegen dokter Patrick Hauser. Afzonderlijk kwamen ze op me over als kwetsbaar. Als groep waren ze kalm en geloofwaardig.
Tijd voor Hausers verzekeringsmaatschappij om een schikking te treffen en te redden wat er te redden viel.
De volgende ochtend begon ik aan mijn verslag en ik was nog steeds aan het nadenken toen Milo belde.
'Hoe gaat-ie, ouwe reus?' zei ik.
'In rap tempo slecht. We hebben nog steeds geen toegang tot Michaela's woning. De huisbaas heeft geen zin om uit La Jolla te komen. Als hij hier niet gauw is, breek ik het slot open. Ik heb de rechercheur uit Reno gesproken die Reynold Peaty had gearresteerd wegens gluren. Het verhaal is dat Peaty stomdronken in een steegje achter een flatgebouw stond en door de gordijnen van een slaapkamer aan de achterkant gluurde. Zijn aandacht ging uit naar drie studentes. Een man die zijn hond uitliet zag Peaty met zijn lul zwaaien en begon te schreeuwen. Peaty sloeg op de vlucht, de man achtervolgde hem, duwde Peaty tegen de grond en belde de politie.'
'Wat een brave burger.'
'Een stopper in de footballploeg van de universiteit van Nevada,' zei hij. 'Studentenbuurt.'
'Aan de achterkant op de begane grond?' vroeg ik.
'Net als Michaela's flat. De meisjes waren jonger dan Michaela, maar er zijn toch overeenkomsten. De reden dat Peaty er zo makkelijk van afkwam, was dat bekend was dat die drie meisjes het niet zo nauw namen met het sluiten van de gordijnen. En de open-

baar aanklager wist niets van Peaty's veroordeling wegens inbraak jaren eerder. Dat was een inbraak op klaarlichte dag, contanten en damesondergoed.'

'Een voyeur komt in aanraking met een groepje exhibitionisten en iedereen gaat tevreden naar huis?'

'Omdat de exhibitionisten niet wilden getuigen. De meisjes waren wel heel geestdriftig op videoband, maar verder ging hun creativiteit niet. Ze waren vooral bang dat hun ouders erachter zouden komen. Peaty is zonder meer een engerd en ik heb hem met stip boven aan mijn verdachtenlijstje gezet.'

'Tijd voor een tweede gesprek.'

'Heb ik geprobeerd. Bij het PlayHouse was vanmorgen helemaal niemand, en thuis was hij ook niet. Mevrouw Stadlbraun wilde weer zo nodig thee met me drinken. Ik heb genoeg thee gehad om een neushoorn een verstopping te bezorgen en ze praat maar door over haar kleinkinderen en petekinderen en het gebrek aan normen en waarden tegenwoordig. Ze zei dat ze Peaty wat beter in de gaten hield, maar dat hij het grootste deel van de dag niet thuis was geweest. Ik ga hem door Binchy laten volgen.'

'Had je nog wat aan de telefoontips?'

'Voornamelijk marsmannetjes en gestoorden en idioten, maar er zat er één tussen die ik opvolg. Daarom bel ik ook. De landelijke pers heeft het verhaal opgepikt en ik kreeg gisteren een telefoontje van een of andere vent in New York. Een paar jaar geleden is zijn dochter hier verdwenen. Wat mijn aandacht trok was dat ze ook een toneelopleiding volgde.'

'Aan het PlayHouse?'

'De vader heeft geen idee. Er is wel meer wat hij niet weet. Er is wel een dossier over het meisje aangelegd – Tori Giacomo – maar zo te zien is het nooit opgevolgd. Ook niet zo verrassend, gezien haar leeftijd en het feit dat er geen bewijs was van een misdrijf. De man wil per se hiernaartoe komen, dus misschien kan ik hem wat tijd besparen. Ik heb om drie uur een afspraak met hem, ik hoop dat hij van Indiaas houdt. Als je tijd hebt, zou ik wel wat extra intuïtie kunnen gebruiken.'

'Waarom?'

'Om zijn dochter uit te sluiten. Luister naar hem, maar vertel me niet wat ik wil horen.'

'Doe ik dat dan wel eens?'
'Nee,' zei hij. 'Daarom mag ik je ook.'

Roze madrasgordijnen scheidden het interieur van café Moghul van het verkeer en het licht aan Santa Monica Boulevard. De donkere winkelpui is op loopafstand van het bureau, en als Milo zijn kantoor wil ontsnappen gebruikt hij dit als alternatieve werkplek. De eigenaars zijn ervan overtuigd dat de aanwezigheid van een forse, dreigende rechercheur even goed werkt als een goed getrainde rottweiler. Zo nu en dan doet Milo wat van hem verwacht wordt en stuurt hij schizofrene daklozen weg die binnenslenteren om van het 'onbeperkt eten'-buffet te proeven.

Het buffet is iets nieuws. Ik vraag me wel eens af of het speciaal voor Milo is geïntroduceerd.

Toen ik er om drie uur arriveerde, zat hij achter drie borden vol groente, rijst, kreeft met curry en een soort tandoorivlees. Het mandje met uiennaan was halfvol. Bij zijn rechterelleboog stond een kan kruidnagelthee. Hij had een servet om zijn nek, waar alleen wat sausspetters op zaten.

Het was geen lunchtijd meer en hij was de enige gast. De bebrilde eigenaresse zei met een glimlach: 'Hij is hier, meneer.' Ze bracht me naar zijn vaste tafeltje achterin.

Hij kauwde en slikte. 'Je moet het lam eens proberen.'

'Nog een beetje te vroeg voor mij.'

'Chai-thee?' vroeg de vrouw met bril.

Ik wees naar de kan. 'Alleen een glas, graag.'

'Uitstekend.'

De laatste keer dat ik hier was, had ze lenzen op proef.

Ze zei: 'Ik was allergisch voor de reinigingsvloeistof. Mijn neef is oogheelkundige en volgens hem is laseren veilig.'

Milo probeerde te verbergen dat hij moest huiveren, maar ik zag het. Hij woont samen met een chirurg, maar verbleekt bij de gedachte dat hij naar een arts moet.

'Succes,' zei ik.

De vrouw zei: 'Ik weet het nog niet zeker.' Daarna liep ze weg om een glas voor me te halen.

Milo veegde zijn mond af en haalde een blauwe map uit zijn koffer. 'Dit is een kopie van het dossier over Tori Giacomo. Je

mag het lezen, maar ik kan het ook in een minuut samenvatten.'
'Ga je gang.'
'Ze woonde in haar eentje in het noorden van Hollywood in een eenpersoonsflatje en werkte als serveerster in een visrestaurant in Burbank. Ze had haar ouders gezegd dat ze hier kwam om een ster te worden, maar het is niet duidelijk of ze ooit een rol of zelfs een impresario heeft gehad. Na haar verdwijning heeft de huisbaas haar spullen dertig dagen bewaard en vervolgens weggegooid. Tegen de tijd dat de afdeling Vermiste Personen de zaak wilde onderzoeken, was er niets meer over.'
'Zijn de ouders niet gebeld toen ze verdween?'
'Ze was zevenentwintig en had hun nummer niet op de huuraanvraag gezet.'
'Wie had ze als referentie opgegeven?'
'Dat staat niet in het dossier. Het is een zaak van twee jaar geleden.' Hij keek op zijn horloge. 'Haar vader heeft een uur geleden vanaf het vliegveld gebeld. Er moet een ongeluk op de snelweg zijn gebeurd, anders had hij al hier moeten zijn.'
Hij tuurde naar wat nummers die hij op de voorkant van het dossier had geschreven en toetste iets in op zijn mobiele telefoon. 'Meneer Giacomo? Inspecteur Sturgis. Ik zit op u te wachten... Waar? Hoe heet de straat aan de overkant? Nee meneer, dat is Little Santa Monica, dat is een korte straat die in Beverly Hills begint, en daar bent u nu, vijf kilometer ten oosten van hier. Ja, er zijn er twee. Little en Big. Vind ik ook, het is niet heel... Ja, L.A. is een beetje typisch... Er wordt daar gebouwd, maar u kunt er wel langs. Tot zo.'
Hij hing op. 'Die arme man denkt nu al dat hij in de war is.'

Twintig minuten later duwde een gedrongen, donkerharige man van in de vijftig de deur van het restaurant open, snoof de lucht op en liep regelrecht op ons af alsof hij een rekening te vereffenen had.
Korte benen, maar grote passen. Waar rende hij zo hard naartoe?
Hij droeg een bruine tweedjas die rond zijn schouders goed zat, maar verder veel te groot was, een vaalblauw geruit overhemd, een blauwe broek en zware schoenen met bolle neuzen. Het don-

kere haar was matzwart met wat roodtinten die het gebruik van verf verraadden. Opzij was het dik, maar bovenop was het dun – slechts een paar haren op een glimmende schedel. Zijn kin was groot en gespleten, zijn neus was dik en plat. Met een peinzende blik keek hij ons aan, terwijl hij op ons af liep. Hij was niet groter dan een meter vijfenzeventig, maar hij had handen als kolenschoppen en vingers als worsten met zwarte haren op de knokkels.

In een hand had hij een goedkope rode koffer. De andere schoot naar voren. 'Lou Giacomo.'

Hij kwam eerst op mij af. Ik stelde me voor, liet titels achterwege, waarna zijn aandacht snel verschoof naar Milo.

'Inspecteur.' Hij ging af op rang. Militaire ervaring of gewoon logica.

'Aangenaam kennis te maken, meneer Giacomo. Hebt u trek?'

Giacomo trok zijn neus op. 'Hebben ze ook bier?'

'Allerlei soorten.' Milo wenkte de vrouw met de bril.

Lou Giacomo zei: 'Bud, gewoon, geen light.' Hij trok zijn jas uit en hing hem over zijn stoel, trok aan zijn mouwen en schouders tot de revers recht hingen. Het geruite overhemd had korte mouwen. Zijn onderarmen waren gespierde, harige knuppels. Hij pakte zijn portemonnee, haalde er een lichtblauw visitekaartje uit en gaf het aan Milo.

Milo gaf het aan mij.

Louis A. Giacomo Jr.
Reparateur Huishoudelijke Apparatuur
Wat U Breekt, Lappen Wij Weer Op

In het midden een plaatje van een rode moersleutel. Er stond een adres en telefoonnummer op in Bayside, Queens.

Giacomo's bier arriveerde in een groot, gekoeld glas. Hij keek ernaar, maar nam geen slok. Toen de vrouw was verdwenen, veegde hij de rand van het glas met zijn servet af, tuurde ernaar en veegde nog wat meer.

'Fijn dat u tijd voor me kon vrijmaken, inspecteur. Bent u nog iets over Tori te weten gekomen?'

'Nog niet. Misschien kunt u me iets meer vertellen.'

Giacomo balde zijn vuisten. Hij ontblootte zijn tanden die zo recht stonden en zo wit waren dat ze wel van porselein moesten zijn. 'Om te beginnen dit: niemand heeft naar Tori gezocht. Ik heb een paar keer met uw afdeling gebeld, met verschillende mensen gesproken en uiteindelijk met een rechercheur... iemand die Mortensen heette. Hij kon me niets vertellen, maar ik bleef bellen. Op een gegeven moment had hij daar genoeg van en maakte hij heel duidelijk dat Tori's verdwijning geen prioriteit had en dat hij zich met vermiste kinderen bezighield. Daarna nam hij mijn telefoontjes niet meer aan. Toen ben ik hiernaartoe gegaan, maar hij was inmiddels met pensioen en hij was naar Oregon verhuisd of zoiets. Ik verloor mijn geduld, zei iets tegen de rechercheur die Tori's zaak had overgenomen in de trant van: wat mankeert jullie, jullie vinden verkeersovertredingen belangrijker dan mensen. Daar had hij niets op te zeggen.'

Giacomo fronste zijn wenkbrauwen en keek naar zijn bier. 'Soms verlies ik mijn geduld. Niet dat het iets zou hebben uitgemaakt. Ik had de aardigste man op aarde kunnen zijn, er was niemand die zijn best deed om Tori te vinden. Dus moest ik terug om mijn vrouw te vertellen dat ik niets had bereikt, waarop zij een zenuwinzinking kreeg.'

Hij tikte met de nagel van zijn duim tegen zijn glas.

Milo zei: 'Naar voor u.'

'Het is wel weer goed gekomen,' zei Giacomo. 'De artsen gaven haar antidepressiva, therapie, weet ik veel. Bovendien heeft ze nóg vijf kinderen om voor te zorgen – de jongste woont nog thuis, die is dertien. Bezig zijn, dat is het beste. Dan hoeft ze niet aan Tori te denken.'

Milo knikte en dronk zijn thee. Giacomo tilde eindelijk zijn glas op en nam een slok.

'Smaakt als Bud,' zei hij. 'Wat is dit voor tent, Pakistaans?'

'Indiaas.'

'Die hebben we bij ons ook.'

'Indiase mensen?'

'Die ook, en van die restaurantjes. Ik ben er nooit geweest.'

'Bayside,' zei Milo.

'Geboren en getogen. Het is niet heel erg veranderd, alleen heb je nu niet alleen Italianen en joden, maar ook nog Chinezen en andere mensen uit Azië en India. Ik heb een paar keer bij zo iemand een wasmachine gerepareerd. Bent u wel eens in Bayside geweest?'

Milo schudde zijn hoofd.

Giacomo keek naar mij.

Ik zei: 'Wel eens in Manhattan, maar verder niet.'

'Dat is de binnenstad. De binnenstad is voor rijkelui en daklozen, daar is geen plek voor gewone mensen.' Hij nam een fikse slok bier. 'Echt Bud.' Hij rolde met zijn vuist over tafel en spande de spieren van zijn onderarm. Je zag de pezen bewegen. Die grote witte tanden weer. Die wilden dringend ergens in bijten.

'Tori wilde graag opvallen. Van kinds af aan zei mijn vrouw tegen haar dat ze bijzonder was. Ze nam haar mee naar van die schoonheidswedstrijden voor baby's, soms won ze een lintje. Mijn vrouw vond dat leuk. Dans- en zanglessen, veel schooltoneel. Het probleem was alleen dat Tori niet van die goede cijfers haalde en één semester dreigden ze haar zelfs uit de toneelgroep te zetten als ze geen voldoende haalde voor wiskunde. Ze haalde het met de hakken over de sloot, maar dát was er voor nodig: dreigementen.'

Ik zei: 'Acteren was haar grote liefde.'

'Haar moeder zei altijd dat ze een grote filmster zou worden. Ze moedigde haar aan om, hoe noem je dat, om haar zelfvertrouwen te geven. Klinkt goed, maar Tori kreeg er alleen maar ideeën van.'

'Ambities,' zei ik.

Giacomo duwde zijn glas weg. 'Tori had hier nooit naartoe moeten gaan, ze wist helemaal niet hoe ze op eigen benen moest staan. Het was voor haar de eerste keer in een vliegtuig. Dit is een gestoorde stad. Zeg het maar als ik het mis heb.'

Milo zei: 'Het kan zwaar zijn.'

'Gestoord,' zei Giacomo weer. 'Tori had nog nooit één dag van haar leven gewerkt toen ze hiernaartoe ging. Tot de baby kwam, was ze het enige meisje, en ze zou natuurlijk nooit bij mij komen werken, hè?'

'Woonde ze nog thuis, voordat ze hier kwam?'

'Ja, en haar moeder deed alles voor haar. Ze hoefde niet eens haar eigen bed op te maken. Daarom was het zo vreemd dat ze opeens haar boeltje pakte.'

'Was het een plotselinge beslissing?'

Giacomo fronste zijn wenkbrauwen. 'Haar moeder had haar wel jarenlang het hoofd op hol gebracht, maar ja, toen ze met het nieuws kwam, was het onverwachts. Tori was al negen jaar van school, maar ze had niets gedaan. Ze was alleen getrouwd, maar dat duurde niet lang.'

'Wanneer trouwde ze?' vroeg Milo.

'Toen ze negentien was. Met iemand die ze nog van school kende, geen kwaaie jongen, maar niet al te snugger.' Giacomo tikte tegen zijn hoofd. 'Eerst werkte Mikey voor mij. Ik wilde ze helpen. Maar het joch kon nog geen moersleutel vasthouden. Toen ging hij voor zijn oom werken.'

'Wat deed hij?'

'Gemeentereiniging, net als de rest van de familie. Goed salaris, goeie arbeidsvoorwaarden, je zit bij de vakbond, het gaat allemaal om wie je kent. Ik heb er vroeger zelf ook gewerkt, maar ik kwam elke avond stinkend thuis en daar had ik geen zin meer in. Tori zei dat Mikey ook stonk als hij thuiskwam, en dat hij het er niet af kon wassen. Misschien heeft ze het huwelijk daarom laten ontbinden, ik weet het niet.'

'Hoe lang zijn ze getrouwd geweest?' vroeg Milo.

'Drie jaar. Daarna zat ze weer thuis duimen te draaien, deed vijf jaar niks, alleen audities voor reclames, modellenwerk en zo.'

'Kreeg ze wel eens een opdracht?'

Giacomo schudde zijn hoofd. Hij boog voorover, ritste het zijvak van zijn rode koffer open en haalde er twee portretfoto's uit. Tori Giacomo's gezicht was een fractie langer dan een volmaakte ovaal. Grote, donkere ogen met zachte, valse wimpers. Te donkere oogschaduw uit een andere tijd. Hetzelfde kuiltje in haar kin als haar vader. Erg mooi, misschien zelfs wel beeldschoon. Het had mij een paar seconden gekost om tot die conclusie te komen, en in een wereld van snelle indrukken was dat niet genoeg.

Op een van de foto's had ze lang, donker, golvend haar. Op de andere foto droeg ze het op tot op haar schouders en was het goudblond.

'Ze is altijd een beeldschoon meisje geweest,' zei Lou Giacomo. 'Maar dat is niet genoeg, hè? Je moet onzedelijke dingen doen om het te maken. Tori is een lief meisje, ging altijd naar de zondagsmis en niet omdat ze moest van ons. Mijn oudste zus is een non en Tori had altijd een goede band met Mary Agnes. Mary Agnes wist de monseigneur zover te krijgen om het huwelijk nietig te verklaren.'

'Tori had een spirituele kant,' zei ik.

'Heel, heel spiritueel. Toen ik hier de vorige keer was, heb ik alle kerken opgezocht die bij haar flat in de buurt lagen.' Giacomo kneep zijn ogen toe. 'Niemand kende haar, de priesters niet, de administratie niet, niemand. Toen wist ik direct dat er iets mis was.'

Zijn blik suggereerde dat hij op meerdere manieren mis bedoelde.

Ik zei: 'Tori ging niet langer naar de kerk.'

Giacomo rechtte zijn rug. 'Een aantal van die kerken zag er niet erg indrukwekkend uit, in tegenstelling tot St. Robert Bellarmine waar mijn vrouw naartoe gaat. Dát is nog eens een kerk. Dus misschien wilde Tori een mooie kerk, zoals ze was gewend, het zou kunnen. Toen ben ik naar de grootste kerk gegaan die jullie hier hebben, in het centrum. Ik sprak de assistent van de assistent van de kardinaal of zo. Ik dacht dat ze misschien iets op papier hadden staan. Maar daar wist ook niemand iets.'

Hij leunde achterover. 'Dat was het. Vraag me nu maar wat u wilt weten.'

Milo begon met de gebruikelijke vragen, te beginnen met Tori's ex, de niet bijster slimme, riekende Mikey.

Lou Giacomo zei: 'Mortensen wilde hetzelfde weten. Dus zal ik jullie zeggen wat ik hem ook heb gezegd: Absoluut niet. In de eerste plaats ken ik de familie, en het zijn goede mensen. In de tweede plaats is Mikey een goeie knul, zachtaardig, weet u? In de derde plaats bleven Tori en hij vrienden, er waren geen problemen, ze waren gewoon te jong. In de vierde plaats is hij nog nooit buiten New York geweest.'

Hij snoof en wierp een blik over zijn schouder. 'Het is hier niet druk. Mankeert er iets aan het eten?'

'Hoe vaak belde Tori naar huis?'

'Ze sprak een paar keer per week met haar moeder. Ze wist dat ik er niet erg over te spreken was dat ze zomaar haar boeltje had gepakt en was vertrokken. Ze dacht dat ik het niet begreep.'

'Wat vertelde ze haar moeder?'

'Dat ze moest leven van de fooi die ze verdiende en dat ze leerde acteren.'

'Waar leerde ze dat?'

Giacomo fronste zijn wenkbrauwen. 'Dat heeft ze nooit gezegd. Ik heb het nog een keer aan mijn vrouw gevraagd, nadat ik u had gesproken. U kunt haar bellen en haar vragen stellen als u wilt, maar geloof me, ze kan alleen maar huilen.'

'Kunt u me Mikeys achternaam geven?' vroeg Milo. 'Voor de goede orde.'

'Michael Caravanza. Hij werkt in de wijk Forest Hills. Hij en Tori waren gescheiden gelukkiger dan getrouwd. Alsof ze allebei vrij waren, of zo.' Hij snoof. 'Alsof je ooit vrij kunt zijn. Gaat uw gang, wat wilt u nog meer weten?'

Tien minuten later was de trieste waarheid duidelijk: Louis Giacomo jr. wist bijzonder weinig over het leven van zijn dochter sinds ze naar L.A. was verhuisd.

Milo zei: 'Het artikel over Michaela Brand trok uw aandacht.'

'Vanwege het acteren, snapt u?' Giacomo liet zijn schouders zakken. 'Toen ik het las, werd ik niet goed. Ik wil niet het ergste denken, maar ze is nu twee jaar zoek. Het kan me niet schelen wat haar moeder zegt, ik weet zeker dat Tori zou bellen.'

'Wat zegt haar moeder dan?'

'Arlene haalt zich allerlei idiote ideeën in haar hoofd. Dat Tori een of andere miljonair heeft ontmoet en ergens op een jacht zit. Dat soort absurde dingen.' Het wit in Giacomo's ogen was roze geworden. Met een woeste grom duwde hij een golf van emoties weg.

'Wat denkt u?' wilde hij van Milo weten. 'Heeft dit dode meisje iets met Tori te maken?'

'Ik heb niet genoeg informatie om daar iets over te zeggen.'

'Maar u denkt dat Tori dood is, of niet?'

'Dat kan ik u ook niet zeggen, meneer Giacomo.'

'Dat zou u niet kunnen zeggen, maar u wéét het wel en ík weet het ook. Twee jaar. In die tijd zou ze heus haar moeder wel gebeld hebben.'

Milo gaf geen antwoord.

'Dat andere meisje,' zei Giacomo. 'Wie heeft haar vermoord?'

'Het onderzoek is net begonnen.'

'Gebeurt dat vaak? Meisjes die filmster willen worden en dan in moeilijkheden komen?'

'Het gebeurt...'

'Het gebeurt vast heel vaak. Hoe heet de toneelopleiding waar dat andere meisje naartoe ging?'

Milo wreef over zijn gezicht. 'Meneer Giacomo, het lijkt me geen goed idee dat u daarnaartoe...'

'Waarom niet?'

'Zoals ik al zei, is het onderzoek net begonnen...'

'Ik wil alleen maar vragen of ze Tori daar kennen.'

'Ik zal het voor u vragen. Als ik iets te weten kom, dan bel ik u. Dat beloof ik.'

'Beloftes, beloftes,' zei Giacomo. 'We leven in een vrij land. Het is niet verboden er langs te gaan.'

'Het hinderen van een politieonderzoek is wel verboden, meneer. Maakt u het uzelf alstublieft niet moeilijker.'

'Is dat een dreigement?'

'Het is een verzoek om het onderzoek niet te hinderen. Als ik meer over Tori te weten kom, dan zal ik u dat vertellen.' Milo legde geld op tafel en stond op.

Lou Giacomo kwam ook overeind. Hij pakte zijn rode koffer en stak zijn hand in zijn achterzak. 'Ik betaal zelf mijn bier.'

'Dat hoeft niet.'

'Dat hoeft wel. Ik betaal voor mijn eigen bier.' Giacomo haalde een portemonnee tevoorschijn die zo dik was dat hij bijna rond was. Hij pakte een briefje van vijf en gooide het naast Milo's geld op tafel.

'Als ik uw patholoog-anatoom bel en vraag naar niet-opgeëiste lichamen, wat krijg ik dan te horen?'

'Waarom denkt u dat dat met Tori is gebeurd, meneer Giacomo?'

'Ik heb een televisieprogramma gezien, iets over de forensische recherche, of zo. Daar zeiden ze dat lichamen niet altijd opgeëist worden en oude zaken soms opgelost worden als je dan DNA-onderzoek doet. Wat zouden ze me zeggen als ik hun daarnaar vroeg?'

'Als een overledene is geïdentificeerd en iemand kan aantonen dat hij familie is, dan moeten er wat formulieren ingevuld worden en kan het lichaam vrijgegeven worden.'

'Is dat zo'n eindeloze administratieve rompslomp?'

'Dat is meestal in een dag of twee, drie geregeld.'

'Hoelang worden ze bewaard?' vroeg Giacomo. 'Lichamen die niet zijn opgeëist.'

Milo gaf geen antwoord.

'Hoelang, inspecteur?'

'Wettelijk maximaal een jaar, maar meestal korter.'

'Hoeveel korter?'

'Het kan variëren van dertig tot negentig dagen.'

'Allemachtig. Erin en eruit, hè?' zei Giacomo. 'Anders krijg je een file van lijken?'

Milo reageerde niet.

'Zelfs als het om moord gaat?' drong Giacomo aan. 'Voor een moord moeten ze het toch langer vasthouden?'

'Nee, meneer.'

'Moeten ze het niet om forensische redenen bewaren?'

'Bewijsmateriaal wordt verzameld en opgeslagen. Wat niet... nodig is, wordt niet bewaard.'

'Dus een of ander stel vakbondsslaafjes wordt betaald om lichamen te dumpen?' zei Giacomo.

'Het is een kwestie van ruimte.'

'Ook als het om een moord gaat?'

'Ook als het om een moord gaat,' zei Milo.

'En dan? Wat gebeurt er met het lichaam als niemand het opeist?'

'Meneer...'

'Ik wil het weten.' Giacomo knoopte zijn jas dicht. 'Ik ben iemand die rottigheid onder ogen ziet, ik loop niet weg. Ik heb nooit in een oorlog gevochten, maar de marine heeft me getraind om gewoon door te gaan. Wat is de volgende stap?'

'Het districtscrematorium.'

'Ze worden gecremeerd... oké, wat doen ze met de as?'

'Die wordt in een urn gedaan en twee jaar bewaard. Als een te verifiëren familielid vijfhonderdeenenveertig dollar voor de transportkosten betaalt, krijgt die de urn. Als niemand de urn opeist, wordt de as uitgestrooid over een massagraf van Evergreen Memorial Cemetery in Boyle Heights – dat is oostelijk van L.A. In de buurt van het gerechtelijk laboratorium. De graven zijn gemarkeerd met nummers. Het wordt in groepen verstrooid, er is dus geen individuele identificatie mogelijk. Niet alle niet-opgeëiste lichamen worden in het grote mortuarium bewaard. Sommige liggen in Sylmar, een buitenwijk in het noorden van L.A. en weer andere liggen nog verder weg in Lancaster, dat is een stad in de Antelope Valley – de woestijn, meer dan honderd kilometer naar het oosten.'

Als een onwillige boeteling somde hij op lage, emotieloze toon de feiten op.

Giacomo luisterde zonder te huiveren. Hij leek bijna te genieten van de details. Ik dacht aan de goedkope plastic urnen die het district gebruikte. Lichamen in bundels in eindeloze ruimtes van de gekoelde kelder aan Mission Road, dichtgebonden met stevig wit touw. Het onvermijdelijke rottingsproces dat begint omdat de koeling de ontbinding wel vertraagt, maar niet stopt.

Tijdens mijn eerste bezoek aan het mortuarium had ik daar niet bij stilgestaan en had ik Milo verteld hoe verbaasd ik was dat een lijk op een brancard in een gang in de kelder groenige vlekken vertoonde.

Een onbekende man van middelbare leeftijd die lag te wachten op transport naar het crematorium. De papieren met de weinige gegevens lagen op zijn rottende lichaam.

Milo's antwoord was pijnlijk nonchalant geweest: 'Wat gebeurt er als je een biefstuk te lang in de koelkast laat liggen, Alex?'

Nu zei hij tegen Lou Giacomo: 'Ik vind het bijzonder vervelend voor u, meneer. Als u ons nog iets kunt vertellen over Tori, dan horen we het graag.'

'Zoals?'

'Alles wat zou kunnen helpen om haar te vinden.'

'Het restaurant waar ze werkte... Volgens haar moeder was het iets met "Lobster".'

'The Lobster Pot,' zei Milo. 'Aan Riverside Drive in Burbank. Het is achttien maanden geleden failliet gegaan.'

'U hebt het opgezocht,' zei Giacomo verrast. 'U zoekt Tori omdat u toch denkt dat het iets met dat andere meisje te maken heeft.'

'Ik onderzoek alle mogelijkheden, meneer.'

Giacomo staarde hem aan. 'Weet u iets wat u mij niet vertelt?'

'Nee, meneer. Wanneer gaat u weer naar huis?'

'Wie zal het zeggen?'

'Waar logeert u?'

'Hetzelfde antwoord,' zei Giacomo. 'Ik vind wel iets.'

'Er zit een Holiday Inn aan Pico even voorbij Sepulveda Boulevard,' zei Milo. 'Niet ver hiervandaan.'

'Waarom zou ik hier in de buurt willen blijven?' zei Giacomo.

'Zomaar.'

'Wat, zodat u me in de gaten kunt houden?'

'Nee, meneer. Ik heb genoeg te doen.' Milo wenkte me. Met zijn tweeën liepen we naar de deur.

De vrouw met de bril zei: 'Heeft het gesmaakt, inspecteur?'

'Milo zei: 'Heerlijk.'

Lou Giacomo zei: 'Nou, het is allemaal fantastisch.'

13

De huurauto van Giacomo, een Escort, stond op een laad- en losgebied, tien meter bij café Moghul vandaan en natuurlijk zat er een bon achter de ruitenwisser. Milo en ik keken hoe hij de bekeuring eronder vandaan griste en hem aan flarden scheurde. De snippers papier dwarrelden omlaag.

Hij wierp Milo een uitdagende blik toe. Milo deed alsof hij het niet zag.

Giacomo bukte zich, raapte de snippers op en stopte ze in zijn zak. Daarna trok hij zijn schouders naar achteren, stapte in de auto en reed weg.

Milo zei: 'Elke keer als ik bij zo'n situatie betrokken raak, neem ik me voor om alle begrip te tonen. En om de een of andere reden gaat het altijd fout.'

'Het ging prima.'

Hij lachte.

Ik zei: 'Gezien al zijn frustratie en verdriet had het niet anders kunnen gaan.'

'Dat is precies wat je moest zeggen.'

'Sommige dingen in het leven zijn tenminste voorspelbaar.'

We liepen in oostelijke richting over Santa Monica Boulevard langs een oosterse importwinkel waar Milo bleef staan en deed alsof hij in bamboe geïnteresseerd was.

Toen we verder liepen, zei ik: 'Denk je dat Giacomo gelijk heeft en dat Tori dood is?'

'Het is zeker een mogelijkheid, maar misschien heeft de moeder gelijk en hangt ze ergens de beest uit in Capri of Dubai. Wat denk jij over de acteeropleiding?'

'Daar heb je er veel van in L.A.,' zei ik.

'Een heleboel horecapersoneel dat meer en beter wil. Het zou wel interessant zijn om te weten of Tori les had in het PlayHouse, maar zie je verder nog opvallende overeenkomsten?'

'Een paar overeenkomsten, maar eigenlijk meer verschillen. Michaela's lichaam lag open en bloot. Als Tori is vermoord, dan is wel duidelijk dat de moordenaar niet wilde dat ze werd gevonden.'

We sloegen rechtsaf en liepen naar het zuiden over Butler Avenue.

'Stel dat het een zaak is die steeds verder uit de hand loopt, Alex? Dat onze slechterik zijn werk in het begin verborg, maar steeds zelfverzekerder werd en toen besloot het te adverteren?'

'Iemand als Peaty die van gluren overgaat op aanranding,' zei ik.

'Steeds gewelddadiger en brutaler.'

'Het is een idee.'

'Als de moord op Michaela seksueel getint is, zou dat die theorie ondersteunen. Ze lag niet in een bepaalde pose en ze had al haar kleren nog aan. Maar misschien is ze misbruikt op de plek van de moord en is ze opgeknapt voordat ze werd verplaatst. De obductie is binnenkort, toch?'

'Die is net weer een dag of twee uitgesteld. Of vier.'

'Drukke tijden in het mortuarium.'

'Altijd.'

'Worden lijken echt zo snel weggewerkt?'

'Ging het op de snelweg maar zo hard.'

'Ik vraag me af hoeveel onbekende vrouwenlijken er liggen opgeslagen,' zei ik.

'Zelfs als Tori daar ooit heeft gelegen, dan is ze allang weg. Daar komt vaderlief gauw genoeg achter. Wedden dat hij nu al met ze aan de telefoon hangt?'

'Dat zou ik ook doen als ze mijn dochter was.'

Hij snoof, schraapte zijn keel en krabde aan zijn neus. Er ontstond een dikke roze vlek die net zo snel weer wegtrok.

'Verkouden?' vroeg ik.

'Nee, ik heb last van de lucht, waarschijnlijk iets wat vanuit de Santa Susanna's is meegevoerd... Ja, ik zou ze ook op hun huid zitten.'

Op zijn kamer probeerde hij het gerechtelijk laboratorium nog een keer en vroeg om een lijst van jonge, blanke onbekende vrouwen in het mortuarium. De medewerker zei dat de computer platlag, dat ze onderbezet waren en dat het handmatig lang zou gaan duren.

'Nog telefoontjes gehad van een zekere Louis Giacomo? Vader van een vermist meisje... Nou, dan komt dat nog wel. Hij heeft het moeilijk, wees een beetje aardig voor hem... Ja, dank je, Turo. Mag ik je nog iets vragen? Wat is op het moment de gemiddelde doorlooptijd van binnenkomst tot crematorium? Een ruwe schatting, ik zal het niet in de rechtbank gebruiken... Dat dacht ik al... Als je de lijst nakijkt, ga dan ook een paar jaar terug, oké? In de twintig, blank, een meter vijfenzestig, vierenvijftig kilo. Giacomo, voornaam Tori.' Hij spelde het. 'Het kan een blondine of een brunette zijn en alles daartussenin. Bedankt, jongen.'

Hij hing op en draaide zich om in zijn stoel. 'Zestig, zeventig dagen, en dan gaan ze de oven in.' Hij draaide zich weer om, belde het PlayHouse nog een keer, luisterde even en gooide toen de hoorn op de haak. 'De vorige keer ging hij gewoon over. Nu kreeg ik een zwoele vrouwenstem op een bandje. "De volgende les,"... Spontane inzameling, of zoiets... "is morgenavond om negen uur."'

'Een avondschema, dat dachten we al,' zei ik. 'Zwoel, zei je?'

'Een snipverkouden Lauren Bacall. Misschien is het mevrouw Dowd. Als ze zelf ook actrice is, zouden die fluweelachtige stembanden geen kwaad kunnen.'

'Voice-overs zijn een belangrijke bron van inkomsten voor werkloze acteurs,' zei ik. 'Coachingklussen trouwens ook.'

'Zij die het niet kunnen, geven les?'

'Hele universiteiten bestaan op basis van die vooronderstelling.'

'Hij schoot in de lach. 'Goed, laten we eens kijken wat ze bij de Dienst Wegverkeer over mevrouw Dowd met de gouden keel weten.'

Volgens de registratiegegevens was Nora Dowd zesendertig, een meter zevenenvijftig, vijftig kilo, met bruine ogen, bruin haar. Er stond één voertuig op haar naam, een zes maanden oude zilverkleurige Range Rover MK III. Een huisadres aan McCadden Place in Hancock Park.
'Mooie buurt,' zei hij.
'Wel een eind van de school. Vanuit Hancock Park ligt Hollywood vlak achter Melrose. Je zou denken dat een adres in Hollywood veel eerder hoopvolle sterretjes zou aantrekken.'
'Misschien is de huur laag. Of is het pand van haar. Een adres aan McCadden en haar auto suggereren dat ze genoeg geld heeft.'
'Een rijke amateur die het voor haar plezier doet,' zei ik.
'Ook niet echt bijzonder,' zei hij. 'Laten we maar eens gaan kijken of deze iets te vertellen heeft.'

Op Wilshire Boulevard bij Museum Mile werd gefilmd en we stonden een tijdje stil, als een publiek voor niets. De straat stond vol met een stuk of zes megagrote trailers. Een rij slordig geparkeerde, kleinere voertuigen blokkeerde een afslag naar het oosten. Een eskader cameramensen, geluidsmensen, technici, loopjongens, gepensioneerde politieagenten en overige georganiseerde aanhangers stond te lachen en te lummelen bij het buffet. Twee forse mannen liepen langs, ieder met een lichtgewicht regisseursstoel. Er stonden namen op het canvas gedrukt die me niets zeiden.
De openbare weg was met de gebruikelijke onachtzaamheid in beslag genomen. Het gemotoriseerde publiek op Wilshire was niet blij en de situatie op de enige begaanbare rijbaan was behoorlijk verhit. Ik slaagde erin Detroit Street te bereiken, sloeg rechts af op Sixth Street en reed over La Brea Avenue. Een paar straten verderop: Highland, de westelijke grens met Hancock Park.
Hierna volgde McCadden Place, breed, rustig en zonnig. Een oude Mercedes kwam een oprit uit. Een nanny liep met een baby in een donkerblauwe verchroomde wandelwagen. Vogels scheer-

den langs, landden en tsjilpten dankbaar. Er stond al een paar dagen een koude wind in de stad, maar nu was de zon doorgebroken.

Nora Dowd woonde halverwege een straat ten zuiden van Beverly. De meeste huizen waren in tudorstijl en Spaanse stijl gebouwd met prachtig groene gazons.

Het huis van Dowd was een *craftsman* van twee verdiepingen, roomkleurig met een donkergroene rand.

Tegenovergestelde kleuren van haar toneelschool en, net als het PlayHouse, een overdekte veranda en een overhangende dakrand. Een laag rotsmuurtje langs de stoep met in het midden een openstaand, gietijzeren hek. Over het gazon liep een tegelpad. Dezelfde ouderwetse tuinarchitectuur: paradijsvogels, camelia's, azalea's, een vierenhalve meter hoge Surinaamse kershaag aan weerszijden van het perceel en een reusachtige Himalayaceder tegen de dubbele garage.

In deze garage zaten ook schuurdeuren. Nora Dowds huis was twee keer zo groot als haar school, maar je hoefde niet bijster slim te zijn om de overeenkomsten te zien.

'Haar smaak is wel constant,' zei ik. 'Een oase van stabiliteit in deze wazige, gestoorde stad.'

'Mister Hollywood,' zei hij. 'Je zou voor *Variety* moeten schrijven.'

'Als ik wilde liegen voor mijn beroep, dan was ik wel de politiek in gegaan.'

Deze veranda was keurig gelakt en er stonden groene rieten stoelen en varens in potten. De potten waren handbeschilderde Mexicaanse keramiek en leken antiek. De dubbele deuren waren van donkerbruin gebeitst eikenhout.

Het raam in de deur had melkwitte panelen. Milo roffelde met zijn knokkels op het hout. Het waren dikke deuren en zijn harde geroffel klonk als niet meer dan een zwak getik. Hij belde aan. Geen reactie.

'Ja, hoor,' mopperde hij, en hij stak zijn visitekaartje tussen de deuren. Toen we terug wilden lopen naar de Seville, rukte hij zijn telefoon uit zijn zak alsof het ding hem pijn deed. Geen nieuws over Michaela's Honda of Dylan Meserves Toyota.

We liepen terug naar de auto. Toen ik het portier opentrok, hoorden we een geluid uit het huis.

Een vrouwenstem, laag, teder, die praatte met iets wits en wolligs dat ze tegen haar borst had gedrukt.

Ze liep naar buiten, zag ons, zette het voorwerp van haar liefde op de grond, keek nog een keer naar ons en liep toen naar de stoep.

De lichaamskenmerken van Nora Dowd kwamen overeen met de informatie van de Dienst Wegverkeer, alleen had ze een blauwgrijs pagekopje dat in haar nek hoog was opgeknipt. Ze droeg een grote paarse sweater boven een grijze legging en helwitte gymschoenen.

Ze had een verende tred, maar haperde een paar keer.

Ze liep in een grote boog om ons heen en liep in zuidelijke richting.

Milo zei: 'Mevrouw Dowd?'

Ze bleef staan. 'Ja?' Een enkele lettergreep was nog geen maatstaf voor wellust, maar haar stem was laag en hees.

Milo haalde nog een kaartje tevoorschijn. Nora Dowd las het en gaf het toen terug. 'Gaat dit om die arme Michaela?'

'Ja, mevrouw.'

Onder het glimmend grijze haar was Nora's gezicht rond en roze. Haar ogen waren groot en niet helemaal geconcentreerd. Bloeddoorlopen. Niet roze zoals de ogen van Lou Giacomo, maar bijna donkerrood. Elfachtige oren staken tussen fijne grijze lokken door. Haar neus was een parmantig knoopje.

Een vrouw van middelbare leeftijd die zich vastklampte aan de eigenschappen van een klein meisje. Ze leek veel ouder dan zesendertig. Toen ze haar hoofd omdraaide, viel het licht op haar huid en was er wat zacht dons op haar kin zichtbaar. Er zaten rimpeltjes bij haar ogen en rond beide lippen. De plooien in haar hals waren doorslaggevend. De leeftijd op haar rijbewijs was een fantasie. Heel normaal in een stad die valse beloften produceert.

Het witte ding zat stil, veel te stil voor een hond. Misschien was het een bontmuts? Maar waarom had ze er dan tegen gepraat?

Milo zei: 'Kunnen we u even spreken over Michaela, mevrouw?'

Nora Dowd knipperde met haar ogen. 'U lijkt net Joe Friday.

Maar hij was een brigadier. U bent hoger in rang.' Ze stak haar heup naar voren. 'Ik heb Jack Webb één keer ontmoet. Zelfs als hij niet werkte, droeg hij van die dunne zwarte dassen.'
'Jack was een held, gaf financiële steun aan de politieacademie. Over Michae...'
'Laten we lopen. Ik heb mijn lichaamsbeweging nodig.'
Ze stoof voor ons uit en zwaaide overdreven met haar armen. 'Michaela kon er wel mee door als je haar genoeg structuur gaf. Haar improvisatietalent stelde weinig voor. Gefrustreerd, altijd gefrustreerd.'
'Waarover?'
'Dat ze geen ster was.'
'Had ze talent?'
De glimlach op Nora Dowds gezicht was ondoorgrondelijk.
Milo zei: 'Haar enige grote improvisatie was niet zo'n succes.'
'Pardon?'
'Die grap van haar en Meserve.'
'O, dat.' Een nietszeggende blik.
'Wat vond u daarvan, mevrouw Dowd?'
Dowd versnelde. Het zonlicht irriteerde haar bloeddoorlopen ogen en ze knipperde een paar keer met haar ogen. Even was ze haar evenwicht kwijt, maar ze herstelde zich.
Milo zei: 'Die grap...'
'Wat ik daarvan vond? Ik vond het slordig.'
'In welk opzicht?'
'Geen structuur. Dramaturgisch gezien.'
'Ik weet niet goed...'
'Geen verbeelding,' zei ze. 'Het doel van een waar optreden is openheid. Jezelf onthullen. Wat Michaela deed was een belediging.'
'Wat Michaela en Dylan deden.'
Nora Dowd versnelde haar pas weer. Een paar stappen later knikte ze.
Ik zei: 'Michaela dacht dat u de creativiteit wel zou waarderen.'
'Hoe komt u daarbij?'
'Van een psycholoog die ze heeft gesproken.'
'Michaela zat in therapie?'
'Verbaast u dat?'

'Ik ben geen voorstander van therapie,' zei Dowd. 'Het sluit evenveel af als het openstelt.'

'De psychologische evaluatie was onderdeel van haar rechtszaak.'

'Dwaas.'

'En Dylan Meserve?' vroeg Milo. 'Stelde hij u niet teleur?'

'Niemand stelde mij teleur. Michaela stelde zichzelf teleur. Goed, Dylan had beter moeten weten, maar hij werd meegesleept. En hij heeft een andere achtergrond.'

'Hoe bedoelt u?'

'Iemand met talent krijgt meer speelruimte.'

'Was de grap Michaela's idee?'

Vijf stappen. 'Het heeft geen zin om kwaad te spreken over de doden.' Stilte. 'Het arme kind.' Dowds mondhoeken zakten omlaag. Als ze medeleven probeerde te tonen, dan had haar mond meer oefening nodig.

Milo zei: 'Hoelang had Michaela les bij u?'

'Ik geef geen les.'

'Hoe noemt u het dan?'

'Het zijn voorstellingsoefeningen.'

'Hoelang deed Michaela al mee aan die oefeningen?'

'Dat zou ik niet precies weten... een jaar, misschien.'

'Kunt u niet wat nauwkeuriger zijn?'

'Nauwkeuriger. Eh... nee, ik geloof het niet.'

'Kunt u het in uw administratie nakijken?'

'Ik doe niet aan administratie.'

'Helemaal niet?'

'Helemaal niet,' zong Dowd. Ze zwaaide met haar armen, haalde diep adem en zei: 'Aah, wat een heerlijke lucht vandaag.'

'Hoe kunt u een bedrijf runnen zonder administratie, mevrouw Dowd?'

Nora Dowd glimlachte. 'Het is geen bedrijf. Ik neem geen geld aan.'

'U geeft les... biedt ervaringen aan, zonder daar geld voor te vragen?'

'Ik stel mezelf beschikbaar, biedt een tijd, een plaats en een sfeer van selectieve beoordeling voor mensen die moed hebben.'

'Wat voor moed?'

'Moed die je in staat stelt om die selectieve beoordeling te accep-

teren. De bállen om diep in jezelf te treden.' Ze legde haar rechterhand rond haar linkerborst. 'Het gaat allemaal om zelfonthulling.'
'Acteren.'
'Optreden. Acteren is een kunstmatig woord. Alsof het leven zich hier bevindt' – ze hield haar hoofd naar links – 'en het optreden ergens dáár is in een andere melkweg. Alles is onderdeel van dezelfde Gestalt. Dat is een Duits woord dat wil zeggen dat het geheel groter is dan de som der delen. Ik ben gezegend.'
Milo zei: 'Wat betreft het lesgeven... het helpen van het talent?'
'Met een ordelijk bewustzijn en zonder zorgen.'
'Geen administratie is ook wel plezierig.'
Dowd glimlachte. 'Dat ook.'
'Betekent het feit dat u geen geld vraagt, dat u ook geen financiële zorgen hebt?'
'Geld is een houding,' zei Nora Dowd opgewekt.
Milo haalde de foto van Tori Giacomo tevoorschijn en hield hem voor haar gezicht. Ze liep stug door en hij moest tempo maken om de foto voor haar ogen te houden.
'Best knap op een soort *Saturday Night Fever*-achtige manier.'
Dowd duwde de foto weg en Milo liet zijn arm zakken.
'U kent haar niet?'
'Niet dat ik weet. Hoezo?'
'Haar naam is Tori Giacomo. Ze kwam naar L.A. om actrice te worden, nam les en verdween toen.'
Nora Dowd zei: 'Verdween? Als in: foetsie?'
'Heeft ze zich ooit beschikbaar gesteld in het PlayHouse?'
'Tori Giacomo... de naam zegt me niets, maar ik kan geen ja of nee zeggen, want we houden de opkomst niet bij.'
'U herkent haar niet, maar u kunt ook geen nee zeggen?'
'Er komen zoveel mensen, vooral op avonden als we groepsoefeningen doen. Het is donker binnen en u kunt van mij niet verwachten dat ik elk gezicht onthou. Er is een zekere overeenkomst, weet u.'
'Jong en gretig?'
'Jong en o zo gulzig.'
'Zou u nog eens willen kijken, mevrouw?'
Dowd slaakte een zucht, griste de foto uit Milo's handen en keek even. 'Ik kan gewoon geen ja of nee zeggen.'

Milo zei: 'Er komen veel mensen, maar Michaela kende u wel.'

'Michaela kwam heel trouw. En ze zorgde er wel voor dat ik haar kende.'

'Ambitieus?'

'Zeer gulzig, dat is waar. Zonder oprecht verlangen kom je niet door de trechter.'

'En welke trechter is dat?'

Dowd bleef staan, wankelde weer even, hervond haar evenwicht en vormde een trechter met haar handen. 'Bovenin zitten de strebers. De meeste geven het direct op, waardoor de overblijvers een beetje omlaag zakken.' Ze liet haar handen zakken. 'Maar het zijn er nog steeds veel te veel en ze botsen tegen elkaar aan, komen in conflict, iedereen wil de opening bereiken. Sommige vallen buiten de boot, andere worden verpletterd.'

Milo zei: 'Des te meer ruimte in de trechter voor de mensen met ballen.'

Dowd keek naar hem op. 'U hebt wel iets weg van Charles Laughton. Hebt u er wel eens over gedacht om op te treden?'

Hij glimlachte. 'Wie bereikt de opening van de trechter?'

'Degene die daartoe voorbestemd is.'

'Voorbestemd voor roem.'

'Het is geen ziekte, inspecteur. Of zal ik u Charles noemen?'

'Wat is geen ziekte?'

'Roem,' zei Dowd. 'De mensen die het halen zijn getalenteerde winnaars. Zelfs als het niet lang duurt. De trechter verandert constant. Als een ster op een as.'

Sterren hebben geen as. Dat beetje informatie hield ik voor mezelf.

Milo zei: 'Had Michaela het talent om de onderkant van de trechter te bereiken?

'Zoals ik al zei: van de doden niets dan goeds.'

'Kon u goed met haar opschieten, mevrouw Dowd?'

Dowd vernauwde haar blik. Haar ogen leken pijnlijk en ontstoken. 'Wat een merkwaardige vraag.'

'Misschien ontgaat me hier iets, mevrouw, maar u lijkt niet erg geschrokken van de moord.'

Dowd zuchtte. 'Natuurlijk ben ik bedroefd. Ik zie geen reden om mezelf aan u bloot te geven. En nu zou ik graag mijn...'

'Zo dadelijk, mevrouw. Wanneer hebt u Dylan Meserve voor het laatst gezien?'

'Gezien?'

'In het PlayHouse,' zei Milo. 'Of waar dan ook.'

'Eh,' zei Dowd. 'Eh, de laatste keer was... een week geleden, zoiets. Tien dagen, misschien. Hij doet zo nu en dan wat klusjes.'

'Wat voor klusjes?'

'Het opstellen van stoelen, dat soort dingen. Nu moet ik echt een reinigingsoefening doen, Charles. Al dat praten vervuilt de frisse lucht.'

Ze jogde snel weg, maar ze had een hobbelende, schokkende pas. Hoe sneller ze ging, des te opvallender werd haar onhandigheid. Toen ze een halve straat verder was, begon ze te schaduwboksen. Wiegde met haar hoofd van links naar rechts. Onhandig, maar losjes. Zich niet bewust van enige onvolkomenheid.

14

Milo zei: 'De diagnose kan ik ook wel zonder jou stellen. Dat mens is gek. Zelfs zonder de hasj.'

'Hasj?'

'Rook je het niet? Ze stonk naar wiet, man. En zag je die ogen?' Rode randen, gebrek aan coördinatie, antwoorden die een beetje vreemd leken. 'Ik begin het te verleren.'

'Je stond niet zo dicht bij haar dat je het kon ruiken. Toen ik haar mijn visitekaartje gaf, kwam er een walm van haar af. Had waarschijnlijk net een joint gerookt.'

'Daarom deed ze natuurlijk de deur niet open.'

Hij staarde door de straat. Nora Dowd was in de verte verdwenen. 'Gestoord en stoned en ze houdt geen administratie bij. Zou ze rijk getrouwd zijn of een leuke erfenis hebben gehad? Of misschien is ze onder in de trechter geweest en heeft ze goed geïnvesteerd.'

'Ik heb nog nooit van haar gehoord.'

'Zoals ze al zei: de as verschuift.'

'Planeten hebben een as, sterren niet.'

'Ook goed. Ze had niet erg veel medelijden met Michaela, hè?'

'Ze deed niet eens alsof. En toen je over Dylan Meserve begon, stoof ze weg. Misschien omdat hij zich op allerlei manieren beschikbaar stelt.'

'Creatief adviseur,' zei hij. 'O ja, reken maar dat die het met elkaar doen.'

'In zo'n situatie,' zei ik, 'zou een beeldschone, jonge vrouw een bedreiging vormen voor een vrouw van haar leeftijd.'

'Een paar knappe jongelui in de heuvels, naakt... Dowd is minstens vijfenveertig, vijftig?'

'Dat lijkt me wel.'

'Een rijke dame die voor de kick goeroe speelt voor smachtend jong talent... dan pikt ze Dylan eruit die vervolgens met Michaela begint te rommelen. Tja, dat is een motief, nietwaar? Misschien heeft ze tegen Dylan gezegd dat hij zijn rotzooi moest opruimen. Voor hetzelfde geld zit hij nu in dat grote huis van haar en heeft hij zijn auto in haar garage verstopt.'

Ik wierp een blik over mijn schouder op het grote, roomkleurige huis. 'Het zou ook een mooi, rustig plekje zijn om Michaela een tijdje vast te houden totdat ze hadden bedacht wat ze met haar gingen doen.'

'Om haar vervolgens in de Range Rover te duwen en haar in de buurt van haar flatje te dumpen om geen aandacht op zichzelf te vestigen.' Hij duwde zijn handen in zijn zakken. 'Dat zou wel heel wreed zijn. Goed, laten we maar eens horen wat de buren te zeggen hebben over mevrouw Stoned-als-een-Garnaal.'

Bij drie voordeuren deden drie werksters open die alle drie zeiden: *Señora no esta en la casa.*

In de goed onderhouden stenen tudorwoning drie deuren ten noorden van Nora Dowds huis tuurde een bejaarde man met een felgroen vest, een rood wollen hemd, grijze geruite broek en bordeauxrode slippers ons over de rand van zijn whiskycocktail aan. Op de punten van zijn slippers waren zwarte wolven geborduurd. In de donkere, marmeren deuropening hing een oudemannenlucht.

Hij keek lange tijd naar Milo's visitekaartje. Toen Milo hem naar Nora Dowd vroeg, zei hij: 'Dat mens. Hoezo?' Hij had een zware, rasperige stem.

'Routinevragen, meneer.'

'Schei toch uit.' Hij was lang maar gebogen, had een vlekkerige huid, dik wit haar en troebele blauwe ogen. Met stijve vingers hield hij het kaartje in zijn hand. Zijn vlezige neus met grote poriën wees omlaag naar een scheve bovenlip. 'Albert Beamish, voorheen van Martin, Crutch & Melvyn en drieënnegentig andere partners, totdat ik verplicht met pensioen moest en ze me tot de status "in ruste" veroordeelden. Dat was achttien jaar geleden, dus reken maar uit en kies je woorden efficiënt. Voor je het weet, val ik dood neer en moet je iemand anders met je leugens bestoken.'

'U wordt nog honderdtwintig, meneer.'

Albert Beamish zei: 'Schiet op, jongen. Wat heeft dat mens op haar geweten?'

'Een van haar leerlingen is vermoord en we zijn op zoek naar achtergrondinformatie over de mensen die het slachtoffer kenden.'

'En u hebt haar gesproken en gemerkt hoe gestoord ze is.'

Milo grinnikte.

Albert Beamish zei: 'Leerlingen? Dat mens mag lesgeven? Sinds wanneer?'

'Ze heeft haar eigen toneelopleiding.'

Beamish lachte schor. Het duurde even voordat zijn cocktail zijn lippen bereikte. 'Toneel. Altijd hetzelfde.'

'Hetzelfde?'

'Het luie verwende wezen dat ze altijd is geweest.'

Milo zei: 'U kent haar al een tijdje.'

'Ze is in die uit zijn krachten gegroeide blokhut opgegroeid. Haar opa heeft het ding in de jaren twintig gebouwd. Toen was het al een afzichtelijk huis en dat is het nog steeds. Het past hier niet, het zou in Pasadena of zo moeten staan of ergens waar ze van dat soort dingen houden.' Met zijn wazige ogen keek Beamish naar de overkant van de straat. 'Hebt u hier meer van zulke huizen gezien?'

'Nee, meneer.'

'Daar is een reden voor, jongen. Het pást hier niet. Maar daar wilde Bill Dowd senior – de opa – niets van horen. Geen enkele verfijning. Kwam uit Oklahoma, verdiende zijn geld in grutterswaren, droge waren, zoiets. Zijn vrouw was een ongeschoold mens van laag allooi dat dacht dat ze zich met geld kon inkopen. Net als de schoondochter – de moeder. Een blonde snol die altijd opzichtige feesten gaf.' Beamish nam nog een slok. 'Die verdomde olifant.'

'Milo zei: 'Pardon?'

'Ze hebben een keer een olifant laten aanrukken. Voor een of andere verjaardag, ik weet niet meer van wie. Bevuilde de straat, de stank bleef dagen hangen.' Zijn neusvleugels trilden. 'Bill junior heeft geen dag van zijn leven gewerkt, vermaakte zich met zijn vaders geld en trouwde laat. Met net zo iemand als zijn moeder, geen stijl. En nu gaat u mij vertellen dat dát mens toneelles geeft. En waar moet die bespottelijke vertoning dan plaatsvinden?'

'In het westen van de stad,' zei Milo. 'Het PlayHouse.'

'Zo ver waag ik me niet uit de beschaafde wereld,' zei Beamish. 'Een toneelopleiding? Klinkt verdomd frivool.'

'Het is een *craftsman*-gebouw. Net als het huis hier,' zei ik.

'Past het bij de buurt?'

'De buurt is vrij hetero...'

'Een stapel houtblokken. Al dat sombere hout en glas-in-lood hoort in een kerk thuis, waar het de bedoeling is om zowel te imponeren als te deprimeren. Bill Dowd senior verdiende zijn geld met ingeblikte erwten, of iets dergelijks, en hij timmerde deze berg hout in elkaar. Waarschijnlijk kwam hij op het idee toen hij onroerend goed aankocht in Pasadena, South Pasadena, Altadena en god weet waar nog meer. Daar leven ze nog altijd van. Zij en haar broers. Ze hebben geen van allen ooit een dag hoeven werken.'

'Hoeveel broers?' vroeg ik.

'Twee. Bill de Derde en Bradley. De een is een sukkel en de ander is een louche figuur. Die louche vent is een keer mijn tuin in geslopen en heeft mijn dadelpruimen gestolen.' Zijn doffe blauwe ogen straalden boosheid uit. 'Heeft de boom verdomme kaalgeplukt. Hij ontkende het, maar iedereen wist het.'

Milo zei: 'Wanneer was dat, meneer?'

'Thanksgiving 1972. De schuldige heeft het nooit opgebiecht, maar mijn vrouw en ik wisten wel dat hij het was.'

'Hoezo?' vroeg Milo.

'Omdat hij het al eens eerder had gedaan.'

'Gestolen?'

'Van anderen. Vraag me niet naar het hoe en waarom, ik heb de details nooit geweten, maar de vrouwen hadden het erover. Die moeten het gedacht hebben. Op een gegeven moment hebben ze hem het huis uitgewerkt. Naar een of ander militaire academie.'

'Vanwege de dadelpruimen?'

'Nee,' zei Beamish geërgerd. 'We hebben ze nooit over de dadelpruimen verteld. Heeft geen zin om de verhoudingen nog slechter te maken.'

'En Nora Dowd?' zei Milo. 'Waren er problemen met haar?'

'Ze is de jongste en het meest verwend. Had altijd van die ideeën.'

'Wat voor ideeën?'

'Om actrice te worden.' Beamish krulde zijn lippen op. 'Was altijd bezig om een rol in een film te krijgen. Ik heb altijd gedacht dat haar moeder daarvoor verantwoordelijk was.'

'Heeft ze ooit een rol gehad?'

'Voor zover ik weet niet. Zijn er echt idioten die geld neertellen om te horen wat zij te melden heeft op haar school?'

'Daar lijkt het op,' zei Milo. 'Is ze ooit getrouwd?'

'Nee.'

'Woont ze met iemand samen?'

'Die berg takken is helemaal van haar alleen.'

Milo liet hem de foto van Dylan Meserve zien.

Beamish zei: 'Wie is dat?'

'Een van haar leerlingen.'

'Ziet eruit alsof hij zelf een crimineel is. Neuken die twee?'

Milo zei: 'Krijgt ze wel eens bezoek?'

Beamish griste de foto uit Milo's handen. 'Hij heeft een bordje om zijn nek. Is hij een misdadiger?'

'Hij heeft een overtreding begaan.'

Beamish zei: 'Dat kan tegenwoordig zelfs op moord slaan.'

'U mag mevrouw Dowd niet.'

'Ik moet ze geen van allen,' zei Beamish. 'Die dadelpruimen. Een Japanse soort, hoor, pittig, stevig. Niet van die kleffe dingen die je op de markt kunt krijgen. Toen mijn vrouw nog leefde, maakte ze er graag compote van met Thanksgiving. Ze keek uit naar Thanksgiving. Dat misbaksel jatte ze allemaal. Plukte de hele boom kaal.'

Hij gaf de foto terug. 'Ik heb hem nog nooit gezien, maar ik zal eens opletten.'

'Dank u.'

'Wat vindt u van dat huisdier van haar?'

'Welk huisdier?'

Albert Beamish begon zo hard te lachen dat hij ervan moest hoesten.

Milo zei: 'Gaat het, meneer?'

Beamish sloeg de deur dicht.

15

Het witte harige ding dat Nora Dowd op haar veranda had laten staan was een speelgoedbeest. Een of andere Bichon of Maltezer. Doffe bruine ogen. Milo pakte het op en bekeek het eens goed. 'O, dat meen je niet,' zei hij, en hij gaf het aan mij.

Het was geen speelgoed. Het was een echte hond, opgezet. Aan het roze lint rond zijn nek hing een zilveren hartvormige hanger.

Stan

Met geboorte- en overlijdensdata. Stan was dertien jaar geworden.

Uitdrukkingsloze blik op zijn witte harige snuit. Misschien door de glazen ogen. Of misschien door de beperkingen van de preparateur.

Ik zei: 'Misschien is het Stan als in Stanislavsky. Waarschijnlijk praat ze met hem en neemt ze hem mee als ze gaat lopen. Toen ze ons zag, leek het haar beter van niet.'

'Wat betekent het?'

'Eerder excentriek dan psychotisch.'

'Ik ben echt onder de indruk.' Hij pakte de hond en zette hem weer op de grond. 'Stanislavsky, hè? Kunnen we ons hier zo snel mogelijk weg acteren?'

Toen we langs het tudorhuis van Albert Beamish reden, bewogen de gordijnen in de woonkamer.

Milo zei: 'De buurtchagrijn. Geweldig. Jammer dat hij Meserve niet herkende. Maar dat zegt niets, gezien zijn gezichtsvermogen. Hij heeft wel een ontzettende hekel aan de Dowds.'

Ik zei: 'Nora heeft twee broers die veel huizen bezitten. Ertha Stadlbraun zei dat Peaty's huisbazen broers zijn.'

'Inderdaad.'

Tegen de tijd dat we op de hoek van Sixth Street en La Cienega Boulevard aankwamen, had hij het bevestigd. William Dowd III, Nora Dowd en Bradley Dowd waren, onder de naam BNB Vastgoed, eigenaar van het gebouw aan Guthrie. Na nog een paar telefoontjes werden hun bezittingen inzichtelijk. Er stonden zeker drieënveertig panden op hun naam in L.A. County. Meerdere woningen en kantoorgebouwen, plus het pand in Westside waar Nora zich beschikbaar stelde voor hoopvolle sterretjes.

'De school is waarschijnlijk een speeltje voor de gestoorde zus,' zei hij. 'Zo valt ze hen niet lastig.'

'En blijft ze ver uit de buurt van hun andere eigendommen,' zei ik. 'En nog iets: al die gebouwen betekenen een hoop werk voor een conciërge.'

'Reynold Peaty keek door een heleboel ramen… Als hij van gluren is overgegaan op geweld, zijn er een boel potentiële slachtoffers. Ja, laten we het maar eens gaan uitzoeken.'

Het hoofdkantoor van BNB Vastgoed lag aan Ocean Park Boulevard vlak bij het vliegveld van Santa Monica. Het gebouw stond niet op naam van een van de Dowds. Dit pand was eigendom van een landelijk onroerendgoedsyndicaat dat de halve stad in bezit had.

'Ik vraag me af waarom,' zei Milo.

'Misschien een constructie om belasting te ontduiken,' zei ik. 'Of ze hebben alleen aangehouden wat ze van hun vader geërfd hebben, en hebben er nooit iets aan toegevoegd.'

'Luie rijkeluiskinderen? Ja, dat klinkt logisch.'
Het was kwart voor vijf en op dit tijdstip zou de rit ernaartoe een ramp zijn. Milo belde het nummer, maar hing ook snel weer op.
'"Dit is het antwoordapparaat van"... bla, bla, bla. "Indien u dringend een loodgieter nodig hebt, toets 1. Een elektricien, toets 2." De luie rijkeluiskinderen zitten waarschijnlijk al met een drankje in de countryclub. Zullen we toch maar een poging wagen?'
'Best,' zei ik.

Olympic Boulevard leek de beste weg. De verkeerslichten zijn daar op elkaar afgestemd en door de parkeerbeperkingen zijn de zes banen tijdens L.A.'s steeds langer wordende spits altijd open. De boulevard was in de jaren veertig ontworpen als een snelle manier om van het centrum naar het strand te gaan. Mensen die oud genoeg zijn om zich te herinneren dat die belofte werd waargemaakt, krijgen er nog altijd tranen van in hun ogen.
Deze middag ging het verkeer met dertig kilometer per uur vooruit. Toen ik bij Doheny stopte, zei Milo: 'Die theorie over een driehoeksverhouding klopt wel, gezien Nora's narcisme en gekte. Dat mens vindt haar hond nota bene kostbaar genoeg om hem in een mummie te veranderen.'
'Michaela hield vol dat zij en Dylan niet met elkaar naar bed gingen.'
'Waarschijnlijk omdat Nora het niet mocht weten. En jij misschien ook niet.'
'In dat geval was die grap ontzettend stom.'
'Twee naakte jongelui,' zei hij. 'Dowd zal niet bepaald blij zijn geweest met de publiciteit.'
'Zeker als ze zich toch niet zo gezegend voelde,' zei ik.
'Als ze nooit onder in de trechter terecht is gekomen.'
'Ze is nooit doorgebroken, woont in haar eentje in een groot huis, heeft geen vaste relaties. Ze heeft een joint nodig voordat ze de wereld aankan. Misschien klampt ze zich vast aan een opgezette hond omdat ze ongelooflijk onzeker is.'
'Ze speelt een rol,' zei hij. 'Stelt zichzelf beschikbaar. Oké, eens kijken of we met de rest van deze fraaie familie een onderonsje kunnen hebben.'

De locatie was een kleine winkelpromenade op de noordoosthoek van Ocean Park Boulevard en Twenty-eighth Street, recht tegenover het luxueuze bedrijventerrein aan het particuliere vliegveld van Santa Monica. BNB Vastgoed had een deur en raam op de eerste verdieping.

Het was een goedkoop gebouwde promenade met geelgepleisterde muren met roestvlekken rond de goten, bruine ijzeren relingen voor een open balkon en een plastic dak dat zogenaamd een koloniale Spaanse sfeer moest opwekken.

Op de begane grond zat een afhaalpizzeria, een Thais café, zijn Mexicaanse tegenhanger en een wasserette. Op de eerste verdieping zaten naast BNB ook een chiropractor, gespecialiseerd in arbeidsongevallen, Zip Technical Assistance en Sunny Sky Travel, met een etalage vol felgekleurde, uitnodigende posters.

Toen we de trap op liepen, vloog er een rank wit bedrijfsvliegtuig de lucht in.

'Aspen, Vail of Telluride,' zei Milo. 'Die lui hebben het leuk.'

'Misschien is het een zakenreis en gaan ze naar Podunk.'

'Als je in die belastingschaal zit, is alles leuk. Ik vraag me af of de broertjes Dowd daar thuishoren. Als dat het geval is, beknibbelen ze wel erg op hun werkomgeving.'

Hij wees naar de eenvoudige, bruine deur van BNB. Deuken en splinters en onderaan een kier. Het bedrijfslogo bestond uit zes parallellogrammen van zilverfolie die slordig opgeplakt waren.

BNB *Vastgoed*

Voor het enkele raam met aluminium sponningen hing een goedkoop wit rolluik. De latjes hingen scheef waardoor er een klein driehoekje zichtbaar was. Milo tuurde erdoorheen met zijn hand boven zijn ogen.

'Zo te zien is het maar één ruimte… en een badkamer waar licht brandt.' Hij ging rechtop staan. 'Er staat iemand te plassen, dus laten we maar even wachten tot hij zijn rits dicht heeft.'

Er steeg weer een vliegtuig op.

'Die gaat zeker naar Aspen,' zei hij.

'Hoe weet je dat?'

'Het blije geluid van de motoren.' Hij klopte aan en deed de deur open.

Een man bij een goedkoop houten bureau keek ons aan. Hij was vergeten om de rits van zijn kakikleurige Dockers dicht te doen en er stak een stukje van een blauw overhemd uit. Het overhemd was van zijde, te groot en te slobberig, een gebleekte stof die ooit, tien jaar geleden, modieus was geweest. Zijn broek flodderde om zijn magere lichaam. Geen riem. Versleten bruine instappers, witte sokken.

Hij was klein – een meter vijfenzestig of zevenenzestig – ongeveer vijftig jaar en had bruine ogen en grijze krullen die onder een strak zittende pet uit kwamen. Aan het witte dons in zijn nek te zien, was het tijd om weer eens naar de kapper te gaan. Hetzelfde gold voor zijn peper-en-zoutkleurige stoppels. Ingevallen wangen, hoekige gelaatstrekken, op zijn neus na.

Een glimmend knoopje dat zijn gezicht een elfachtige uitdrukking gaf. Hij had dezelfde chirurg als zijn zus, of de karige neus was een dominant Dowd-trekje.

Milo zei: 'Meneer Dowd?'

Een verlegen glimlach. 'Ik ben Billy.' Toen hij het politie-insigne zag, knipperde hij even met zijn ogen. Zijn hand gleed langs het puntje stof van zijn overhemd en hij verstijfde. Deed zijn rits dicht. 'Oeps.'

Billy Dowd ademde in zijn hand. 'Even een pepermuntje nemen… Waar heb ik die geláten?'

Hij trok vier zakken binnenstebuiten, maar haalde alleen wat pluis tevoorschijn dat op het dunne grijze tapijt dwarrelde. Hij vond ze uiteindelijk in zijn borstzakje. Hij stopte er een in zijn mond, kauwde erop en stak het doosje uit. 'Ook een?'

'Nee, dank u.'

Billy Dowd ging op de rand van zijn bureau zitten. Aan de andere kant van de kamer was een grotere, degelijker werkplek: een eikenhouten replica van een cilinderbureau, een flatscreen monitor met de overige computercomponenten uit het zicht.

Bruine muren. Er hing alleen een kalender van de dierenbescherming. Drie jonge lapjeskatten die hun best deden zo schattig mogelijk te zijn.

Billy Dowd kauwde op een tweede pepermuntje. 'Hoe gaat-ie?'

'U lijkt niet erg verrast dat we hier zijn, meneer Dowd.'

Billy knipperde nog een paar keer met zijn ogen. 'Het is niet voor het eerst.'

'Dat u met de politie hebt gesproken?'

'Ja.'

'Wanneer nog meer?'

Billy fronste zijn wenkbrauwen. 'De tweede keer was vorig jaar, geloof ik. Een van de huurders – we hebben een boel huurders, mijn broer en zus en ik – had vorig jaar computerspullen gestolen. Een politieagent uit Pasadena kwam langs om er met ons over te praten. We zeiden: arresteer hem maar, hij betaalt zijn huur toch nooit op tijd.'

'Hebben ze dat toen gedaan?'

'Ja. Hij sloeg op de vlucht. Nam de peertjes mee, sloeg de boel kort en klein. Brad was echt niet blij. Maar we hadden al gauw weer een nieuwe huurder en toen was hij weer tevreden. Heel aardige mensen. Verzekeringsagenten, meneer en mevrouw Rose, zij betalen op tijd.'

'Hoe heette de dief?'

'Dat zou ik moeten navragen…' Langzaam gleed er een glimlach over zijn gezicht. 'Dat zou ik zo niet weten. Ik kan het mijn broer vragen, die komt zo.'

'Wat was de andere keer dat de politie hier langskwam?' vroeg Milo.

'Pardon?'

'U zei dat vorig jaar de tweede keer was. Wat was de eerste keer?'

'O. Ja. De eerste keer was héél lang geleden, ik denk wel vijf jaar, misschien zelfs zes?'

Hij wachtte op bevestiging.

Ik zei: 'Wat was er toen aan de hand?'

'Dat was anders,' zei hij. 'Iemand had iemand anders in de gang geslagen, en dus hadden ze de politie gebeld. Geen huurders, twee bezoekers die slaags raakten, of zo. Wat is er nu gebeurd?'

'Een leerling van uw zus is vermoord en we zijn op zoek naar mensen die haar kenden.'

Bij het woord 'vermoord' sloeg Billy zijn hand voor zijn mond. Hij hield zijn hand daar en zei gedempt tussen zijn vingers door: 'Wat afschúwelijk!' De hand gleed naar zijn kin, krabbelde aan de stoppelige huid. Afgekloven nagels. 'Is met mijn zus alles goed?'

'Met uw zus is alles in orde,' zei Milo.

'Weet u het zéker?'

'Heel zeker, meneer. De moord heeft niet plaatsgevonden in het PlayHouse.'

'Poeh.' Billy haalde zijn hand over zijn voorhoofd. 'U liet me schrikken, ik deed het bijna in mijn broek.' Hij lachte nerveus. Keek naar zijn kruis, alsof hij zijn zindelijkheid wilde controleren.

'Wat is hier aan de hand?' zei iemand in de deuropening.

Billy Dowd zei: 'Hé Brad, de politie is er weer.'

De man die binnenkwam was vijftien centimeter langer dan Billy en stevig gebouwd. Hij droeg een donkerblauw pak met een goede snit, een geel overhemd met een stijve kraag en zachtbruine, kalfsleren instappers.

Halverwege de veertig, maar met spierwit haar. Dik en steil en kortgeknipt.

Rimpelige donkere ogen, volle lippen, hoekige kin, haakneus. Nora en Billy Dowd waren uit zachte klei gemaakt. Hun broer was uit steen gehouwen.

Bradley Dowd ging naast zijn broer staan en knoopte zijn jasje dicht.

'Weer?'

'Weet je wel,' zei Billy. 'Die vent die computers stal en alle lampen meenam – hoe heette hij ook alweer, Brad? Was het geen Italiaan?'

'Een Pool,' zei Brad Dowd. Hij keek naar ons. 'Is Edgar Grabowski weer in de stad?'

'Het gaat niet om hem, Brad,' zei Billy. 'Ik legde alleen uit waarom ik verrast was, maar ook niet helemaal, toen ze hier binnenkwamen, omdat het niet de eerste keer was...'

'Ik snap het,' zei Brad, en hij gaf zijn broer een klopje op zijn schouder. 'Wat is er aan de hand, heren?'

Milo zei: 'Er is een moord gepleegd... een van de leerlingen van uw zus...'

'Mijn god, wat vreselijk... Is met Nora alles goed?'

Dezelfde beschermende reactie als Billy.

'Dat heb ik hem al gevraagd, Brad. Met Nora is niets aan de hand.'

Brad had kennelijk nogal wat gewicht op Billy's schouder gelegd, want de kleinere man wankelde.

'Waar is het gebeurd en wie is er vermoord?'

'In West-L.A. Het slachtoffer is een jonge vrouw die Michaela Brand heet.'

'Degene die haar eigen ontvoering in scène had gezet?' zei Brad. Zijn broer staarde naar hem op. 'Daar heb je me nooit iets over verteld, Bra...'

'Het was op het nieuws, Bill.' En tegen ons: 'Heeft haar moord daar iets mee te maken?'

'Waarom zou haar moord daar iets mee te maken hebben?'

'Weet ik niet,' zei Brad Dowd. 'Ik vraag het alleen maar. Het is een logische vraag, vindt u niet? Iemand die de publiciteit opzoekt... dan bestaat de kans dat daar idioten op afkomen.'

'Heeft Nora het met u gehad over de grap?'

Brad schudde zijn hoofd. 'Vermoord... afschuwelijk.' Hij fronste zijn wenkbrauwen. 'Dat moet hard zijn aangekomen bij Nora. Ik moet haar bellen.'

'Alles is goed met haar,' zei Milo. 'We hebben haar zojuist gesproken.'

'Weet u het zeker?'

'Heel zeker. We zijn hier omdat we iedereen willen spreken die mogelijk contact heeft gehad met mevrouw Brand.'

'Natuurlijk,' zei Brad Dowd. Hij glimlachte naar zijn broer. 'Billy, zou je bij DiGiorgio's een broodje voor me willen halen? Je weet wel wat ik lekker vind.'

Billy Dowd stond op van het bureau en keek naar zijn broer. 'Paprika, ei, aubergine en tomaat. Veel pesto of gewoon?'

'Veel, broertje.'

'Komt in orde. Aangenaam kennis te maken.' Billy vertrok snel. Toen de deur dichtging, zei Brad Dowd: 'Dit soort dingen hoeft hij niet te horen. Wat kan ik verder voor u doen?'

'Uw conciërge, Reynold Peaty. Kunt u ons iets over hem vertellen?'

'Vanwege zijn arrestaties?'

Milo knikte.

'Tja,' zei Brad, 'hij was daar heel eerlijk over toen hij solliciteerde. Hij scoorde bij mij met zijn eerlijkheid en hij is een goede werknemer. Hoezo?'

'Routinevragen, meneer. Hoe bent u aan hem gekomen?'

'Via een uitzendbureau. Zíj waren niet eerlijk over zijn verleden, dus hebben we ons contract met hen opgezegd.'

'Hoelang werkt hij al bij u?'

'Vijf jaar.'

'Kort na zijn laatste arrestatie in Nevada.'

'Hij zei dat hij een alcoholprobleem had en dat hij was afgekickt en nuchter was. Hij rijdt geen auto, dus rijden onder invloed komt niet voor.'

Milo zei: 'Weet u dat hij is gearresteerd wegens gluren?'

'Hij heeft me alles verteld,' zei Brad. 'Dat weet hij ook aan de alcohol. Hij zei dat dat de enige keer was.' Hij spande zijn schouders. 'De meeste huurders zijn vrouwen en gezinnen met kinderen. Ik ben niet naïef, ik hou mijn personeel in de gaten. Nu zedendelinquenten geregistreerd staan in een database, kijk ik daar regelmatig in. Ik ga ervan uit dat u hetzelfde doet, dus dan weet u dat Peaty daar niet in staat. Is er nog een andere reden dat u informatie over hem wilt?'

'Nee.'

Brad Dowd tuurde naar zijn vingertoppen. Zijn nagels zagen er keurig verzorgd uit, in tegenstelling tot die van zijn broer. 'Wees eens eerlijk, inspecteur. Hebt u ook maar enig bewijs tegen Reynold? Hij komt in veel van onze gebouwen en ik zou hem graag willen vertrouwen, maar ik wil nergens voor aansprakelijk gesteld worden. Om nog maar te zwijgen van mogelijk menselijk leed.'

'Geen bewijs,' zei Milo.

'Dat weet u zeker.'

'Vooralsnog lijkt het daar op.'

'Vooralsnog,' zei Brad Dowd. 'Niet bepaald bemoedigend.'

'Er is geen reden om hem te verdenken. Als ik iets anders hoor, laat ik het u weten.'

Dowd speelde met zijn handgenaaide revers. 'Moet ik hier iets tussen de regels door lezen, inspecteur? U suggereert toch niet dat ik hem moet ontslaan?'

'Ik heb zelfs liever dat u dat niet doet.'

'Waarom niet?'

'Het heeft geen zin iets op te rakelen, meneer Dowd. Als Peaty zijn leven heeft gebeterd, is dat alleen maar goed.'

'Zo denk ik er ook over... Dat arme meisje. Hoe is ze vermoord?'

'Gewurgd en neergestoken.'

Dowd huiverde. 'Enig idee door wie?'

'Nee. Ik heb nog een routinevraag voor u: kent u Dylan Meserve?'

'Ik weet wie het is. Mag ik vragen waarom hij deel uitmaakt van uw routinevragen?'

'Hij is al een tijdje niet gezien en toen we uw zus naar hem vroegen, beëindigde zij het gesprek.'

'Nora,' zei Brad vermoeid. Zijn blik schoot naar de deuropening. 'Hé, broertje. Dat ruikt lekker, dank je wel.'

Billy Dowd had een open kartonnen doosje bij zich dat hij met twee handen vasthield alsof het kostbare lading was. Er zat een goedgevuld broodje in dat in een oranje papiertje was gewikkeld. Geuren van tomatenpuree, oregano en basilicum dwarrelden door het kantoor.

Brad draaide zich om zodat zijn broer het niet zag, en gaf Milo een geel visitekaartje. Het paste volmaakt bij zijn overhemd. 'Als ik u verder nog ergens mee kan helpen, inspecteur. Belt u gerust als u nog vragen hebt. Dat ruikt heerlijk, Billy. Je bent super.'

'Jíj bent super,' zei Billy serieus.

'Jij ook, Billy.'

Billy Dowd vertrok zijn mond.

Brad zei: 'Zeg, dan zijn we allebei super.' Hij pakte het broodje en gaf zijn broer een duw. 'Hè?'

Billy dacht hier even over na. 'Oké.'

16

Tegen de tijd dat we bij de deur waren, had Brad zijn avondeten uitgepakt en zei: 'Daar had ik zin in, Bill.'

Toen we de trap afliepen naar de begane grond zei Milo: 'Dat broodje rook lekker.'

We parkeerden de auto aan de andere kant van het vliegveld. De koffie bij café DiGiorgio's was donker en sterk. Milo duwde zijn stoel zo ver mogelijk naar achteren en viel aan op zijn broodje gehaktbal met paprika.

Na vier woeste happen nam hij even pauze. 'Zo te zien houdt Bradley zijn broertje en zusje een beetje in de gaten.'

'Volgens mij is dat bij allebei ook nodig.'

'Wat vond jij van Billy?'

'Het beste woord is waarschijnlijk "simpel".'

'En Nora is een excentrieke junkie.'

'Je zou zó psycholoog kunnen worden,' zei ik.

Hij tuurde naar de blauwe lucht. Geen ranke witte vliegtuigen om zijn fantasie te voeden. Hij haalde Brad Dowds gele visitekaartje tevoorschijn en gaf het aan mij.

Stevig, degelijk papier. Bradley Dowds naam was in bruine reliëfletters cursief afgedrukt, met daaronder een telefoonnummer met kengetal 825.

'Het visitekaartje van een heer,' zei ik. 'Dat zie je niet vaak meer.'

'Eens een rijkeluiskind, altijd een rijkeluiskind. Ik zal hem vanavond bellen, om te horen wat hij niet wilde zeggen waar zijn broer bij was.'

Ik kwam om zes uur thuis, wiste wat berichten van mijn antwoordapparaat en luisterde naar een bericht van Robin dat ze tien minuten daarvoor had ingesproken.

'Ik zou kunnen zeggen dat dit over ons gezamenlijk verdriet om wijlen onze hond gaat, maar eigenlijk gaat het puur om... seks. Hopelijk ben je de enige die naar dit berichtje luistert. Wis het alsjeblieft. Dag.'

Ik belde haar terug. 'Bericht gewist.'

'Ik voel me alleen,' zei ze.

'Ik ook.'

'Moeten we daar iets aan doen?'

'Lijkt me wel.'

'Niet bepaald hartstochtelijk verlangen, maar ik pak wat ik krijgen kan.'

Om zeven uur kwam ik bij haar huis in Venice aan. Het daaropvolgende uur brachten we in bed door en de rest van de avond lazen we de krant en keken we naar het laatste stuk van *Humoresque* op het filmkanaal.

Toen de film was afgelopen, stond ze zonder iets te zeggen op en liep ze naar haar studio.

Ik probeerde te slapen, maar dat lukte pas toen ze terugkwam naar bed. Even na zeven uur werd ik wakker toen licht uit het westen door haar gordijnen scheen en niet meer genegeerd kon worden. Ze stond naakt bij het raam met een kopje thee. Vroeger dronk ze altijd koffie.

Ik zei op schorre toon iets wat op 'goeiemorgen' leek.

'Je hebt flink gedroomd.'

'Maakte ik lawaai?'

'Je was nogal actief. Ik zal een kop koffie voor je halen.'

'Kom weer naar bed, dan haal ik het wel.'

'Nee, blijf lekker liggen.' Ze liep weg en kwam terug met een beker die ze naast het bed zette.

Ik nam een slok en schraapte mijn keel. 'Dank je. Drink je tegenwoordig thee?'

'Soms.'

'Hoe lang ben je al wakker?'

'Een paar uur.'

'Door mijn gewoel?'

'Nee, ik sta tegenwoordig vroeg op.'

'Koeien melken, eieren rapen.'

Ze glimlachte, trok een badjas aan en ging op bed zitten.

Ik zei: 'Kom weer liggen.'

'Nee, als ik wakker ben, ben ik wakker.' Ze glimlachte geforceerd. Ik kon merken dat het haar moeite kostte.

'Wil je dat ik wegga?'

'Natuurlijk niet,' zei ze iets te snel. 'Blijf zolang als je wilt. Ik heb niet echt ontbijt in huis.'

'Geen trek,' zei ik. 'En jij hebt genoeg te doen.'

'Geen haast.'

Ze gaf me een zoen op mijn voorhoofd, stond op, liep naar haar kast en begon zich aan te kleden. Ik nam een douche. Tegen de tijd dat ik eronder vandaan kwam en me had afgedroogd en aangekleed, hoorde ik haar lintzaag brommen.

Ik ontbeet bij John O'Groats aan Pico Boulevard, reed ervoor om omdat ik zin had in Ierse havermout, en het gezelschap van vreemden leek me een goed idee. Ik zat aan de toonbank en las de krant. Er stond niets in over Michaela. Daar was ook geen reden toe. Thuis deed ik wat administratie en dacht na over Nora Dowds monotone antwoorden op Milo's vragen.

Ze had geen enkele moeite gedaan om medeleven te tonen om de moord op Michaela. Of om Tori's verdwijning.

Maar de naam van Dylan Meserve had een emotionele reactie teweeggebracht en broer Brad wilde niet over Dylan praten waar het meest kwetsbare kind van de familie Dowd bij stond.

Ik ging aan mijn computer zitten. Ik vond één hit op Nora's naam: ze stond op een lijst met toneelworkshops op een website die Star-Hopefuls.com heette.

Ik printte de lijst uit, belde alle organisaties aan de westkust, verzon een dekmantel als castingagent en vroeg of Tori Giacomo er ooit een workshop had gevolgd. Het werd er niet duidelijker op. Een paar keer werd er direct opgehangen, wat betekende dat ik kennelijk zélf wel wat acteerles kon gebruiken.

Rond het middaguur had ik nog helemaal niets. Ik kon me maar beter bezighouden met dingen waar ik voor betaald werd.

Ik maakte het rapport af over Patrick Hauser en rende naar de dichtstbijzijnde brievenbus. Toen Milo aanbelde, zat ik weer aan mijn bureau wat papierwerk op te ruimen.

'Ik ben daarstraks ook al langs geweest.'

'Ik was aan het joggen.'

'Ik ben jaloers op jouw knieën.'

'Geloof me, dat is nergens voor nodig. Hoe gaat het?'

'Michaela's huisbaas heeft me verzekerd dat hij er morgenochtend is en ik heb een gerechtelijk bevel voor haar telefoongegevens, maar mijn mannetje bij het telefoonbedrijf zegt dat ik dat net zo goed niet kan doen. Kennelijk was ze de weken voor haar dood al afgesloten wegens wanbetaling. Voor zover ik kan zien heeft ze geen mobiele telefoon. Het positieve nieuws is dat de mensen van het gerechtelijk lab fantastisch zijn.' Hij kwam stommelend binnen. 'Heb je echt last van je knieën?'

'Soms.'

'Als je geen vriend van me was, zou ik me daarom verkneukelen.'

Ik liep achter hem aan naar de keuken. In plaats van de koelkast te plunderen, ging hij zitten en trok hij zijn das los.

'Heeft Michaela's obductie prioriteit gekregen?'

'Nee, nog interessanter. Mijn maten van het forensisch lab hebben de dossiers van onbekende lichamen doorgenomen, hebben een aantal mogelijke kandidaten gevonden en hebben er een teruggevonden bij een botspecialist die onderzoek doet naar vormen van identificatie; een forensisch antropologe met een beurs. Ze verzamelt botdelen van verschillende zaken en probeert ze aan de hand van etniciteit te classificeren. Ze had in haar voorraad een ongeschonden schedel met de meeste tanden nog in de kaken. Jonge, blanke vrouw, slachtoffer van een moord negentien maanden geleden. De rest van het lichaam is zes maanden na ontdekking gecremeerd. Hun forensisch odontoloog zei dat het gebit opvallende kenmerken had. Veel cosmetisch brugwerk, ongewoon voor iemand die zo jong is.'

'Iemand die er goed uit wilde zien. Een aankomend actrice, bijvoorbeeld.'

'Ik had de naam van Tori Giacomo's tandarts in Bayside en dankzij de magie van digitale fotografie en e-mail hadden we binnen het uur een identificatie.'

'Hoe vat haar vader het op?'

'Weet ik niet,' zei hij. 'Ik kon hem hier in L.A. niet bereiken, dus heb ik zijn vrouw gebeld. In tegenstelling tot wat Giacomo ons heeft verteld, kwam ze op mij over als een verstandige, stabiele vrouw. Ze ging al een tijdje van het ergste uit.' Hij liet zijn schouders zakken. 'Ik hoefde haar niet teleur te stellen, attent hè?'

Hij stond op en pakte een glas water. 'Heb je citroen?'

Ik sneed een partje af en liet het in zijn glas vallen.

'Rick vindt dat ik mijn nieren moet spoelen, maar gewoon water smaakt naar gewoon water... Afijn, Tori is niet langer Onbekende Vrouw 342-003. Ik wou dat ik de rest van het lichaam had, maar ze stond genoteerd als een onopgeloste moord in Hollywood en het politierapport is heel duidelijk.'

Hij dronk nog wat water en zette het glas in de gootsteen.

'Ze is vier maanden na haar verdwijning gevonden. Ze was in de bosjes van Griffith Park gedumpt, aan de kant van L.A. Er lagen alleen nog wat botresten verspreid. De patholoog-anatoom meen-

de letsel aan de nekwervels te constateren en er zijn vrij opper-
vlakkige messneden aangetroffen in haar borstbeen en een paar
in de ribben ter hoogte van de borstkas. Een voorzichtige conclusie is dat ze door wurging en messteken om het leven is gekomen.'

Ik zei: 'Twee jonge, vrouwelijke toneelleerlingen met soortgelijke verwondingen, en Nora Dowd sloot niet uit dat Tori haar lessen had gevolgd.'

'Nora neemt niet op, zowel thuis als op school niet. Ik ga vanavond naar het PlayHouse om me onder de beeldschonen te begeven. Nadat ik Brad Dowd heb gesproken. Hij belde, bood zijn
excuses aan voor het afkappen van ons gesprek en nodigde me
uit om bij hem langs te komen.'

'Die wil kennelijk graag over Dylan praten,' zei ik. 'Waar woont
hij?'

'Santa Monica Canyon. Zin om mee te gaan? Ik rij.'

Bradley Dowd woonde aan Gumtree Lane, anderhalve kilometer
ten noorden van Channel Road, waar Channel steil naar beneden loopt naar de Pacific Coast Highway.

Door een donker wordende lucht en een dicht bladerdek viel de
avond vroeg. De lucht was kalm en ongewoon warm voor de tijd
van het jaar, en de zilte oceaanlucht bereikte het ravijn niet.
Meestal is het aan de kust een paar graden koeler. Misschien ligt
het aan mij, maar patronen lijken steeds vaker niet te kloppen.

Het huis was een bungalow van roodhout en glas dat op een laag-
gelegen plek een stuk van de loofrijke weg af stond. Door al het
groen was bijna niet te zien waar het perceel begon en eindigde.
Een chique doos met een glanzende koperen rand en een veranda die op balken was gebouwd. De bloembedden en weelderige
varens werden door zorgvuldig geplaatste spotjes verlicht. Het
houten naambordje dat in de veldstenen hekpaal was bevestigd
was met de hand beschilderd. Een grijze of beige Porsche stond
voor het huis in de oprit van grind. Hangende vetplantjes sierden
de veranda waar een paar houten tuinstoelen stonden.

Brad Dowd stond bij een van de stoelen met een been gebogen
zodat zijn schouders naar rechts afhingen. Hij droeg een T-shirt
en een afgeknipte korte broek en had een flesje in zijn hand.

'Parkeer hem maar achter de mijne, rechercheur.'

Toen we bij de veranda kwamen, hief hij het flesje in de lucht. Corona. Op het T-shirt stond reclame voor een watersportmerk. Hij liep op blote voeten. Gespierde benen, knokige, misvormde knieën. 'Wilt u ook een biertje?'

'Nee, dank u.'

Dowd ging zitten en gebaarde nog een keer. We trokken er een paar stoelen bij en gingen tegenover hem zitten.

'Hebt u het goed kunnen vinden?'

'Geen probleem,' zei Milo. 'Fijn dat u belde.'

Dowd knikte en nam een slok. De krekels tjirpten. Er dwarrelde een vleugje gardenia voorbij.

'Het is hier mooi.'

'Ik vind het hier heerlijk,' zei Brad. 'Er gaat niets boven een rustig plekje na een dag vol lekkages, kortsluitingen en andere kleine rampen.'

'Het lot van een huisbaas.'

'Bent u er ook een, rechercheur?'

'Godzijdank niet, nee.'

Brad lachte. 'Beter dan een echte baan. Het geheim is om alles goed te organiseren.'

Hij had de voordeur een kleine stukje opengelaten. Wollen dekens over stoelen, een kelim voetenbankje, veel leer. In een hoek stond een witte surfplank. Zo'n ouderwetse lange.

Dat verklaarde de bobbels op Dowds knieën. Surfersknieën.

Milo zei: 'U wilde ons iets vertellen over Dylan Meserve.'

'Bedankt voor het wachten. Ik wilde niet dat Billy het zou horen.'

'U beschermt Billy,' zei ik.

Dowd wendde zich tot mij. 'Billy heeft bescherming nodig. Soms kost het hem moeite om dingen in de juiste verhoudingen te zien.'

'Zat hem iets dwars wat betreft Meserve?' zei Milo.

Brad fronste zijn wenkbrauwen. 'Nee, ik hou hem alleen liever weg bij dingen die hij niet hoeft te weten. Weet u zeker dat u geen biertje wilt?'

'Heel zeker,' zei Milo. 'U zorgt voor Billy.'

'Hij heeft geen speciale zorg nodig – hij is niet achterlijk, of zo. Hij heeft tijdens zijn geboorte zuurstofgebrek gehad. We hebben een tijdlang samengewoond, maar een paar jaar geleden besefte ik dat hij zijn onafhankelijkheid nodig had, dus heb ik een eigen plek voor hem geregeld. Er woont een aardige dame boven. Billy denkt dat ze gewoon buren zijn, maar ze wordt betaald om voor hem klaar te staan. Maar goed, wat betreft Meserve is het niet zo heel bijzonder. Mijn zus viel op hem en ik vond hem een eersteklas slijmbal.'

'Was het wederzijds?'

Dowd strekte zijn benen uit, duwde zijn tenen naar voren en masseerde een knobbel op zijn knie. Misschien was verkalking een verklaring voor zijn huivering. 'Soms is Nora net een puber. En al die tijd die ze met jongelui doorbrengt helpt ook niet.'

Ik zei: 'Dylan was niet haar eerste vlam?'

'Dat zei ik niet.'

Ik glimlachte.

Brad Dowd nam een slok bier. 'Laten we er niet omheen lullen. U kent het wel, een vrouw van een bepaalde leeftijd en dan die hele jeugdcultuur. Nora heeft recht op haar pleziertjes. Maar met Meserve begon het een beetje uit de hand te lopen, dus heb ik met haar gesproken, en ze zag in dat ik gelijk had.'

'Waarom mocht Billy dit niet horen?'

Brad Dowd trok zijn mond strak. 'Het was een beetje een heisa. Om Nora te overtuigen. Ze zou nog veel meer overstuur zijn geweest als Billy erbij betrokken was geweest. Als hij haar had willen troosten of zo.'

'Waarom?' vroeg Milo.

'Nora en Billy hebben geen hechte band... De waarheid is dat Nora zich voor Billy schaamde toen we klein waren. Maar Billy denkt dat ze juist wél een heel hechte band hebben...' Hij zweeg even. 'Dat zijn familieaangelegenheden, die hoeft u niet te horen.'

Milo zei: 'Dus Nora maakte het uit met Meserve?'

'Er was geen formele verklaring voor nodig want ze hadden nooit echt...' Hij glimlachte. 'Ik wilde "verkering" zeggen.'

'Hoe verbrak Nora het contact met Meserve?'

'Door afstand van hem te nemen. Hem te negeren. Na een tijdje had hij het door.'

'In welke zin liep hun relatie uit de hand?' vroeg ik.

Brad fronste zijn wenkbrauwen. 'Is dit relevant voor de moord op dat arme meisje?'

'Waarschijnlijk niet. We stellen allerlei vragen en hopen dat er iets naar voren komt.'

'Wordt Meserve verdacht?'

'Nee, maar vrienden van het slachtoffer zijn wel personen die onze aandacht hebben, en we hebben Meserve nog niet kunnen vinden.'

'Ik begrijp het, rechercheur. Maar ik begrijp nog niet waarom het privéleven van mijn zus openbaar gemaakt moet worden.'

Ik zei: 'Was er iets aan Meserve wat u meer stoorde dan bij haar andere "vlammen"?'

Dowd slaakte een zucht: 'Nora's relaties duurden nooit lang. Voornamelijk omdat de mannen in wie Nora is geïnteresseerd niet het type zijn met plannen voor de lange termijn. Meserve leek anders. Manipulatief, alsof hij iets van plan was. Die grap bewijst dat wel, nietwaar?'

Milo zei: 'Wat was hij dan van plan?'

'Is dat niet duidelijk?'

'U vermoedt dat hij op Nora's geld uit was.'

'Ik begon me zorgen te maken toen Nora hem een betaalde baan gaf in het PlayHouse. Creatief adviseur.' Dowd snoof. 'U moet begrijpen dat Nora geen cent vraagt voor haar lessen. Dat is van wezenlijk belang voor de belasting, want het PlayHouse – het gebouw, het onderhoud, voorraden – wordt gefinancierd uit een stichting die we daarvoor hebben opgericht.'

'U en uw broer en zus.'

'In feite voor Nora, omdat acteren haar passie is. Het gaat hier niet om een indrukwekkende financiële onderneming, er is net genoeg geld om de lessen te kunnen blijven geven. Het gebouw hebben we van onze ouders geërfd en de huur die we mislopen is een aardige aftrekpost tegen de winst van sommige andere huurpanden die we hebben. In naam ben ik de directeur van de stichting, dus ik moet de uitgaven goedkeuren. Toen Nora naar me toe kwam omdat ze Meserve een salaris wilde aanbieden, wist ik dat het tijd was om eens met haar te praten. Daar is gewoon geen ruimte voor in het budget. En het bevestigde mijn vermoedens dat Meserve op iets uit was.'

'Hoeveel wilde ze hem betalen?'

'Achthonderd per week.'

'Een erg creatieve adviseur,' zei Milo.

'Precies,' zei Dowd. 'Dat vond ik dus ook. Nora begrijpt totaal niets van financiën. Zoals zoveel artistieke lui.'

'Hoelang geleden vroeg ze om dat geld?'

'Nadat ze hem de baan had aangeboden. Ongeveer een week voordat Meserve en het meisje die stunt uithaalden. Misschien deed hij het daarom.'

'Hoe bedoelt u?'

'Misschien probeerde hij Nora's liefde voor zich te winnen met een creatief optreden. Als dat het plan was, dan is dat goed fout gelopen.'

'Nora was er niet blij mee.'

'Ik dacht het niet.'

'Was ze boos over de grap of over iets anders?'

'Zoals?'

'Het feit dat Meserve met een andere vrouw was.'

'Jaloezie? Dat betwijfel ik. Tegen die tijd had Nora al genoeg van hem.'

'Ze vergeet haar "vlammen" ook weer snel.'

'Er viel niets te vergeten,' zei Brad Dowd. 'Ze was het met me eens, besteedde geen aandacht meer aan hem, en hij kwam niet meer langs.'

'Wat stoorde Nora aan de grap?'

'De ontmaskering.'

'De meeste actrices houden van publiciteit.'

Brad zette zijn biertje op de veranda. 'Rechercheur, Nora's acteercarrière bestaat uit één figurantenrolletje in een sitcom vijfendertig jaar geleden toen ze tien was. Ze kreeg de rol omdat een vriendin van onze moeder connecties had. Daarna liep Nora de ene auditie na de andere af. Toen ze besloot om haar energie in lesgeven te steken, was dat een gezonde beslissing.'

'Aanpassingsvermogen,' zei Milo.

'Daar draait het om, rechercheur. Mijn zus had talent, maar honderdduizend anderen ook.'

Ik zei: 'Ze blijft dus liever uit de publiciteit.'

'We zijn nogal op onszelf.' Brad nam een flinke slok en dronk zijn biertje op. 'Verder nog iets, heren?'

'Heeft Nora het wel eens over Michaela Brand gehad?'

'Niet met mij. Ze was echt niet jaloers. Er lopen voortdurend beeldschone jonge mensen Nora's wereldje in en uit. Maar ik vind nu echt dat ik genoeg heb gezegd over haar privéleven.'

'Akkoord,' zei Milo. 'Laten we ons op Meserve concentreren.'

'Zoals ik al zei, het is een opportunist,' zei Dowd. 'Ik heb me ermee bemoeid, maar soms is dat nodig. Uiteindelijk was mijn zus blij dat ze zich niet met zo iemand had ingelaten. Misschien moet u bij hem zijn voor de moord op dat meisje.'

'Waarom?'

'Zijn blik op vrouwen, hij had een relatie met het slachtoffer en u vertelde net dat hij vermist is. Weglopen duidt toch op schuld?'

'Wat voor blik op vrouwen bedoelt u?' vroeg Milo.

'U kent het type wel. Gladde glimlach, profiteert van zijn uiterlijk. Hij flirtte schaamteloos met mijn zus. Laat ik het bot zeggen: hij probeerde zich bij Nora in te likken, en Nora trapte erin omdat Nora...'

'Erg ontvankelijk is.'

'Helaas. Altijd als ik in het PlayHouse kwam, was hij alleen met Nora. Hij liep achter haar aan, lag aan haar voeten, wierp haar aanbiddende blikken toe. Vervolgens begon hij haar goedkope cadeautjes te geven – troep, ordinaire toeristenprullen. Een sneeuwbol, nota bene. Van de Hollywood Walk of Fame, allemachtig, wanneer heeft het voor het laatst gesneeuwd in Hollywood?' Dowd lachte. 'Ik zou graag willen geloven dat hij zich aangetrokken voelde tot Nora's ziel en innerlijke schoonheid, maar laten we wel wezen. Ze is naïef, in de overgang en niet onbemiddeld.'

Ik zei: 'Hoe wist u haar ervan te overtuigen dat Meserves bedoelingen niet zuiver waren?'

'Ik ben kalm en vasthoudend geweest.' Hij kwam overeind. 'Ik hoop dat u degene vindt die dat meisje heeft vermoord, maar betrekt u daar alstublieft mijn broer en zus niet bij. Er zijn geen onschuldiger mensen te vinden. Ik heb nog wat huurders gevraagd naar Reynold Peaty, en de enige klachten die ik heb gekregen gaan over vuilnisbakken die niet tijdig waren geleegd. Hij is altijd op tijd, bemoeit zich met zijn eigen zaken en doet zijn werk goed. Maar ik zal een oogje in het zeil houden.'

Hij gebaarde met zijn hoofd naar de open deur. 'Wilt u nog een kopje koffie of iets fris voordat u gaat?'

'Nee, dank u,' zei Milo, en hij stond op.

'Dan duik ik mijn bed in. *Buenas noches.*'

'Zo vroeg?'

'Morgen weer vroeg op.'

'Beter dan een echte baan,' zei Milo.

Brad Dowd lachte.

17

Milo reed over Channel Road naar beneden in de richting van de kust.

'We hebben nog wat tijd over voordat de les in het PlayHouse begint. Zullen we een biertje pakken? Ik ken hier in de buurt een tentje.'

'Corona?'

'Een goed merk.'

'Zolang het niet van Brad Dowd is.'

'Je moet je nooit verbroederen met de burgerij. Wat vond je van onze volwassen surfer?'

'Die knokige knieën waren jou dus ook al opgevallen.'

'En de plank.'

'Hij is de hoeder van de familie, neemt zijn taak serieus.'

Hij stopte voor het stoplicht bij de afslag naar de Pacific Coast Highway, waar je voor je gevoel soms uren stilstaat. De oceaan ziet er altijd anders uit. Deze avond was het water vlak en grijs en oneindig. Een langzame, rustige getijdenstroom, regelmatig en metaalachtig als een drumcomputer.

'Misschien overdrijf ik, Alex, maar ik vond Brads laatste opmerking een beetje vreemd: of we Nora en Billy buiten het onderzoek willen houden. We hebben ons op Nora gericht, waarom zouden we Billy erbij willen betrekken?'

'Macht der gewoonte?' zei ik. 'Hij noemt ze in een adem, omdat ze allebei bescherming nodig hebben.'

'Misschien.'

'Trekt Billy je aandacht?'

'Een volwassen man met onderontwikkelde sociale vaardigheden die heimelijk in de gaten gehouden moet worden?' Terwijl we stonden te wachten, liet Milo William Dowd III natrekken bij de Dienst Wegverkeer. Voordat het licht op groen sprong, hing hij op. 'Raad eens hoeveel auto's Billy op zijn naam heeft staan?'

'Niet een.'

'En net als Peaty heeft hij geen rijbewijs.'

'Hij gaat dus altijd met broer Brad mee,' zei ik. 'En als Brad langs het PlayHouse rijdt, gaat Billy met hem mee. Al die beeldschone, hoopvolle sterretjes.'

'Het zien van meisjes als Michaela en Tori Giacomo veroorzaakte misschien wel iets te veel prikkels.'

'Billy leek me een zachtmoedig iemand,' zei ik. 'Maar als je zijn instincten aanzwengelt, wie weet?'

'Stel dat Brad niets wilde zeggen waar Billy bij was, omdat hij bang was dat die iets zou loslaten? En nog iets: Billy woont in een flat in Beverly Hills. Aan Reeves Drive, vlak bij Olympic Boulevard.'

'Een paar kilometer bij Michaela vandaan.'

'Iemand zonder auto zou dat kunnen lopen.'

'Hetzelfde probleem als bij Peaty,' zei ik. 'Hoe vervoer je een lijk? En ik kan me niet voorstellen dat Billy een ongeregistreerde auto heeft. Niet met de beschermende houding van Brad.'

Hier had hij niets op te zeggen totdat we bij de gouden kust van Santa Monica aankwamen. Landhuizen aan het strand, ooit privé-enclaves, waren nu blootgesteld aan het lawaai en de realiteit van het openbare strand waar ze aan lagen. Het gedrocht van dakspanen dat William Hearst ooit voor Marion Davies had gebouwd stond op instorten na jarenlange verwaarlozing door het weinig doortastende bestuur van Santa Monica. Even later kwamen de contouren van de pier in zicht, opgelicht alsof het Kerstmis was. Het reuzenrad draaide traag als de bureaucratie.

Milo nam de oprit naar Ocean Front en reed verder over Pacific Avenue in de richting van Venice. 'Nu zijn er dus twee vreemde snoeshanen die toegang hebben tot het PlayHouse.'

Ik dacht hier even over na. 'Billy is twee jaar geleden op zichzelf gaan wonen, vlak voordat Tori verdween.'

'Waarom zou Brad Billy uitgerekend op dat moment het huis uit willen hebben? Het zijn mannen van middelbare leeftijd, en opeens is het tijd voor wat anders?'

'Brad wilde afstand nemen van Billy? Maar als hij iets vermoedde, zou hij hem juist in de gaten willen houden.'

'Wat is dan het antwoord?'

'Dat weet ik niet.'

'Voor hetzelfde geld,' zei hij, 'heeft Brad wel geprobeerd hem in toom te houden, maar is Billy een stuk lastiger dan hij lijkt. Misschien was Billy wel degene die per se op zichzelf wilde gaan wonen. En betaalt Brad een aardige dame om "op hem te passen" omdat hij weet dat Billy in de gaten gehouden moet worden, en als er iets gebeurt, zit hij lekker veilig aan de andere kant van de stad in Santa Monica Canyon.'

'Minder risico,' zei ik.

'Zo denkt hij wel – stichtingen, belastingvoordeel, alles organiseren. Die sport op de sociale ladder is een heel andere wereld.'

Hij keek op zijn horloge. 'Laten we maar eens kijken hoe Nora reageert als ik de druk een beetje opvoer. Hoe snel ze gaat uithuilen bij broer Brad.'

Door de jaren heen ben ik met Milo naar veel cafés, kroegen en cocktailbars geweest. Zelfs een paar homobars. Het is een verhelderende ervaring om te zien hoe hij in die omgeving functioneert.

Dit was een nieuwe tent, een kleine, donkere tunnel die Jody Z heette, aan de zuidrand van Pacific Boulevard, even ten noorden van de jachthaven. Stadionrock uit de jukebox, een herhaling van een footballwedstrijd op tv, vermoeide mannen aan de bar, grove lambrisering en visnetten en glazen lampenkappen.

Plastic zaagsel op de grond. Waar was dat goed voor?

Het was maar een klein stukje rijden naar Robins huis aan Rennie Avenue. Op een ander moment, op een andere plek, zou Milo dat misschien gezegd hebben. Maar aan de spanning in zijn kaken kon ik zien dat hij alleen met de moord op twee jonge vrouwen bezig was.

Toen we een paar biertjes ophadden en hadden besproken wat we al wisten, viel er niet veel meer te bespreken en begon hij op te gaan in de mistroostige clientèle. Hij belde Michaela's huisbaas in La Jolla om de afspraak voor de volgende ochtend te bevestigen. Knarsetandend zei hij: 'Alsof de klootzak me een dienst bewijst.'

Hij keek over zijn schouder naar het bord. Drie dagschotels, inclusief verse vissoep. Hij waagde het erop.

'Best te eten,' zei hij, al lepelend.

'"Best te eten" en "fruits de mer" horen niet in dezelfde zin thuis,' zei ik.

'Als ik doodga, mag jij de eerste grafrede houden. Ik vraag me af of Nora echt heeft geluisterd, toen Brad haar vroeg om haar relatie met Meserve af te breken. Brad bracht wel een goed punt naar voren: Meserve is spoorloos.'

'Hij wilde wel erg graag dat je Meserve als verdachte zag,' zei ik. 'Als hij Billy probeert te beschermen is dat natuurlijk in zijn belang, maar het betekent niet dat hij het mis heeft. Michaela vertelde me dat ze Meserve haatte en mevrouw Winograd heeft hen meer dan eens horen ruziemaken.'

'Heb je nog ideeën over Dylans motief? Voor Michaela én Tori.'

'Misschien is hij gewoon een slechterik die meisjes uit toneellessen kiest. Hij speelde doodsspelletjes met Michaela in Latigo en als we Michaela moeten geloven, heeft hij die berekenende grap zeer gedetailleerd in scène gezet. Voeg daar Brads verdenking aan toe dat hij op geld uit is en het voorspelt niet veel goeds.'

'Heeft Michaela je verteld waarom ze naakt met hem in de heuvels werd aangetroffen en hem vervolgens als de vijand zag?'

'Op dat moment ging ik ervan uit dat ze hem de schuld gaf als juridische strategie.'

'Advocatenspelletjes.'

'Raad eens wie haar advocaat was. Lauritz Montez.'

'Die vent van de zaak-Malley? Ik dacht dat jullie mot hadden?'

'Hadden we ook, maar ik ben de beste, ergste, slimste psycholoog in de hele wereld. Stel je voor.'

'Hij kwam bij je slijmen en jij bent daar in getrapt?'

'De zaak intrigeerde me.'

'Dat is een goede reden.'

'Vond ik ook.'

'Zou je het vervelend vinden om Montez eens op te zoeken en te vragen of Michaela nog meer te zeggen had over haar medeplichtige?'

'Nee, hoor,' zei ik. Daar had ik zelf ook al aan gedacht.

Hij duwde de halflege kom vissoep weg. Gebaarde dat hij nog een biertje wilde, maar bestelde toen een cola.

De vijfenzestigjarige serveerster begon te lachen. 'Sinds wanneer heb jij zoveel zelfbeheersing?'

Milo zei: 'Niet zo gemeen.' Hierop lachte ze en liep weg.

Ik kreeg in de gaten dat alle stamgasten mannen waren. Ik zat hierover na te denken, toen Milo zijn wijsvinger in de lucht stak: 'Meserve, Peaty, broer Billy. Les één in politiewerk is: breng het aantal verdachten terug. Het lijkt wel of ik het tegenovergestelde doe.'

'De zoektocht naar de waarheid.'

'Ach, wat een kwelling.'

18

Om zeven minuten voor acht stonden we vier straten ten westen van het PlayHouse. Toen we te voet verdergingen naar de school, liet Milo zijn gewicht naar voren hangen alsof we door een sneeuwstorm liepen.

Hij tuurde straten en opritten af op zoek naar Michaela Brands kleine, zwarte Honda.

Er was een opsporingsbevel voor de hele staat uitgevaardigd. Milo en ik waren een paar dagen geleden al door deze straten gereden, er was geen reden om nog te zoeken.

Logica terzijde kunnen schuiven is soms een heel goede eigenschap voor een rechercheur.

Om vijf over negen kwamen we bij het gebouw, waar een aantal mensen rondhing.

Door het flauwe schijnsel van de lamp bij de veranda was ik in staat om ze te tellen toen we bij de treden kwamen. Acht vrouwen en vijf mannen. Stuk voor stuk slank, jong en beeldschoon. 'Mutanten,' mompelde Milo, toen hij de treden op liep. Dertien paar ogen volgden ons. Een of twee vrouwen doken weg.

De mannen scheelden niet veel van elkaar in lengte: een meter tweeëntachtig tot een meter achtentachtig. Brede, hoekige schouders, smalle heupen en hoekige gezichten die merkwaardig passief leken. De vrouwen verschilden iets meer, maar hun lichaamsvorm was uniform: lange benen, platte buik, wespentaille, gelifte billen, hoge, volle borsten.

Keurig gemanicuurde handen die flessen water en mobiele telefoons vasthielden. Grote, hongerige ogen die vragend naar ons keken. Milo ging midden op de veranda staan en de toneelleerlingen maakten ruimte vrij. Het licht accentueerde elke rimpel, plooi en porie. Hij zag er gezetter en ouder uit dan ooit.

'Goedenavond, lieve mensen.'

Aarzelende blikken, algehele verwarring, grijnzen en blikken opzij zoals je ze in een middelbareschoolkantine ziet.

Een van de jongemannen zei met geoefende traagheid: 'Wat is er aan de hand?'

Brando in *On the Waterfront*? Of was dat uit de tijd?

'Misdaad, dat is er aan de hand, vriend.' Milo liet zijn insigne in het licht schitteren.

Iemand zei: 'Wauw.' Gegrinnik stierf weg.

Milo keek op zijn Timex. 'Had de les niet tien minuten geleden moeten beginnen?'

'Coach is er nog niet,' zei weer een andere adonis. Hij draaide even aan de deurknop.

'Jullie wachten op Nora,' zei Milo.

'Beter dan op Godot.'

'Hopelijk komt zij wél, want hij kwam niet.' Milo's brede grijns bracht een intuïtieve glimlach bij de jongeman teweeg. Hij wierp zijn hoofd in zijn nek en een golf donker haar wapperde op en viel toen weer op zijn plek.

'Is Nora vaak laat?'

Schouderophalen.

'Soms,' zei een jonge vrouw met blonde krullen en lippen die zo dik waren dat het haast billen leken. In combinatie met haar blauwe ogen als schoteltjes leek ze een verbijsterde blik te hebben. Een opblaaspop die amper tot leven is gekomen.

'Nou,' zei Milo, 'dan hebben wij even tijd om te praten.'

Slokken water uit flessen. Telefoons die werden opengeklapt voor een serie elektronische piepjes.

Milo zei: 'Ik neem aan dat jullie het nieuws over Michaela Brand hebben gehoord.'

Stilte. Een voor een knikten ze.

'Als iemand iets te zeggen heeft, wordt dat zeer op prijs gesteld.'

Er reed een auto langs. Enkele leerlingen volgden de achterlichten naar het westen, blij met de afleiding.

'Iemand?'

Met gebogen hoofd werd er geschud.

'Helemaal niemand?'

'Iedereen is ervan geschrokken,' zei een donker meisje met een puntige kin en indringende ogen. Diepe zucht. Haar borsten gingen als eenheid op en neer.

'Ik heb haar wel eens gezien, maar ik kende haar niet,' zei een man met een kaalgeschoren hoofd en een botstructuur alsof hij uit ivoor was gehouwen.

'Omdat jij hier pas bent begonnen, Juaquin,' zei het meisje met de dikke lippen en de krullen.

'Dat zeg ik dus, Brandy.'

'Briana.'

'Ook goed.'

'Kende jij haar, Briana?' vroeg Milo.

'Alleen van hier. We gingen verder niet met elkaar om.'

'Zijn er mensen hier die Michaela ook buiten de lessen om kenden?' vroeg Milo.

Hoofdschudden.

'Ze was nogal stil,' zei een roodharige vrouw.

'En Dylan Meserve?'

Stilte. Opvallende spanning.

'Jullie kenden Dylan geen van allen?'

'Ze waren vrienden,' zei de roodharige vrouw. 'Zij en hij.'

'Hebben jullie Dylan onlangs nog gezien?'

Het roodharige meisje pakte een horloge uit haar tas en keek erop.

'Zestien over negen,' zei Milo. 'Is Nora wel vaker zo laat?'

'Soms,' zei het meisje met de blonde krullen.

Iemand anders zei: 'Nora is Nora.'

Stilte.

Milo zei: 'Wat staat er vanavond op het programma?'

'Er is geen programma,' zei de jongen die zijn haar naar achteren had geworpen. Hij droeg een geruit flanellen overhemd dat getailleerd rond zijn lichaam viel, een vale spijkerbroek en keurig verzorgde wandelschoenen die nog nooit een spatje modder hadden gezien.

'Staat er nooit iets gepland?' vroeg Milo.

'Het is *free-form*.'

'Improvisatie?'

Een kwajongensachtige glimlach van het geruite overhemd.

'Zoiets, agent.'

'Hoe vaak komen jullie hier?'

Geen antwoord.

'Ik kom een keer in de week,' zei Briana met de dikke lippen.

'Sommige mensen komen vaker.'

'Ik ook,' zei het geruite overhemd.

'Een keer in de week.'

'Als ik tijd heb vaker. Zoals ik al zei: het is free-form.'

En gratis.

Ik zei: 'Geen regels.'

'Geen beperkingen.'

Milo zei: 'Er zijn ook geen beperkingen om de politie te helpen.'

Een jongen met een olijfbruine huid en een gezicht dat zowel kruiperig als aantrekkelijk was, zei: 'Niemand weet iets.'

Milo deelde visitekaartjes uit. Een of twee beeldschone mensen namen de moeite om het te lezen.

We lieten hen achter op de veranda, liepen de halve straat door, totdat de duisternis ons omhulde, en keken toen vandaar naar het gebouw.

Milo zei: 'Alsof ze uit een machine zijn gekomen.'

We wachtten in stilte. Om zeven voor halftien was Nora Dowd er nog steeds niet en vertrokken er wat leerlingen. Toen de jonge vrouw die Briana heette op ons afkwam, zei Milo: 'Karma.'

We kwamen uit de schaduw tevoorschijn zodat ze tijd had om ons te zien.

Toch schrok ze. Ze greep haar tas vast en slaagde erin op de been te blijven. 'U liet me schrikken!'

'Sorry. Heb je even?'

Haar opgeblazen lippen weken uiteen. Hoeveel collageen was daar ingespoten? Ze was nog geen dertig, maar de kleine littekentjes rond haar oren gaven aan dat ze niet op haar jeugd vertrouwde. 'Ik heb niets te zeggen en ik schrok écht van u.' Ze liep langs ons naar een gedeukte witte Nissan, liep op het portier af en graaide in haar tas naar haar sleutels.

Milo volgde haar. 'Het spijt ons echt, maar we zijn niet veel meer te weten gekomen over de moord op Michaela en jij leek haar het beste te kennen.'

'Ik zei alleen dat ik wist wie ze was.'

'Je medeleerlingen kenden haar helemaal niet.'

'Die zijn allemaal nieuw.'

'Eerstejaars?'

De krullen schudden. 'Het is geen studie...'

'Ik weet het, het is free-form,' zei Milo. 'Waarom zou je ons niet willen helpen, Briana?'

'Dat wil ik wel, ik weet gewoon niets.' Ze deed het portier van haar auto open.

'Is er een reden dat je ons niet zou wíllen helpen?'

Ze keek hem aan. 'Zoals?'

'Misschien heeft iemand je gezegd dat je dat niet moest doen.'

'Natuurlijk niet. Wie zou dat nou zeggen?'

Milo haalde zijn schouders op.

'Nee, hoor,' zei ze. 'Ik weet niks en ik heb geen zin in gezeik.'

'Niks geen gezeik. Ik probeer een moord op te lossen. Een zeer gruwelijke moord, ook nog eens.'

De dikke lippen trilden. 'Het spijt me. Maar we kenden elkaar niet goed. Zoals ik al zei, ze was nogal op zichzelf.'

'Zij en Dylan.'

'Ja.'

'En nu is zij dood en hij is verdwenen. Enig idee waar hij zou kunnen zijn?'

'Absoluut niet.'

'Absolúút niet?'

'Ik weet dat absoluut niet. Hij kan overal zijn.'

Milo ging wat dichter bij haar staan en duwde zijn heup tegen het autoportier. 'Wat mij verbaast, is dat je helemaal niet nieuwsgierig bent. Jullie geen van allen. Een bekende van je wordt vermoord, je zou denken dat jullie daar wel meer over zouden willen weten.' Hij zwaaide met zijn hand. 'Niets, niemand kan het iets schelen. Komt dat omdat jullie acteurs zijn?'

Ze fronste haar wenkbrauwen. 'Precies het tegenovergestelde. Je moet juist nieuwsgierig zijn.'

'Om te acteren.'

'Om meer te leren over je gevoelens.'

'Heeft Nora je dat geleerd?'

'Dat kan iedereen je vertellen.'

'Laat het me even op een rijtje zetten,' zei Milo. 'Je wilt wel meer weten over acteren, maar niet over de realiteit?'

'Hoor eens,' zei het meisje, 'natuurlijk wil ik wel meer weten. Het is beangstigend. Die moord. Alleen al erover praten. Ik bedoel, toe zeg.'

'Toe zeg?'

'Als het Michaela is overkomen, kan het iedereen overkomen.'

Ik zei: 'Je ziet het dus als een willekeurig misdrijf?'

Ze wendde zich tot mij. 'Hoe bedoelt u?'

'Het had niet specifiek met Michaela te maken?'

'Ik... Ze was... Ik weet het niet. Misschien.'

Milo zei: 'Was er iets aan Michaela dat haar een makkelijk slachtoffer maakte?'

'Die stunt van haar... van hun. Van haar en Dylan. De leugens.'

'Waarom zou dat haar in gevaar kunnen brengen?'

'Misschien hadden ze iemand boos gemaakt.'

'Ken jij iemand die er zo boos om was?'

'Nee.' Te snel.

'Niemand, Briana?'

'Niemand. Ik moet gaan.'

'Zo dadelijk,' zei Milo. 'Wat is je achternaam?'

Ze zag eruit alsof ze ging huilen. 'Moet ik dat zeggen?'

Milo probeerde vriendelijk te glimlachen. 'Dat is routine, Briana. Ik wil ook graag je adres en telefoonnummer.'

'Briana Szemencic.' Ze spelde het. 'Kan dit niet onofficieel?'
'Maak je daar maar geen zorgen over. Woon je hier in de buurt, Briana?'
'In Reseda.'
'Dat is een eind rijden.'
'Ik werk in Santa Monica. Gezien het verkeer is het makkelijker om in de stad te blijven en pas daarna naar huis te gaan.'
'Wat voor werk doe je, Briana?'
'Waardeloos werk.' Een quasizielige glimlach. 'Ik ben assistente bij een verzekeringsmaatschappij. Ik archiveer, haal koffie, doe klusjes. Spanning en sensatie.'
'Ach,' zei Milo. 'Het brengt brood op de plank.'
'Nauwelijks.' Ze legde haar vinger even tegen haar lippen.
'Wie was er nou boos over die stunt, Briana?'
Het bleef lang stil. 'Niemand echt heel erg.'
'Maar...'
'Nora was er een beetje koeltjes over.'
'Waar kon je dat aan merken?'
'Toen iemand haar ernaar vroeg, keek ze heel gespannen en ging ze op iets anders over. Ik kan het haar niet kwalijk nemen. Het was een waardeloze actie om het PlayHouse erbij te betrekken. Nora is erg op zichzelf. Toen Michaela niet meer kwam, ging ik ervan uit dat Nora haar weggestuurd had.'
'Dylan kwam wel terug.'
'Ja,' zei ze. 'Dat was wel vreemd. Ze was niet boos op Dylan, bleef aardig tegen hem.'
Milo zei: 'Ook al was die grap grotendeels zijn idee.'
'Dat is niet wat hij zei.'
'Gaf Dylan Michaela de schuld?'
'Helemaal. Hij zei dat ze hem had bewerkt. Nora geloofde hem kennelijk, want ze... zoals u zei, hij kwam terug.'
'Vindt Nora Dylan aardiger dan de andere jongens?'
Tere schouders gingen op en neer. Briana Szemencic tuurde de straat door. 'Ik vind niet dat ik daarover moet praten.'
'Ligt het gevoelig?'
'Niet bij mij,' zei Briana. 'Maar goed, Nora zou nooit iemand pijn doen. Als u dat soms denkt, zit u er goed naast.'
'Waarom zouden we dat denken?'

'U vroeg of ze boos was. Dat was ze wel, maar niet zo boos.'

'Niet boos in de zin van jaloers?'

Briana gaf geen antwoord.

Milo zei: 'Nora en Dylan, Dylan en Michaela. Maar geen jaloezie.'

'Nora was verkikkerd op Dylan, oké? Dat is geen misdrijf, ze is een vróúw.'

'Was verkikkerd of is?'

'Dat weet ik niet.'

'Denk na, Briana.'

'Is. Nou goed?'

'Wat vond Nora ervan dat Dylan en Michaela met elkaar omgingen?'

Briana schudde haar hoofd. 'Daar heeft ze nooit iets over gezegd. We hadden nou niet zo'n hechte band. Kan ik nu gaan? Alstublíéft?'

'Nora vond het niet fijn dat Dylan en Michaela met elkaar omgingen, maar ze was er niet echt boos over.'

'Ze zou Michaela nooit iets aandoen. Nooit, nooit. U moet begrijpen dat Nora... Ze is een beetje... Ze is niet, nou ja... Ze is híér.' Ze tikte tegen haar mooie voorhoofd.

'Intellectueel?'

Dikke lippen worstelden om de woorden te vormen. Uiteindelijk zei ze: 'Dat bedoel ik niet, ik bedoel meer, nou ja, ze werkt heel erg met haar rechterhersenhelft. Intuïtionistisch. Daar gaat het ook om in de workshops, ze laat ons zien hoe we onszelf aan moeten boren, hoe we onze innerlijke...' Bolle lippen wriemelden terwijl ze naar woorden zocht. 'Bij Nora draait alles om scènes, ze vertelt ons altijd dat we alles in scènes moeten opbreken. Dan is het niet allemaal zo overweldigend en kun je het verwerken totdat je de hele Gestalt doorhebt – het grote geheel, betekent dat. Dat past ze volgens mij ook in haar eigen leven toe.'

'Scène voor scène,' zei Milo.

'Ze besteedt geen aandacht aan dát soort dingen.' Ze wees naar het asfalt.

'De realiteit.'

Briana Szemencic leek zich aan dit woord te storen. 'Al die ellende van de linkerhersenhelft, hoe je het maar wilt noemen. Nora zou nooit iemand pijn doen.'

'Je mag haar.'

'Ze heeft me erg geholpen. Heel erg.'

'Als acteur.'

'Als mens.' Scherpe, kleine ondertanden klemden zich om de volle lip.

Ik zei: 'Nora heeft je gesteund.'

'Nee... dat bedoel ik niet. Ik was heel verlegen, oké? Ze heeft me geholpen om uit mijn schulp te kruipen. Dat was niet altijd leuk. Maar het hielp wel – mag ik nu gaan?'

Milo knikte. 'Reseda, hè? Een meisje uit de Valley?'

'Nebraska.'

'Het vlakke land,' zei Milo.

'Kent u Nebraska?'

'Ik ben wel eens in Omaha geweest.'

'Ik kom uit Lincoln, maar het komt op hetzelfde neer,' zei Briana Szemencic. 'Je staart in het oneindige en er ligt niks daarachter. Mag ik nu gáán? Ik ben erg moe.'

Milo deed een stap naar achteren. 'Bedankt dat je de stilte van je vrienden hebt willen doorbreken.'

'Dat zijn mijn vrienden niet.'

'Nee?'

'Niemand is daar bevriend met elkaar.' Ze wierp een blik over haar schouder naar het PlayHouse. De lege veranda leek mistroostig. Een mistroostig toneel, als een filmset.

'Hangt er geen vriendschappelijke sfeer?' vroeg Milo.

'Het is de bedoeling dat we ons op het werk concentreren.'

'Dus toen Dylan en Michaela een relatie met elkaar kregen, overtraden ze een regel.'

'Er zijn geen regels. Michaela was gewoon stom.'

'Waarom?'

'Door het met Dylan aan te leggen.'

'Omdat Nora hem leuk vond?'

'Omdat hij zo vreselijk oppervlakkig is.'

'Je deelt Nora's enthousiasme niet.'

Stilte. 'Niet echt.'

'Hoe komt dat?'

'Hij doet het met Michaela, maar ook met Nora? Alsjeblieft zeg.'
'Maar Nora was niet jaloers.'
De blonde krullen schudden heftig. Ze stak haar hand uit om het portier van de Nissan te openen. 'En Reynold Peaty?'
'Wie?'
'De conciërge.'
'Die dikke?' Ze liet haar arm zakken. 'Wat is er met hem?'
'Heeft hij je ooit lastiggevallen?'
'In de zin van handtastelijk, of zo? Nee, maar hij staart, het is eng. Hij bezemt of dweilt, en dan zie je hem vanuit je ooghoek naar je staren. Als je hem aankijkt, kijkt hij snel weg, alsof hij weet dat hij dat niet zou moeten doen.' Ze huiverde. 'Is hij echt eng? Eng als in *America's Most Wanted*?'
'Dat zou ik niet kunnen zeggen.'
Het slanke lichaam van Briana Szemencic verstijfde. 'Maar u kunt het ook niet ontkennen?'
'Ik heb geen bewijs dat hij ooit iets gewelddadigs heeft gedaan, Briana.'
'Als hij geen handtastelijke engerd is, waarom vraagt u dan naar hem?'
'Het is mijn taak om vragen te stellen, Briana. Meestal zijn ze nutteloos, maar ik kan geen risico nemen. Het lijkt wel wat op acteren.'
'Hoe bedoelt u?'
'Een beetje improviseren en heel hard werken. Is Peaty veel in het PlayHouse?'
'Als hij schoonmaakt.'
'Overdag en 's avonds?'
'Ik kom er alleen maar 's avonds.'
'Komen er wel eens andere mensen langs?'
'Alleen mensen die zich willen aanmelden voor de workshops. Meestal stuurt Nora ze weg, maar het is soms een heel groepje.'
'Geen talent.'
Weer beet ze op haar lip. 'Ja.'
'Stuurt ze ze wel eens om andere redenen weg?'
'Dat moet u haar vragen.'
Milo zei: 'Goed, nogmaals bedankt. Het is wel heel mooi dat Nora haar talent gratis aanbiedt.'

'Heel mooi.'

'Dat kan ze doen omdat haar broers het PlayHouse financieren.'

'Haar broers én zij,' zei Briana Szemencic. 'Het is een heel familiegebeuren. Ze zijn stinkend rijk, maar ze zijn artistiek en vrijgevig.'

'Komen de broers wel eens lang om te zien hoe het geld wordt uitgegeven?'

'Ik heb ze wel eens gezien.'

'Blijven ze er dan bij?'

'Ze lopen wat rond. Komen langs om Nora te zien.' Ze pakte haar tas met beide handen vast. 'Vertelt u mij eens de waarheid over die dikzak.'

'Dat heb ik al gedaan, Briana.'

'Hij is geen handtastelijke enge vent? Dat kunt u me garanderen?'

'Je bent echt bang voor hem.'

'Hij stáárt altijd zo.'

'Ik heb je de waarheid gezegd, Briana.'

'Maar u nam me in de zeik over die andere dingen.'

'Welke andere dingen?'

'Dat u zei dat politiewerk net zoiets is als acteren. Dat was onzin, toch?'

'Ken je een meisje dat Tori Giacomo heet?' vroeg Milo.

'Wie is dat?'

'Mogelijk een leerlinge hier.'

'Ik kom hier pas een jaar. U hebt geen antwoord op mijn vraag gegeven. Dat was toch gelul, hè?'

'Nee, ik meende het,' zei Milo. 'Er zijn allerlei overeenkomsten tussen politiewerk en acteren. Frustratie, bijvoorbeeld. Dat vormt een groot deel van mijn werk, net als voor jou.'

Grote blauwe ogen keken verward.

'Als ik aan een nieuwe zaak begin, Briana, kan ik alleen maar vragen stellen om te zien of er iets vorm krijgt. Net als het lezen van een nieuw script.'

'Het zal wel.' Ze trok het autoportier open.

'Er is een ding dat we allebei weten, Briana. Het gaat om het werk. Je doet je best, je probeert onder in de trechter te komen, maar er zijn geen garanties.'

'Zal wel.'

144

Milo glimlachte. 'Fijn dat je met ons wilde praten. Rij voorzichtig.'

Toen we wegliepen, klonk er een benepen stemmetje vanuit de Nissan. 'Wat bedoelt u met de trechter?'

'Een keukeninstrument.'

Ze reed weg. Hij haalde zijn notitieboekje tevoorschijn en schreef wat dingen op.

Ik zei: 'Onofficieel, toch?'

'Ze dacht zeker dat ik een verslaggever was... Kennelijk deelde Nora haar trechteranalogie niet met haar kudde.'

Ik zei: 'Dat roept te veel angst op. Maar iets wat Nora níét verborgen hield, was het feit dat ze zich tot Meserve aangetrokken voelde. Toen en nu. Ik denk dat Brad zijn macht over haar onderschat heeft. Als Nora en Dylan nog steeds samen zijn, betekent dat dat Nora hem zal hebben geloofd toen hij Michaela de schuld van die stunt gaf. De vraag is: heeft dat iets te maken met het feit dat Michaela tussen het onkruid is geëindigd?'

'Wat die slimme tante net ook zei, ik denk dat jaloezie een voldoende motief is om nader onderzoek te doen.'

'Ja, maar er zijn ook andere scenario's mogelijk. Als Nora wrok koesterde tegen Michaela, heeft Dylan het misschien op zich genomen om Nora tevreden te houden. Of misschien vormde Michaela een bedreiging voor Dylan omdat ze dreigde naar Brad te gaan en hem slechte dingen over Dylan te vertellen. Of Nora zelf – dat ze erotische details verzon over haar nachten in Latigo samen met Dylan.'

'Verzon? Die twee hebben daar twee nachten naakt doorgebracht.'

'Volgens Michaela hebben ze niet met elkaar gevreeën.'

'Je bent veel te goedgelovig. Hoe dan ook, waarom zou ze Dylan op die manier willen bedreigen?'

'Misschien was het een juridische strategie,' zei ik. 'Hem te dwingen de verantwoordelijkheid op zich te nemen voor die stunt. Uiteindelijk is er een schikking getroffen. Maar als hij nog steeds boos was, heeft hij misschien van zich af geslagen.'

'En de reden dat hij Tori zou hebben vermoord is dat hij gewoon een akelige vent is?'

'Of misschien hadden hij en Tori een relatie die stukliep.'
'Hij vermoordt haar, vindt het de tweede keer een stuk makkelijker... En hij ís verdwenen. En Nora weet waar hij is – of ze heeft hem ergens een schuilplaats geboden. Dat verklaart waarom ze zo raar deed toen we over hem begonnen. Goed, genoeg theorieën voor vanavond.'
We liepen naar de auto.
Hij zei: 'We zitten nog steeds met Peaty.'
'Hij staart naar meisjes en brengt ze aan het huilen.'
'Daar heeft hij eerder problemen mee gehad. Laten we maar eens kijken of Seans surveillance iets heeft opgeleverd.'

Met één hand reed hij en met de andere belde hij met Binchy. De jonge rechercheur stond nog steeds bij Reynold Peaty's appartement geparkeerd. De conciërge was om zeven uur thuisgekomen en was niet meer weg geweest.
'Drie uur lang naar een gebouw zitten staren,' zei Milo, terwijl hij ophing. 'Daar zou ik helemaal gestoord van worden. Sean is net zo blij als wanneer hij op zijn bas speelt.'
Sean Binchy was een vroegere skapunker die geloof en ordehandhaving tegelijkertijd in zijn hart had gesloten.
'Hoe doet hij het met eigen zaken?' vroeg ik.
'Het routinewerk doet hij prima, maar hij vindt het moeilijk om zelfstandig na te denken.'
'Je moet hem naar Nora sturen. Dan leert hij misschien zijn rechterhersenhelft te gebruiken.'
'Dat zal best,' zei hij. 'Maar míjn hersenen doen zeer. Ik kijk even of ik berichten heb en dan schei ik ermee uit voor vandaag.'

Twee berichten, geen rust.
Het verwachte telefoontje van Lou Giacomo en een verzoek om menéér Albert Beamish terug te bellen.
'Misschien wil hij genoegdoening voor zijn dadelpruimen.' Hij toetste het nummer in, wachtte en hing toen op. 'Wordt niet opgenomen.' Hij slaakte een zucht. 'Oké, en dan nu het leuke werk.'

Lou Giacomo logeerde in het Holiday Inn dat Milo had geopperd. Milo hoopte op een kort condoleancegesprek, maar Giacomo wilde hem persoonlijk spreken en Milo had het hart niet om nee te zeggen.

Giacomo stond buiten het hotel in kleren die hij de vorige dag ook had gedragen. Toen we parkeerden, zei hij: 'Kunnen we ergens naartoe gaan? Even wat drinken, bijvoorbeeld? Ik word hier helemaal knettergek.'

'Van het hotel?' vroeg Milo.

'Van die gestoorde stad.'

19

Onze tweede kroeg van vanavond. Deze keer was het een bedompte zogenaamd Ierse pub aan Pico Boulevard.

Lou Giacomo nam het decor in zich op. 'Het zou Queens kunnen zijn.'

We gingen aan een tafel zitten met banken met stijve rugleuningen en neplederen kussens. Milo bestelde een cola light en ik nam een kop koffie.

Giacomo zei: 'Bud, gewoon, geen light.'

De serveerster was jong en had een lippiercing. 'Ik zou jou nooit aanzien voor een light-drinker.'

Giacomo negeerde haar. Ze wierp hem een scherpe blik toe en verdween.

Hij zei: 'Zijn jullie ex-alcoholisten, of zo?'

Milo liet zijn schouders zakken en nam nog meer ruimte op de bank in beslag.

Giacomo masseerde een dikke pols. 'Niet persoonlijk bedoeld. Ik ben niet op mijn best, oké?'

'Ik vind het heel erg van Tori,' zei Milo. 'Dat meen ik.'

'Zoals ik u de eerste keer al zei, ik wist het. En nu beweert mijn vrouw dat ze het ook wel wist.'

'Hoe gaat het met haar?'

'Ze wil dat ik meteen naar huis kom. Krijgt ze ongetwijfeld weer een zenuwinzinking. Ik ga niet terug voordat ik weet dat Tori fatsoenlijk begraven wordt.'

Hij kreeg tranen in zijn ogen. 'Wat een absurde opmerking, het is goddomme een schedel, hoe kun je die een fatsoenlijke begrafenis geven? Ik ben er geweest, bij uw patholoog-anatoom. Ze wilden me de schedel niet laten zien, kwamen met allemaal gezeik dat het niet is zoals op tv, dat ik hem niet per se hoefde te zien. Ik heb ze gedwongen hem me te laten zien.'

Handen als kolenschoppen vormden een trillende ovaal in de lucht. 'Een godvergeten díng. Ze hadden hem daar alleen maar omdat een of andere dame ermee aan het werk was, een of ander godvergeten wetenschappelijk project, ze boorde er gaten in, probeert er de...'

Hij verloor zijn zelfbeheersing. Bleek en zwetend leunde hij achterover, en hij hapte naar lucht alsof hij een stomp in zijn maag had gehad.

Milo zei: 'Meneer Giacomo?'

Giacomo kneep zijn ogen dicht en gebaarde dat hij hem even met rust moest laten.

Toen de serveerster de drankjes kwam brengen, zat hij nog steeds te snikken en zij was volwassen genoeg om de andere kant op te kijken.

'Het spijt me dat ik me als een mietje gedroeg.'

'Dat is nergens voor nodig,' zei Milo.

'Toch spijt het me, verdomme.' Giacomo wreef in zijn ogen, haalde de mouw van zijn jas langs zijn oogleden. Het tweed trok rode strepen over zijn wangen. 'Ze hebben me gezegd dat ik een aantal formulieren moet invullen zodat ik hem met me mee kan nemen. Daarna ben ik hier weg.'

Hij staarde naar zijn bier alsof het een urinemonster was. En dronk het toen op.

'Ik moet u zeggen: de paar keer dat Tori belde, wist haar moeder van geen ophouden: heb je al rollen, slaap je wel genoeg, heb je een vriend. Ik probeerde Arlene duidelijk te maken dat ze haar niet moest lastigvallen. Ze zei: "Ik doe het omdat ik van haar hou." Met andere woorden, ik dus niet.'

Giacomo nam nog een slok bier. 'En nu zegt ze opeens dat Tori misschien een vriend had. Hoe weet ze dat? Tori wilde het niet bevestigen, maar ze ontkende het ook niet.'

'Weet u nog meer?'

Giacomo trok zijn lip op. 'Moederinstinct.' Hij draaide aan zijn bierpul. 'Het stinkt daar. In het gerechtelijk lab. Alsof het vuilnis al een maand buiten staat. Hebt u iets aan deze informatie?'

'Niet zonder enig bewijs.'

'Tuurlijk. Tja, ik wil het u niet lastig maken, maar wat mij te wachten staat als ik naar huis ga, is niet bepaald aangenaam. De kerk, wie weet wat de mening van de paus is wat betreft een begrafenis – mijn zus gaat met de monseigneur praten. We zullen wel zien.'

Milo nam een slok cola light.

Lou Giacomo zei: 'Ik probeer me voor te houden dat Tori het nu beter heeft. Als ik mezelf daar niet van kan overtuigen, kan ik net zo goed...'

Milo zei: 'Als ik uw vrouw bel, zou zij me dan nog meer kunnen vertellen?'

Giacomo schudde zijn hoofd. 'Maar u kunt het proberen. Ze was altijd aan het kloeken: eet je wel voldoende, beweeg je wel genoeg, hoe gaat het met je gebit. Maar wat ze nooit echt snapte is dat Tori eindelijk volwassen wilde worden. Wat denkt u, heeft Tori iets te maken met dat andere meisje?'

Milo's leugen ging soepel over zijn lippen. 'Dat zou ik niet kunnen zeggen, meneer Giacomo.'

'Maar u kunt het ook niet níét zeggen.'

'Alles staat op dit moment nog open.'

'Met andere woorden, u bent geen stap verder.'

'Daar komt het wel op neer.'

Giacomo glimlachte slapjes. 'U zult wel boos worden, maar ik heb iets gedaan.'

'Wat?'

'Ik ben ernaartoe gegaan. Naar Tori's flat. Heb op alle deuren geklopt en gevraagd of ze Tori nog kenden of een kerel hadden zien rondhangen. Wát een krot. Er wonen voornamelijk Mexicanen die me verward aankeken en die geen woord Engels spraken. U zou de huisbazen kunnen vragen naar hun huurregister.'

'Gezien het feit dat u het al hebt geprobeerd en ze niet wilden meewerken?'

'Hé...'

Milo zei: 'Geeft niet, vertelt u me eens wat ze zeiden.'

'Geen zak.' Giacomo gaf hem een vodje papier. Briefpapier van het Holiday Inn. Een naam en een nummer met kengetal 323.

Milo zei: 'Home-Rite Management.'

Giacomo zei: 'Stelletje Chinezen. Ik heb een vrouw met een accent gesproken. Ze beweerde dat het gebouw al twee jaar niet meer van hun is. Ik probeerde haar duidelijk te maken dat het belangrijk is, maar ik kwam geen stap verder.' Hij streek met zijn handen langs zijn hoofd. 'Stom wijf – ik heb het gevoel dat mijn kop op barsten staat. Ik breng Tori goddomme thuis in een tas.'

We brachten hem terug naar het Holiday Inn, lieten de motor lopen en liepen met hem naar de glazen deuren van het hotel.

'Het spijt me van die opmerking dat jullie alcoholisten waren. De vorige keer in dat Indiase restaurant dronken jullie thee, en ik dacht...' Hij haalde zijn schouders op. 'Het was niet netjes, het zijn mijn zaken niet.'

Milo legde een hand op zijn schouder. 'U hoeft zich niet te verontschuldigen. Wat u hebt meegemaakt, kan ik met geen mogelijkheid begrijpen.'

Giacomo weerde hem niet af. 'Zegt u eens eerlijk: is dit een bijzonder erge zaak? Vergeleken met de meeste andere zaken die u krijgt?'

'Ze zijn allemaal erg.'

'Ja, natuurlijk. Alsof andermans kind niet net zo belangrijk is als het mijne. Maar ik denk aan míjn kind – zal ik ooit aan iets anders kunnen denken?'

Milo zei: 'Ze zeggen dat het makkelijker wordt.'

'Ik hoop het. Als u meer te weten komt, laat u het me dan weten?'

'Natuurlijk.'

Giacomo knikte en gaf Milo een hand. 'Jullie zijn oké.'

We keken hoe hij de hotellobby in ging, zonder een woord te zeggen langs de receptie liep en friemelend bij de lift bleef staan zonder op het knopje te drukken. Een halve minuut later sloeg hij zich voor zijn hoofd en drukte op het knopje. Hij draaide zich om, zag ons staan en zei geluidloos 'sufferd'.

Milo glimlachte. We liepen terug naar de auto en reden weg.

'"Ze zeggen dat het makkelijker wordt,"' zei Milo. 'Heel therapeutisch, vind je niet? Over leugens gesproken, ik moet naar het bureau om op te schrijven wat de kleine Briana onofficieel te melden had. Daar wil ik je niet mee vervelen.'

'Zullen we morgenochtend bij Michaela's flat afspreken?'

'Nee, dat wordt ook maar saai. Maar als jij nu eens Tori's moeder belt. Misschien dat een opleiding psychologie helpt. De ex ook. Dit zijn de nummers.'

De volgende ochtend werkte ik de telefoontjes af. Arlene Giacomo was een bedachtzame, evenwichtige vrouw.

Ze zei: 'Heeft Lou u helemaal gek gemaakt?'

'Nog niet.'

'Hij heeft me nodig,' zei ze. 'Ik wil dat hij thuiskomt.'

Ik liet haar een tijdje praten. Ze prees Tori, maar zei verder niets nieuws. Toen ik over vriendjes begon, zei ze: 'Een moeder weet zoiets, echt waar. Maar ik weet geen details. Tori wilde vrij zijn, wilde niet meer met mama praten. Dat was iets wat haar vader niet snapte, hij viel haar altijd lastig.'

Ik bedankte haar en belde Michael Caravanza. Er nam een vrouw op.

'Een ogenblikje – Miikeeey!'

Even later mompelde iemand: 'Ja?'

Ik legde uit waarom ik belde. Hij zei: 'Een ogenblik – wacht even, schatje. Gaat dit om Tori? Hebt u haar gevonden?'

'Haar stoffelijk overschot is gisteren geïdentificeerd.'

'Stoffelijk overschot – o, shit, ik wil het Sandy niet vertellen, ze kende Tori.'

'Kende ze haar goed?'

'Nee,' zei Caravanza, 'gewoon van de kerk. Wat is er gebeurd?'

'Daar proberen we achter te komen. Had u contact met haar nadat ze naar Los Angeles was verhuisd?'

'We waren gescheiden maar we konden het goed met elkaar vinden, begrijpt u? Een minnelijke schikking, zoals ze dat noemen. Ze belde me de eerste maand een paar keer. Daarna niet meer.'

'Niet langer eenzaam.'

'Ik ging ervan uit dat ze iemand had gevonden.'

'Zei ze dat?'

'Nee, maar ik ken – kende Tori. Als ze op die toon sprak, betekende het dat ze ergens opgewonden over was. En dat was ze in elk geval niet over haar acteercarrière, die schoot voor geen meter op. Althans dat zei ze tegen mij.'

'Hebt u geen idee met wie ze een relatie had?'

'Denkt u dat hij het gedaan heeft?'

'Alle aanwijzingen zijn welkom.'

'Tja,' zei Michael Caravanza, 'als ze heeft gedaan wat ze van plan was, dan heeft ze het aangelegd met een of andere filmster. Dat was het plan. Naar Hollywood gaan, in de juiste clubs gezien worden, een filmster ontmoeten en hem laten zien dat ze ook een ster kon zijn.'

'Veel ambitie.'

'Dat heeft ons uit elkaar gedreven. Ik ben maar een arbeider, Tori had in haar hoofd dat ze Angelina Jolie of zo kon worden. Wat? Wacht even, schatje. Sorry, Sandy is mijn verloofde.'

'Gefeliciteerd,' zei ik.

'Ja, ik ga het huwelijk nog een keer proberen. Sandy is aardig en ze wil graag kinderen. Deze keer geen grootse bruiloft in de kerk, gewoon met een ambtenaar van de burgerlijke stand en daarna gaan we naar Aruba of zo.'

'Klinkt goed.'

'Ik hoop het. Begrijp me niet verkeerd, Tori was een lief meisje. Maar ze dacht dat ze iemand anders kon zijn.'

'Die paar keer dat ze belde,' zei ik, 'heeft ze toen iets gezegd wat ons nu zou kunnen helpen?'

'Eens denken,' zei Caravanza. 'Ze heeft maar drie of vier keer gebeld... Wat ze zei? Voornamelijk dat ze eenzaam was. Daar kwam het eigenlijk op neer, dat ze eenzaam was. In een of ander lullig flatje. Ze miste me niet, wilde het ook niet goedmaken of zo. Wilde me alleen vertellen dat ze zich beroerd voelde.'

'Wat zei u dan?'

'Niets, ik luisterde. Dat deed ik ook toen we nog getrouwd waren. Zij praatte, ik luisterde.'

Ik belde Milo op zijn mobiel en bracht verslag uit van beide gesprekken.

'Ze wilde het dus aanleggen met een filmster.'

'Misschien nam ze genoegen met iemand die erop leek.'

'Meserve of een van die andere adonissen van het PlayHouse.'

'In de ogen van iemand die zo naïef was als zij, was iemand die al een tijdje meeliep waarschijnlijk heel indrukwekkend.'

'Ik vraag me af hoelang Meserve al onder de invloed van Nora Dowd staat.'

'Langer dan twee jaar,' zei ik. 'Hij was er voordat Michaela kwam.'

'En hij was er toen Tori kwam. Waar is hij nu dan, verdomme... Oké, bedankt, ik ga hier even over nadenken terwijl ik op Michaela's huisbaas wacht.'

De dag dobberde voorbij als een kurk op de oceaan. Ik overwoog om Allison te bellen, toen Robin, toen Allison weer. Uiteindelijk belde ik geen van beiden en bracht ik de zaterdag door met hardlopen en slapen en rottige klusjes in en om het huis.

De zachte, glorieus blauwe lucht van zondagochtend maakte alles erger; het was een dag om samen met iemand te zijn.

Ik reed naar het strand. De zon had mensen en auto's naar de kustlijn getrokken. Goudblonde meisjes paradeerden in bikinitopjes en sarongs, surfers trokken wetsuits aan en uit, toeristen staarden naar allerlei natuurlijke fenomenen.

Op de Pacific Coast Highway reed een politieauto in slakkengang, waardoor de rit van Carbon Beach naar Malibu Road tergend langzaam verliep. De zuidelijke toegang tot Latigo Canyon was dichterbij, maar dat betekende meer kilometers over een kronkelende weg. Ik reed door naar Kanan Dume en sloeg toen af.

Alleen.

Ik toerde door de vallei omhoog, met beide handen aan het stuur omdat de bochten de papperige ophanging van de Seville behoorlijk op de proef stelden. Ondanks het feit dat ik hier jaren geleden wel eens was geweest, werd ik verrast door de scherpe bochten en de steile hellingen.

Het was geen weg voor een ontspannen tochtje, en in het donker was het een gevaarlijke weg als je er niet bekend was. Dylan Meserve had hier gewandeld en was teruggekeerd om een ontvoering in scène te zetten.

Misschien vanwege de afgelegen ligging. Ik was nog geen ander voertuig tegengekomen dat de bergen op de proef stelde.

Ik reed een paar kilometer verder, slaagde erin om op een smal lint van asfalt rechts af te slaan naar Kanan en reed de Valley in. Tori Giacomo's laatste adres was een groezelig wit flatje geweest. Er stonden oude auto's en trucks in de straat. Zoals haar vader had beschreven, waren de meeste mensen donker getint. Sommige waren gekleed om naar de kerk te gaan. Andere zagen eruit alsof het geloof wel het laatste was waar ze aan dachten.

Over Laurel Canyon reed ik in zuidelijke richting de stad weer in en Beverly Boulevard bracht me naar Hancock Park. Nora Dowds Range Rover stond niet op de oprit en toen ik naar de deur liep en aanklopte, werd er niet opengedaan.

Ga naar het westen, doelloze man.

Het onkruid waarin Michaela was gedumpt had zich weer opgericht en verborg elk spoor van geweld. Ik staarde naar de planten en het vuil en stapte weer in de auto.

Op Holt Avenue zag ik Shayndie Winograd en een jongeman in een zwart pak met een breedgerande hoed en iets wat nauwelijks een baard mocht heten, samen met vier kleine kinderen en een dubbele wandelwagen in de richting van Pico lopen. Gershie Yoel, die zogenaamd ziek was geweest, verkeerde zo te zien weer in blakende gezondheid terwijl hij langs zijn vaders been omhoog probeerde te klimmen. Rabbijn Winograd duwde hem weg, maar tilde hem uiteindelijk op en wierp hem over zijn schouder alsof hij een zak meel was. De jongen vond het geweldig.

Een kort ritje later, ter hoogte van Reynold Peaty's woning aan Guthrie, zocht ik Sean Binchy, maar ik zag hem niet staan. Was die vent zó goed? Of waren wedergeboren verplichtingen op zondag belangrijker?

Toen ik langs Peaty's flat reed, kwam er net een jong Latijns-Amerikaans gezin de trap af dat in de richting van een gedeukt blauw busje liep. Kerkkleren en drie mollige kinderen van onder de vijf. Deze ouders leken nog jonger dan de Winograds – amper de twintig gepasseerd. Het kaalgeschoren hoofd en de arrogante pas van de vader pasten niet bij zijn stijve grijze pak. Hij en zijn vrouw waren dik. Zij had een vermoeide blik en geblondeerd haar.

Tijdens mijn coschappen had het psychiatrisch personeel een favoriete, zelfvoldane uitdrukking: kinderen die kinderen krijgen.

Het onuitgesproken foei-foei.

En ik zat hier in mijn eentje in de auto.

Wie kon het zeggen?

Zonder erbij na te denken was ik voor het gebouw van Peaty gestopt. Een van de kleintjes zwaaide naar me, ik zwaaide terug waarop beide ouders zich omdraaiden. De kale vader staarde me dreigend aan. Ik reed weg.

Bij het PlayHouse was niets te doen en hetzelfde gold voor het grote meloenkleurige gebouw aan Overland waar Meserve zonder de huur op te zeggen was vertrokken.

Een groezelige plek. Roestplekken onder de goten die ik de eerste keer niet had gezien. Roosters voor de kleine ramen, geen teken van leven.

Het bracht herinneringen aan mijn studententijd boven, toen ik alleen en anoniem en vol vertwijfeling aan Overland woonde en er hele weken in een wazige nevel van drugs voorbijgingen.

Ik stelde me Tori Giacomo voor, die de moed had opgevat om naar de andere kant van het land te verhuizen en was geëindigd in een kleine, treurige kamer in een straat vol vreemden. Gevoed door ambitie – of waanideeën. Was er een verschil?

Eenzaam, iedereen eenzaam.

Er schoot me een versiertruc te binnen die ik vroeger op meisjes had losgelaten.

Nee, ik gebruik geen drugs, ik ben liever van nature depressief.
Sardonisch. Een enkele keer werkte hij.

Maandagochtend om elf uur belde Milo vanuit zijn auto. 'Die verdomde huisbaas heeft me zaterdag laten stikken omdat er vanuit La Jolla te veel verkeer was. Uiteindelijk zei hij dat ik een sleutel kon halen bij zijn zus in Westwood. De klootzak. Ik moest op de technische recherche wachten, dus ik heb zelf een eerste onderzoek gedaan.'

'En?'

'Ze leefde niet op grote voet. Geen eten in de koelkast, wat mueslirepen en dieetdrankjes in de kast. Allerlei middeltjes tegen pijnklachten, maagklachten, brandend maagzuur. Een kleine hoeveelheid marihuana op het nachtkastje. Geen anticonceptie. Ze las niet veel. Haar bibliotheek bestond uit oude nummers van *Us*, *People* en *Glamour*. Ze had wel tv maar geen kabel en de telefoon was afgesloten. Haar telefoongegevens krijg ik over een paar dagen, maar haar vaste lijn was afgesloten wegens wanbetaling, zoals ik al zei, en ik kan geen enkele mobiele telefoon vinden op haar naam. Ze had wel mooie kleren. Niet veel, maar wel mooi, dus waarschijnlijk gaf ze al haar geld daaraan uit. De manager van het restaurant waar ze werkte zei dat ze haar werk goed deed, hij had geen klachten, en verder had ze niet veel indruk gemaakt. Hij kan zich niet herinneren of ze met bepaalde mannen omging. Meserves baas van de schoenenwinkel zei dat Meserve onbetrouwbaar was en arrogant kon zijn tegen klanten. Afijn, we zullen wel zien of ze interessante vingerafdrukken vinden. Geen tekenen van geweld of van een vechtpartij, het ziet er niet naar uit dat ze hier is vermoord. Hoe was jouw weekend?'

'Rustig.'

'Klinkt goed.'

Ik vertelde hem van mijn ritje naar Latigo, liet de rest van mijn toer en de herinneringen die het had opgeroepen weg.

Hij zei: 'Ja, fantastisch, hè? Ik was er vanmorgen vroeg zelf. Het is er heel mooi.'

'En afgelegen.'

'Ik heb een paar buren gesproken, ook de oude man die Michaela de stuipen op het lijf joeg toen ze naakt uit de bosjes sprong. Niemand had haar of Meserve daar vóór die tijd gezien. Ik heb de heer Beamish vanmorgen ook nog gesproken. Op zaterdag en zondag is hij in Palm Desert. De zon had zijn humeur niet verbeterd, maar hij stond te trappelen om me te vertellen dat hij Nora's Range Rover vrijdagavond rond negen uur had zien vertrekken.'

'Vlak na onze ontmoeting bij Brad thuis.'

'Misschien heeft Brad haar geadviseerd om op vakantie te gaan. Of misschien wilde ze gewoon even rust en heeft ze niet de moeite genomen haar studenten te informeren omdat ze een rijk en verwend mens is. Ik heb Beamish gevraagd een oogje in het zeil te houden en ik heb hem bedankt voor zijn oplettendheid. Kreeg

ik te horen: "Toon je dankbaarheid maar door je werk met mi-
nimale bekwaamheid te doen."'

Ik schoot in de lach. 'Heeft hij met al zijn observatietalent nog
gezien wie er in de Range Rover zat?'

'Dat mocht je willen. Meserves auto is nog steeds niet gevonden,
maar als hij bij Nora is rijden ze misschien in haar auto en hebben ze die van hem ergens verborgen. Bijvoorbeeld in Nora's garage of in de garage bij het PlayHouse. Misschien kan ik een deur
openwrikken en stiekem kijken. Even over iets heel anders. Zoals we al dachten is Reynold Peaty een eenzame loser. Hij is het
hele weekend zijn flat niet uit geweest. Ik heb Sean zondag vrij
gegeven vanwege zijn geloof, dus de kans bestaat dat we iets gemist hebben. Maar ik heb 's middags rond vier uur gesurveil-
leerd.'

Net gemist. Alweer.

'En tot slot,' zei hij, 'Tori Giacomo's flat is twee keer van eigenaar verwisseld in de tijd dat zij er woonde. De oorspronkelijke
eigenaars waren twee zussen van in de negentig die een natuurlijke dood zijn gestorven. Het pand is toen geveild en goedkoop
opgekocht door een speculant uit Las Vegas die het heeft door-
verkocht aan een syndicaat van zakenmannen uit Koreatown.
Geen archief van oude huurders, dus daar heb je helemaal niets
aan.'

'Wanneer ga je naar het huis van Nora?'

'Ik rij nu net voor.' Een autoportier werd dichtgeslagen. 'Ik loop
nu naar de voordeur. Klop, klop...' Hij verhief zijn stem tot een
verwijfde alt: 'Wie is daar? Inspecteur Sturgis? Wie?... Hoor je
dat, Alex?'

'Wat?'

'Precies. Oké, ik loop nu naar de garage... Op slot... Waar is een
stormram als je die nodig hebt? Tja, dat was het dan. Een volkomen zinloze oefening.'

20

Dinsdagochtend belde ik Robin, kreeg het antwoordapparaat en hing op.

Op mijn kantoor wenkte een stoffige stapel vaktijdschriften mij. Bij een verhandeling van twintig pagina's over de knipperreflex bij schizofrene ratten vielen míjn oogleden dicht.

Ik liep naar de vijver en gaf de koikarpers te eten. Het zijn best slimme beesten, voor vissen. Ze hebben geleerd op me af te zwemmen zodra ik de trap af kom. Het is fijn om gewaardeerd te worden.

Van de warme lucht en het klotsende water viel ik zo weer in slaap. Toen ik mijn ogen opendeed, zag ik Milo's grote kop boven mijn hoofd hangen.

Een brede grijns. De engste clown die er bestaat. Ik mompelde iets bij wijze van begroeting.

'Wat mankeert jou?' zei hij. 'Midden op de dag een beetje als een ouwe vent liggen dutten?'

'Hoe laat is het?'

Hij noemde de tijd. Er was een uur voorbij. 'Nog een paar witte schoenen en om vier uur avondeten en het is met je gebeurd.'

'Robin slaapt ook wel eens 's middags.'

'Robin heeft een echte baan.'

Ik kwam overeind en gaapte. De vissen schoten op me af. Milo neuriede de muziek van *Jaws*. Hij had een dossier in zijn hand. Een onmiskenbaar blauwe kleur.

'Een nieuwe?' vroeg ik.

Hij gaf geen antwoord en liep naar het huis. Ik zette mijn gedachten van me af en liep achter hem aan.

Hij ging aan de keukentafel zitten met een zakdoek in zijn kraag, borden en bestek voor één persoon. Zes sneetjes geroosterd brood, een snotterig roerei en een groot glas sinaasappelsap dat halfleeg was.

Hij veegde wat kruimels van zijn lippen. 'Wat een geweldige plek is het hier toch. Het ontbijt staat altijd klaar.'

'Hoe lang ben je hier al?'

'Lang genoeg om jou van alles te beroven als ik dat had gewild. Waarom kan ik jou er maar niet van overtuigen je deuren op slot te doen?'

'Jij bent de enige die langskomt.'

'Dit is geen bezoekje, dit is zakelijk.' Hij prikte in de berg eieren en schoof het blauwe dossier over tafel. Er kwam een tweede map onder vandaan. 'Lees maar, dan word je vanzelf wakker.'

Een paar vermiste personen. *Gaidelas, A. Gaidelas, C.* Opeenvolgende dossiernummers.

'Nog twee meisjes?' zei ik. 'Zussen?'

'Lees maar.'

Andrew en Catherine Gaidelas, respectievelijk achtenveertig en vijfenveertig, waren twee maanden na Tori Giacomo verdwenen. Het paar, twintig jaar getrouwd, geen kinderen, had een schoonheidssalon Locks of Luck in Toledo, Ohio. Ze waren tijdens hun voorjaarsvakantie naar Los Angeles gekomen en hadden bij Cathy's zus en zwager, Susan Palmer en haar man, dokter Barry Palmer, gelogeerd in Sherman Oaks. Op een frisse, heldere dag in april waren de Palmers naar hun werk gegaan en waren Andy en Cathy van plan een wandeling te maken in de bergen van Malibu. Sindsdien was er niets meer van hen vernomen.

Hetzelfde rapport in beide dossiers. Ik las dat van Catherine. 'Er staat niet wáár in Malibu.'

'Er staat wel meer niet. Lees verder.'

De feiten waren onvolledig en er waren geen zichtbare verbanden met Michaela of Tori. Zag ik iets over het hoofd? Toen kwam ik bij de laatste paragraaf.

Zus van persoon C. Gaidelas, Susan Palmer, vertelt dat Cathy en Andy naar Californië kwamen voor een vakantie, maar dat ze, toen ze hier eenmaal waren, overwogen te blijven zodat ze konden 'doorbreken met acteren'. S. Palmer meldt dat haar zus na de middelbare school wat 'modellenwerk en toneel' had gedaan en vaak zei dat ze actrice wilde worden. A. Gaidelas had geen acteerervaring, maar iedereen zei altijd dat hij een aantrekkelijke man was die 'op Dennis Quaid leek'. S. Palmer meldt dat Andy en Cathy genoeg hadden van hun schoonheidssalon en niet hielden van het koude weer in Ohio. Cathy zei dat ze dacht dat ze wel wat reclamewerk zouden kunnen krijgen omdat ze er zo 'all-American' uitzagen. Ze had het ook over 'een serieuze aanpak en acteerlessen' en S. Palmer vermoedt dat Cathy contact heeft opgenomen met enkele toneelopleidingen, maar weet niet welke.

Achterin zaten twee kleurenfoto's.
Cathy en Andy Gaidelas waren allebei blond, hadden blauwe ogen en een ontwapenende glimlach. Cathy droeg een mouwloze zwarte jurk met steentjes en bijpassende oorhangers. Een bol gezicht, brede schouders, getoupeerd goudblond haar, een sterke kin en een dunne rechte neus.
Haar man had grijsblond, warrig haar, een lang gezicht en een stoere uitstraling. Hij droeg een wit overhemd waaronder zijn blonde krullende borsthaar zichtbaar was. Zijn scheve kin had een zekere Dennis Quaid-achtige charme. Enige andere overeenkomsten met de acteur ontgingen me.
Een all-American paar van middelbare leeftijd. Misschien zouden ze in aanmerking komen voor vader-en-moederrollen in reclames. Om hondenvoer, kant-en-klaarmaaltijden of vuilniszakken aan de man te brengen.
Ik sloeg het dossier dicht.
Milo zei: 'Aankomende sterren en nu zijn ze verdwenen. Zoek ik er te veel achter?'
'Hoe heb je deze zaken gevonden?'
'Ik was op zoek naar andere gevallen van vermiste personen die een link hebben met acteren of met Malibu. Zoals gebruikelijk kwam de computer met niets, maar een rechercheur kon zich het echtpaar Gaidelas herinneren als toekomstige acteurs. Volgens hem geen moord, maar twee zeurende volwassenen. Ik heb de zwager gesproken, een plastisch chirurg. Het echtpaar Gaidelas wordt nog steeds vermist, de familie had de buik vol van de sheriffs en heeft een hele rits privédetectives versleten. De eerste twee kwamen met niets, maar de derde wist te ontdekken dat de huurauto van het echtpaar vijf weken na hun verdwijning opdook, stuurde ze een fikse rekening en zei dat hij verder niets kon doen.'
'De sheriffs hebben niet de moeite genomen om de familie over de auto te vertellen?'

'Het was een inbeslagname door de politie van Ventura. De sheriffs wisten het niet eens.'

'Waar is hij gevonden?'

'In Camarillo. Op de parkeerplaats bij dat grote outletcenter daar.'

'Enorm groot,' zei ik.

'Ben jij daar wel eens geweest?'

Twee keer. Met Allison. Wachten terwijl zij kleding paste bij Ralph Lauren en Versace. 'Vijf weken en niemand is die auto opgevallen?'

Hij zei: 'Voor hetzelfde geld stond hij ergens verstopt en is hij daarna verplaatst. Het huurcontract van het echtpaar was voor twee weken en toen ze de auto niet terugbrachten, is het verhuurbedrijf gaan bellen naar het nummer op het formulier, maar daar werd niet opgenomen. Toen ze het paar de boete in rekening wilden brengen, bleek dat hun creditcard en mobiele telefoon de dag na hun verdwijning waren geblokkeerd. Het bedrijf bleef de kosten in rekening brengen tegen een forse rente en de schuld werd doorgespeeld naar een incassobureau. Dat bureau kwam erachter dat hun nummer in Ohio was afgesloten. Wat denk jij?'

'Alsof ze ervandoor zijn gegaan.'

'Tien punten. Afijn, er is beslag gelegd op de bezittingen waardoor hun kredietwaardigheid tot nul gereduceerd is. Privédetective nummer drie heeft hun creditcarduitgaven nagegaan. Volgens de Palmers zijn Cathy en Andy er zeker niet vandoor gegaan en waren ze allebei wildenthousiast over hun doorbraak als acteur. En ze vonden Californië geweldig.'

'Is de auto onderzocht op bewijsmateriaal?'

Hij schudde zijn hoofd. 'Er was geen reden om een in beslag genomen huurauto te onderzoeken. Wie weet waar hij is. Waarschijnlijk is hij geveild en naar Mexico gegaan.'

'Dat outletcenter in Camarillo ligt kilometers van Malibu vandaan,' zei ik. 'Misschien zijn ze gaan wandelen om daarna te winkelen – kleren voor audities. Of ze zijn nooit teruggekomen uit de heuvels.'

'Het is niet waarschijnlijk dat ze zijn gaan winkelen, Alex. De laatste creditcarduitgave voordat de account is geblokkeerd is een lunch bij een Italiaan in Pacific Palisades de dag ervoor. Ik denk dat hun wandeling door de vrije natuur slecht is afgelopen. Twee toeristen die genieten van het uitzicht en niet rekenen op een vijand.'

Hij speelde met het roerei op zijn bord. 'Heb nooit van de natuur gehouden. Denk je dat het nader onderzoek waard is?'

'Gezien de link met Malibu en een mogelijke link met een toneelopleiding moet dat wel.'

'Dokter Palmer zou zijn vrouw vragen of ze met ons wilde praten. Twee minuten later belde de secretaresse van Susan Palmer om te zeggen: hoe eerder, hoe beter. Susan heeft een tandartspraktijk in Brentwood. Ik heb over veertig minuten een koffieafspraak met haar. Even mijn ontbijt opeten. Moet ik mijn bord zelf afwassen?'

Susan Palmer was een slankere, eenvoudigere uitvoering van haar zus. Ze had minder opvallend blond haar, blauwe ogen en een lichaam dat te smal leek voor haar brede gezicht. Ze droeg een geribbelde, witte zijden col, een donkerblauwe broek en blauwe suède instappers met gouden gespen. Haar ogen stonden zorgelijk en ze had rimpeltjes rond haar mond.

We stonden in een Mocha Merchant aan San Vincente, midden in Brentwood. Slanke mensen bestelden ingewikkelde koppen koffie verkeerd van zes dollar per stuk en gebakjes ter grootte van een kinderhoofd. Aan de cederhouten wandplaten hingen replica's van antieke koffiemolens. Een soepele jazzdeun werd afgewisseld met een Peruviaanse fluit. De geur van verbrande koffiebonen was bitter.

Susan Palmer bestelde een 'half cafeïnevrije Sumatraanse vanille-ijsmelange met volle melk en sojamelk, vol, niet mager'.

Van mijn bestelling – 'koffie, medium' – raakte de jongen achter de toonbank helemaal van slag.

Ik tuurde naar het menu. 'De dagmelange, extra heet, medium.'

Milo zei: 'En voor mij hetzelfde.'

De jongen keek alsof hij zich van iets beroofd voelde.

We brachten onze koffie naar het vurenhouten tafeltje vóór in het koffiehuis dat Susan Palmer had uitgekozen.

Milo zei: 'Fijn dat u tijd voor ons wilde vrijmaken.'

Palmer keek naar haar ijskoffie en roerde erin. 'Ik zou u moeten bedanken – eindelijk iemand die interesse toont.'

Haar glimlach was kort en plichtmatig. Ze had sterke handen. Roze geboende vingers met korte, gladde nagels. Tandartsenhanden.

'We willen graag horen wat u te zeggen hebt, mevrouw.'

'Inspecteur, ik heb aanvaard dat Cathy en Andy dood zijn. Dat klinkt misschien heel akelig, maar na al deze tijd is er geen andere logische verklaring. Ik weet dat de creditcard geblokkeerd is en dat in Toledo gas, water en licht zijn afgesloten, maar u moet me geloven: Cathy en Andy zijn níét weggelopen om een nieuw leven te beginnen. Dat zouden ze nooit doen, dat past bij geen van beiden.' Ze slaakte een zucht. 'Cathy zou niet eens weten waar ze naartoe zou moeten.'

'Waarom zegt u dat?'

'Mijn zus was het liefste mens dat er bestond. Maar niet erg verfijnd.'

'Ontsnappen is niet altijd verfijnd, mevrouw Palmer.'

'Cathy zou niet weten hoe ze moest ontsnappen. En Andy ook niet.' Ze roerde nog meer. Het beige brouwsel begon vies te schuimen. 'Ik zal u wat meer over onze familie vertellen. Onze ouders zijn gepensioneerde hoogleraren. Papa doceerde anatomie aan de medische faculteit van de universiteit van Ohio en mama gaf Engels aan de universiteit van Toledo. Mijn broer, Eric, is hoogleraar geneeskunde en doet biotechnisch onderzoek aan Rockefeller University en ik ben cosmetisch orthodontist.'

Weer een zucht. 'Cathy wist amper de middelbare school af te maken.'

'Geen studiehoofd,' zei ik.

'Ik besef nu dat Cathy leermoeilijkheden had, en dat ging logischerwijs gepaard met een gebrek aan zelfvertrouwen. Destijds dachten we alleen... dat ze niet zo slim was als wij. We behandelden haar niet slecht, integendeel, we vertroetelden haar. Zij en ik hadden een fantastische relatie, we hadden nooit ruzie. Ze is twee jaar ouder dan ik, maar ik voelde me altijd de grote zus. Iedereen binnen ons gezin was lief en aardig, maar toch hing er een... Cathy móét dat gemerkt hebben. De sfeer was veel te lief. Toen ze aankondigde dat ze schoonheidsspecialiste wilde wor-

den, reageerden mijn ouders zó enthousiast dat het haast leek alsof ze op Harvard was toegelaten.'

Ze nam een slokje van haar koffie en schoof het kopje toen een
stukje van zich af. 'Mijn vader en moeder zijn geen uitbundige
mensen. Toen mijn broer echt op Harvard werd toegelaten, was
hun reactie heel lauw. Cathy moet hebben geweten dat ze nogal
bevoogdend werd behandeld.'

Milo zei: 'Zij en haar man hadden een eigen zaak. Was ze in staat
zakelijk te...'

Susan Palmer schudde haar hoofd heftig, rilde bijna. 'In elk ander gezin zou Cathy zichzelf als succesvol hebben gezien. Maar
in het onze... De zaak is op poten gezet na een lange... Hoe zal
ik het zeggen? Cathy had problemen. Toen ze jong was.'

'Tienerproblemen?' vroeg Milo.

'Cathy had een lange puberteit. Drugs, alcohol, de verkeerde
vrienden. Acht jaar na de middelbare school woonde ze nog steeds
thuis en deed ze niets dan slapen en feesten. Een paar keer kwam
ze op de spoedeisende hulp terecht. Daarom waren mijn ouders
verrukt toen ze een opleiding tot schoonheidsspecialiste ging volgen. Daar ontmoette ze Andy. Ze pasten perfect bij elkaar.'

'Andy was ook geen studiehoofd?' vroeg Milo.

'Andy had ook moeite gehad met de middelbare school,' zei Susan Palmer. 'Hij is best aardig – aardig voor Cathy, dat is het belangrijkste. Ze kregen allebei een baan als stylist in plaatselijke
salons. Maar hun inkomen steeg niet veel en na tien jaar woonden ze nog steeds in een armoedig flatje. Dus hebben we een zaak
voor ze geregeld. Barry en ik, mijn broer en zijn vrouw, mijn vader en moeder. We vonden een oud winkelpandje, knapten het
op, kochten de benodigdheden. Officieel was het een lening, maar
we hebben nooit over terugbetalen gesproken.'

'Locks of Luck,' zei ik.

'Afgezaagd, hè? Dat was Andy's inspiratie.'

'Maakten ze winst?' vroeg Milo.

'De laatste paar jaar wisten ze een beetje winst te boeken. Mijn
ouders hielpen ze nog steeds.'

'Uw ouders wonen in Toledo?'

'Ja.'

'En zij denken dat Cathy en Andy nog leven.'

164

'Soms gelóven ze het ook echt,' zei Susan Palmer. 'Op andere momenten... Het is moeilijk geweest, laten we het daarop houden. Mijn moeders gezondheid is achteruitgegaan en papa is in korte tijd erg oud geworden. Als u ook maar iets kunt ontdekken, dan helpt u daar een paar lieve, oude mensen mee.'

Milo zei: 'Hebt u enig idee wat er gebeurd kan zijn?'

'Het meest logische is dat Cathy en Andy zijn gaan wandelen en een psychopaat zijn tegengekomen.' Susan Palmer knipperde even met haar ogen. 'Ik kan het me niet voorstellen. Ik wíl het me niet voorstellen.'

'De ochtend dat ze zijn gaan wandelen, is er toen iets ongewoons gebeurd?'

'Nee, het was een doodnormale ochtend. Barry en ik hadden een volle agenda, de hele dag patiënten, we hadden haast. Cathy en Andy werden net wakker toen we weggingen. Wild enthousiast over hun plannen om de natuur in te gaan. Barry en ik waren zo gehaast dat we niet echt aandacht aan ze besteed hebben.' Haar blik werd troebel. 'Hoe kon ik weten dat het de laatste keer was dat ik mijn zus zou zien?'

Ze nam nog een slok. 'Ik zei nog zo dat ik volle melk wilde, dit is magere. Stelletje sukkels.'

Milo zei: 'Ik haal wel even een nieuwe voor u.'

'Hoeft niet,' snauwde ze. Bijna in tranen. Haar gezicht verzachtte. 'Nee, dank u, inspecteur. Wat kan ik u nog meer vertellen?'

'Zeiden Cathy en Andy ook waar ze wilden wandelen in Malibu?'

'Barry en ik dachten dat ze de oceaan wel mooi zouden vinden, maar ze hadden een autogids en wilden wandelen in de buurt van Kanan Dume Road.'

'Waar op Kanan Dume?'

'Dat zou ik u niet kunnen zeggen,' zei Susan Palmer. 'Ik weet alleen nog dat ze ons een kaart in de gids lieten zien. Het zag er erg heuvelig uit, maar dat wilden ze. We hebben die informatie ook aan de sheriff gegeven, en ze zeiden dat ze er hebben gekeken en het gebied hebben onderzocht. Eerlijk gezegd vertrouw ik ze niet, ze hebben ons nooit serieus genomen. Barry en ik hebben urenlang door Malibu gereden.' Ze slaakte een zucht. 'Zo'n groot gebied.'

Ik zei: 'Hun auto is veertig kilometer ten noorden van Kanan Dume gevonden.'

'Daarom denk ik dat het in de heuvels moet zijn gebeurd, wat er ook gebeurd is. Dat moet toch haast wel? Waarom zou iemand de creditcard van Cathy en Andy anders laten blokkeren, als hij niet iets afschuwelijks probeerde te verbergen? Hetzelfde geldt voor het dumpen van de auto. Dat was bedoeld om ons op een dwaalspoor te brengen.'

'Wisten Cathy en Andy waar dat outletcenter zat?'

'Dat hebben wij hun nooit verteld, maar misschien stond het in de gids.' Ze plantte haar ellebogen op tafel. 'Mijn zus en zwager waren eenvoudige, eerlijke mensen. Als ze zeiden dat ze in Malibu gingen wandelen, dan gingen ze in Malibu wandelen. Ze zouden nóóit zomaar verdwijnen om zich in een of ander dwaas avontuur te storten.'

'Ze hadden wel een droom,' zei ik.

'Wat bedoelt u?'

'Acteren.'

'O, dát,' zei ze. 'In de acht jaar nadat Cathy van school was, wist ze zichzelf ervan te overtuigen dat ze actrice ging worden. Of fotomodel, afhankelijk van haar bui. Niet dat ze ooit iets deed om dat doel te bereiken. Ze las alleen de bladen. Mijn moeder kende de eigenaar van warenhuis Dillman en zo kreeg ze een baantje als model voor de voorjaarsmode. Cathy is knap en vroeger was ze een plaatje. Maar tegen die tijd was ze alweer een paar jaar ouder en bepaald niet mager.'

Ze snifte en hield haar adem een paar seconden in. 'Ik ben naar de show wezen kijken. Mijn moeder en ik zaten op de eerste rij en we kochten allebei kleren die we niet nodig hadden. Het voorjaar erna kon Dillman Cathy niet meer gebruiken.'

'Hoe reageerde ze daarop?' vroeg ik.

'Niet. Zo was Cathy. Ze slikte het allemaal, alsof ze het verdiende om teleurgesteld te worden. Wij vonden het afschuwelijk als Cathy teleurgesteld werd. Daarom moedigde mijn moeder haar aan om acteerlessen te nemen. Volwasseneneducatie in het wijkcentrum, musicals, dat soort dingen. Mijn moeder wilde dat Cathy zich ergens mee bezighield en uiteindelijk stemde Cathy ermee in. Ze leek het leuk te vinden. Op een gegeven moment hield ze ermee op en kondigde ze aan dat ze schoonheidsspecialiste wilde worden. Daarom waren Barry en ik geschokt toen ze opeens op de stoep stonden en verklaarden dat ze wilden acteren.'

'Was het ook Andy's droom?'

'Het was Cathy's droom, maar Andy ging erin mee, zoals altijd.'

Milo zei: 'Dat kan de basis van een goed huwelijk zijn.'

'Andy en Cathy waren de beste maatjes. Het was bijna... ik zal niet zeggen platonisch, maar de waarheid is dat ik er altijd vraagtekens bij heb gezet en mijn man en mijn broer en iedereen die Andy kende ook.'

'Wat voor vraagtekens?'

'Of hij soms homo is.'

'Omdat hij kapper is,' zei Milo.

'Niet alleen dat. Andy heeft een heel vrouwelijke kant. Hij is erg goed in kleding en huisinrichting en koken en ik weet dat dat heel vooringenomen klinkt, maar als u hem kende, zou u het begrijpen.' Ze knipperde met haar ogen. 'Misschien was hij een heel vrouwelijke hetero. Het doet er niet toe, of wel? Hij híéld van mijn zus. Ze waren dol op elkaar.'

Milo zei: 'In het dossier stond iets over acteeropleidingen.'

'O ja?'

'U lijkt verbaasd.'

'Ik heb het de sheriff verteld, maar ik wist niet dat hij het ook werkelijk had genoteerd. Is het belangrijk?'

'Alles wat meer licht laat schijnen op hun activiteiten tijdens hun verblijf in L.A. kan belangrijk zijn. Hebben ze specifieke opleidingen genoemd?'

'Nee, ze hadden het alleen over toeristische dingen. Disneyland, de Universal City Walk, het kruispunt Hollywood en Vine... Ze gingen naar het Hollywoodmuseum aan Vine in het oude Max-Factorgebouw. Dat vonden ze geweldig vanwege de nadruk op haar en make-up. Andy kon niet ophouden over de Blonde Room, de Brunette Room...' Ze verschoot van kleur. 'Misschien hadden ze een acteeropleiding in Hollywood gevonden. Die zullen er ongetwijfeld zijn, denkt u niet?'

'En wel meerdere.'

'Ik zou het zo kunnen nagaan, inspecteur. Ik kan ze allemaal opbellen.'

'Dat doe ik wel, mevrouw Palmer.'

Ze keek hem wantrouwig aan.

'Erewoord.'

'Neemt u me niet kwalijk, maar... Ik moet me ontspannen en iemand vertrouwen. Ik heb een goed gevoel over u, inspecteur.'

Het was Milo's beurt om te blozen.

'Ik hoop dat ik gelijk heb,' zei Susan Palmer.

21

Milo sprak nog enkele minuten met Susan Palmer, ging over op open vragen en maakte gebruik van pauzes en stiltes.

Een goede techniek die helaas niets opleverde. Ze vertelde dat ze haar zus erg miste en ging volledig over op de verleden tijd. Toen ze overeind kwam, had ze een gekwetste blik in haar ogen. 'Ik heb een wachtkamer vol scheve tanden. Houdt u me alstublieft op de hoogte.'

We volgden haar met onze blik toen ze over de parkeerplaats liep en in een zilverkleurige BMW 740 stapte.

Milo zei: 'Haar praktijk is twee straten verderop, maar ze was met de auto.'

'Typisch een meisje uit Californië,' zei ik. 'Iets wat haar zus graag wilde zijn.'

'Acteerlessen en een wandeling bij Kanan Dume. Dat kan geen toeval zijn. De vraag is hoe het echtpaar Gaidelas paste bij een paar aantrekkelijke, vrouwelijke slachtoffers.'

'Het meisje dat we spraken... Briana... zei dat Nora leerlingen wel eens afwees om redenen die niets met talent te maken hadden.'

'Ze wilde ze jong en knap,' zei hij. 'Cathy en Andy waren allebei te oud en Cathy was te dik. Wat wil dat zeggen? Dat ze bij het PlayHouse afgewezen én vermoord werden? Dat is nog eens een mislukte auditie.'

'Misschien kwam de moordenaar af op hun zichtbare kwetsbaarheid.'

'Iemand van de school ziet hen en begint hen te stalken?' Hij staarde uit het raam en keek toen naar mij.

Ik zei: 'Misschien is het net zo gegaan als bij Tori Giacomo. Als haar ex gelijk heeft en ze had hier inderdaad een relatie met iemand, dan zou je toch verwachten dat diegene zich gemeld zou hebben toen ze vermist werd. Tenzij hij iets met haar dood te maken had.'

'Een aantrekkelijke moordenaar. Zoals Meserve. Maar wat dan, hij opperde een triootje met Andy en Cathy en het liep fout af?'

'Of hij bood aan ze met hun carrière te helpen.'

'Ja,' zei hij, 'dat zou kunnen.'

'Aan de andere kant,' zei ik, 'had Reynold Peaty wel alle tijd om de hele menigte bij het PlayHouse in de gaten te houden.'

'Hij weer... Eens kijken of Sean nog iets is opgevallen.' Hij toetste Binchy's nummer in, trok een nijdige blik en zette de telefoon uit. 'Geen bereik. Misschien wordt het verstoord door die milieuvervuilende koffiedampen.'

Ik zei: 'Nora's band met de jeugd is wel interessant.'

'Hoezo? Ze is net als ieder ander in showbizz.'

'Maar ze heeft geen winstoogmerk. De school is er alleen maar als werkverschaffing, dus waarom zo kieskeurig? Tenzij ze het deed om een verzameling mannen rond zich te verzamelen.'

'Om de dekhengsten eruit te vissen.'

'En als ze te dichtbij komen, jaagt broer Brad ze weg. Of dat denkt hij.'

'Oké, dus ze is een geile muts van middelbare leeftijd. Wat is de link met het echtpaar Gaidelas?'

'Dat weet ik niet, maar toen Susan Palmer haar familie beschreef, vielen me de sterke overeenkomsten tussen Cathy en Nora op. Allebei hadden ze tot ver in de volwassenheid geen doel in hun leven. Door familieconnecties sleepte Cathy een klus als model in de wacht waarvan ze geen succes wist te maken. Nora had een eenmalig figurantenrolletje dat op niets uitliep. Cathy had een langdurig drugsprobleem. Nora begint haar dag met drugs. Uiteindelijk kregen beide vrouwen een eigen zaakje in de schoot geworpen. Cathy's salon begon onlangs lichte winst te maken. Met andere woorden, de zaak leed jarenlang verlies. Door het familiefortuin van de Dowds heeft Nora geen financiële problemen, maar waar het op neerkomt, is dat we met twee spilzieke dochters te maken hebben. Misschien maakte Cathy's komst iets bij Nora los wat ze niet wilde zien.'

'Cathy lijkt te veel op haar, dus Nora vermoordt haar? Dat is wel erg abstract, Alex. Hoe zou Nora überhaupt iets over Cathy's achtergrond moeten weten, als ze haar had afgewezen?'

'Stel dat Cathy auditie mocht doen?' zei ik. 'Nora ziet graag dat mensen hun ziel openstellen.'

'Cathy deed een emotioneel optreden waar Nora niet tegen kon? Best, maar ik zie een ontvlammende openbaring niet als motief voor moord. Nora hoefde haar en Andy alleen maar weg te sturen en zich te richten op de volgende spetter. En als het om onaangename herinneringen gaat, wat heeft Michaela daar dan mee te maken? En Tori Giacomo, die vóór het echtpaar Gaidelas verdween? Ik krijg de indruk dat dit veel eerder met seks te maken heeft, Alex. Je zei het zelf al: sommige psychopaten bestuderen de menigte en pikken de zwakken eruit. Cathy was misschien geen jong sterretje meer, maar ze was niet lelijk. Een vent als Peaty kan haar best sexy hebben gevonden, toch?'

'Peaty is betrapt op het gluren naar studentes. Michaela en Tori passen in die categorie, maar...'

'Cathy niet. Misschien is hij niet zo selectief als die onnozele houding van hem doet vermoeden. Misschien maakte Cathy iets in hem los... fijne herinneringen aan een of ander sletje in Reno dat hem had afgewezen. Jemig, misschien deed Cathy hem aan zijn moeder denken en is hij over de rooie gegaan. Hangen jullie ook nog steeds de oedipustheorie aan?'

'Die heeft zijn nut.'

'Er valt niet te zeggen wat er in die schedelpan omgaat, nietwaar?' Hij stond op en begon te ijsberen. 'Als het om een seksueel motief gaat, zijn er mogelijk meer slachtoffers. Maar laten we ons concentreren op de slachtoffers die bekend zijn. Ze hebben een acteeropleiding en/of de heuvels van Malibu gemeen.'

'Meserve is de enige die met beide een connectie heeft,' zei ik. 'Hij koos Latigo Canyon uit voor zijn grap, naar verluidt omdat hij daar eerder had gewandeld. Nora was kwaad vanwege die grap, maar ze gooide hem er niet uit, gaf hem juist een promotie. Misschien wist ze meer dan ze liet doorschemeren.'

'Denk je dat Dylan en Nora die grap samen hebben gepland? Maar waarom?'

'Het ultieme optreden. Twee mislukte acteurs schrijven samen een script. Ontdoen zich van de bijfiguren. Erg Hollywood.'

'Nora ontwerpt, Meserve werkt het uit.'

'Nora regisséért. Daar streeft iedereen naar in die business.'

Het werd warmer en luidruchtiger in de koffiebar naarmate er meer tafeltjes bezet raakten. Slanke mensen draalden bij de ingang. Veel nijdige blikken in onze richting.

Milo betaalde en we vertrokken. Een vrouw mompelde: 'Dat werd tijd.'

We reden naar het bureau en kwamen Sean Binchy tegen die net Milo's kamer uit kwam. Binchy's Dr. Martens glommen net als zijn rode haar dat vol gel zat.

'O, ik heb net een telefoontje voor je aangenomen.'

'Ik probeerde jóú net te bellen,' zei Milo. 'Nog nieuws over Peaty?'

Binchy begon te stralen. 'We kunnen hem arresteren als je wilt. Rijden zonder rijbewijs.'

'Heeft hij een auto?'

'Een rode Datsun, een oud, gedeukt busje. Hij parkeert hem op straat, drie straten van zijn flat. Dat bewijst moedwillig geheimhouden. Het kenteken is niet geldig en komt oorspronkelijk van een vierdeurs Chrysler die tien jaar geleden naar de schroot zou zijn gegaan. Van een oud dametje in Pasadena. In dit geval ook écht. En raad eens, dat is precies waar Peaty vanmorgen is geweest. Hij nam de 10 East naar de 110 North, nam de afslag naar Arroyo Parkway en daarna nog wat afslagen.'

'Waarnaartoe?'

'Een flatgebouw aan de oostkant van de stad. Hij haalde zwabbers en schoonmaakspullen uit het busje en ging aan het werk. Ik probeerde je nog te bellen, maar je was buiten bereik.'

'Dat komt door de omhooggevallen koffiedampen in de lucht,' zei Milo.

'Sorry?'

'Ga vanavond terug naar Peaty, Sean. Ga kijken of je het chassisnummer van het busje te pakken kunt krijgen, zodat we dat kunnen onderzoeken.'

'Doe ik,' zei Binchy. 'Had ik niet mogen stoppen met de surveillance? Ik had hier nog een aantal dingen te doen.'

'Zoals?' zei Milo.

Sean wiebelde wat heen en weer. 'De hoofdinspecteur belde me gisteren, dat wilde ik u nog zeggen. Hij wil dat ik aan een nieuwe zaak ga werken met Hal Prinski, een gewapende overval op een slijterij in Sepulveda. Ik ben niet bepaald gek op overvallen, maar volgens de hoofdinspecteur moet ik mijn ervaring verbreden. Ik weet niet goed wat rechercheur Prinski van me wil. Ik kan alleen zeggen dat ik mijn best zal doen om me zo snel mogelijk weer met Peaty bezig te houden.'

'Fijn, Sean.'

'Ik vind het heel vervelend. Als ik het voor het zeggen had, zou ik alleen voor jou werken. Dat is tenminste interessant.' Hij haalde zijn schouders op. 'Die illegale auto staaft de veronderstelling dat Peaty een schooier is.'

'Staaft?' zei Milo.

Binchy's sproeten verdwenen onder de blos die over zijn wangen trok. 'Elke dag een nieuw woord. Een ideetje van Tasha. Ze heeft ergens gelezen dat de hersenen na de puberteit aftakelen – alsof we allemaal wegrotten, snapt u? Ze is helemaal van de kruiswoordpuzzels en de woordspelletjes om de geest actief te houden. Ik lees de bijbel, dat vind ik actief genoeg.'

Milo zei: 'Dat busje staaft het inderdaad, Sean. Als je geen tijd meer hebt voor Peaty, hoef je je daar niet druk om te maken, maar laat het me wel direct weten.'

'Tuurlijk. Nog even over dat telefoontje van net. Dat heeft ook met Peaty te maken. Een zekere Bradley Dowd. De naam staat in het dossier van Michaela Brand. Hij is de baas van Peaty.'

'Wat wou hij?'

'Dat wilde hij niet zeggen, alleen dat het wel eens belangrijk kon zijn. Hij klonk nogal gejaagd, wilde mij niets zeggen, wilde alleen jou spreken. Hij gaf een mobiel nummer, maar niet het nummer dat in het dossier staat.'

'Waar ligt het?'

'Naast je computer. Die trouwens uit stond.'

'Ja, en?'

'Nou,' zei Binchy, 'ik wil me er niet mee bemoeien, maar soms is het beter om computers de hele tijd aan te laten staan, zeker de wat oudere exemplaren. Want het opstarten op zich kan voor een spanningsgolf zorgen en...'

Milo liep langs hem heen. Sloeg zijn kamerdeur dicht.

'... een storing veroorzaken.' Binchy glimlachte naar mij.

Ik zei: 'Hij heeft een drukke dag gehad.'

'Meestal, dokter Delaware.' Hij trok aan zijn manchet en toonde een feloranje Swatch. 'Jee, het is al twaalf uur geweest. Ik heb opeens zin in een burrito. Ik ga naar de snackautomaat. Fijne dag nog, dok.'

Ik deed de deur naar Milo's kamer open en botste bijna tegen hem aan toen hij naar buiten stormde. Hij liep door en ik moest rennen om hem bij te houden.

'Waar gaan we heen?'

'Het PlayHouse. Ik kreeg net een telefoontje van Brad Dowd. Hij wil ons iets laten zien. Hij praatte snel, maar klonk niet gejaagd. Eerder bang.'

'Zei hij ook waarom?'

'Iets over Nora. Ik vroeg of ze gewond was en toen zei hij nee en hing op. Ik zet mijn speurtalent wel in als we er zijn.'

22

Het hek bij het terrein van het PlayHouse stond open. Er hing een dichte zeemist die het gras bruin kleurde en de groene gevelplaten een gelige tint gaf.

Bradley Dowd stond voor de garage. Een van de schuurdeuren stond op een kier. Dowd droeg een zwarte kasjmieren coltrui, een reebruine broek en zwarte sandalen. In de mist leek zijn witte haar grauw.

Zijn Porsche stond niet op straat geparkeerd. Er stond wel een rode Corvette met gedeelde achterruit uit de jaren zestig. Alle overige auto's in de straat waren zo aantrekkelijk als havermout.

Dowd wenkte ons toen we langs de stoep parkeerden. Er glinsterde iets in zijn hand. Toen we bij de garage kwamen, trok hij de deur open. De oud ogende buitenkant was misleidend. Binnen was de zwarte cementvloer gepolijst totdat hij glom en hingen er aan de met cederhouten schrootjes bedekte muren allerlei race-posters. Vanaf de dakspanten scheen er halogeenverlichting om-laag.

Een driedubbele garage die vol stond.

Links stond een volmaakt gerestaureerde Austin Healy, laag en rank. Daarnaast nog een Corvette, wit, fraai verchroomd. Ron-dere vormen dan de auto op straat. Ronde achterlichten. Een van mijn hoogleraren had vroeger zo'n auto. Hij ging er prat op dat hij uit '53 was.

Tussen de twee sportwagens stond een luchtfilter te brommen. Dat had niet veel effect gehad op de gedeukte bruine Toyota Co-rolla die helemaal rechts stond.

Brad Dowd zei: 'Ik kwam hier een uurtje geleden met mijn Sting Ray uit '63 die net nieuwe kleppen heeft.' Het glimmende ding in zijn hand was een combinatieslot. 'Deze roestbak staat op de plek waar de Stinger hoort te staan. Hij stond niet op slot dus heb ik het kentekenbewijs bekeken. Hij is van Meserve. Er ligt iets op de stoel wat ik een beetje griezelig vind.'

Milo liep langs hem heen om de Corolla, tuurde door het raam-pje en kwam toen terug.

'Hebt u het gezien?' zei Brad Dowd.

'Een sneeuwbol.'

'Waar ik u over had verteld. Toen Nora het uitmaakte, heeft ze hem kennelijk teruggegeven. Vindt u het niet een beetje vreemd dat hij hem in deze roestbak heeft bewaard? En dat hij vervol-gens deze roestbak in míjn garage heeft gezet?' Dowds kaak tril-de. 'Ik heb Nora gisteren geprobeerd te bellen, maar ze nam niet op. Vandaag ook niet. Ze is aan mij geen verantwoording schul-dig, maar meestal belt ze me wel even terug. Ik ga nu naar haar huis, maar ik wilde u dit eerst laten zien.'

Albert Beamish had gezien dat Nora vier dagen daarvoor was weggereden. Milo zei hier niets over. 'Heeft Meserve zijn auto wel eens eerder hier laten staan, meneer Dowd?'

'Absoluut niet. Nora gebruikt het huis als school, maar de gara-ge is van mij. Ik kom altijd ruimte te kort.'

'Veel auto's?'

'Een paar. Soms reserveer ik plaatsen in een van mijn gebouwen, maar dat is niet altijd genoeg. Vroeger had ik een hangar op het vliegveld, dat was perfect, pal naast het kantoor. Maar door de toenemende vraag van vliegtuigeigenaren werd de huurprijs opgeschroefd.'

Hij rammelde met het hangslot. 'Wat mij dwarszit, is dat Nora en ik de enigen zijn die de combinatie kennen. Die zou ze hem nooit geven.'

'Waarom weet u dat zo zeker?' vroeg Milo.

'Hoe bedoelt u?'

'Nora is een volwassen vrouw. Misschien heeft ze uw advies bewust genegeerd.'

'Over Meserve? O nee, Nora was het met me eens over die schooier.' Brad liet zijn hand zakken en zwaaide met het slot. 'Stel dat hij haar heeft gedwongen de garage open te maken.'

'Waarom zou hij dat doen?'

'Om dat díng te verstoppen,' zei Dowd. Hij keek naar de Toyota. 'Die stomme bol daar laten liggen... dat is gewoon raar. Wat gaat u eraan doen?'

'Enig idee hoe lang de auto hier al staat?'

'Niet langer dan twee weken, want toen heb ik nieuwe kleppen in de Stinger laten zetten.'

Milo liep nog een keer om de auto heen. 'Zo te zien ligt er niet veel meer in dan de bol.'

'Er ligt ook verder niets,' zei Dowd handenwringend. Het slot klikte. Hij hing het aan de deurklink en kwam hoofdschuddend terug. 'Ik heb haar nog zo gewaarschuwd voor hem.'

Milo zei: 'We hebben alleen zijn auto.'

'Weet ik, weet ik... Denkt u dat ik overdrijf?'

'Het is heel begrijpelijk dat u zich zorgen maakt om uw zus, maar laten we geen voorbarige conclusies trekken.'

'En wat moet ik met die roestbak?'

'Die laten we wegslepen om hem in bewaring te nemen.'

'Wanneer?'

'Ik ga nu direct bellen.'

'Dank u.' Brad tikte met zijn voet, terwijl Milo belde.

'Met een halfuur, meneer Dowd.'

'Prima, prima... Weet u wat me nog meer dwarszit? Dat meisje.

Dat meisje Brand. Die kwam ook in aanraking met Meserve en kijk wat er met haar is gebeurd. Nora is verdomme veel te goed van vertrouwen, inspecteur. Stel dat hij naar haar toe ging, dat zij hem binnenliet en hij gewelddadig werd?'

'We zullen de auto onderzoeken op sporen van geweld. Weet u zeker dat uw zus en u de enige zijn die de combinatie kennen?'

'Heel zeker.'

'Nora kan hem niet aan Meserve hebben gegeven? In de tijd dat ze nog steeds in hem geïnteresseerd was, misschien?'

'Ze is nooit in hem geïnteresseerd geweest – het was niet meer dan een korte flirt.' Dowd beet op zijn lip. 'Ze zou hem de combinatie nooit geven. Dat heb ik haar uitdrukkelijk verboden. Het is ook niet logisch. Als ze de garage wilde openmaken, kon ze dat zelf ook. Maar dat zou ze niet doen, omdat ze wist dat ik de Stinger daar weer zou zetten.'

'Wist ze ook wanneer?'

'Daar belde ik gisteren over. Om door te geven dat ik hem er weer neer ging zetten. Maar ze nam niet op.'

'Dus ze wist het niet,' zei Milo.

'Ik probeer haar nog een keer thuis.' Hij haalde een glimmende zwarte mobiele telefoon tevoorschijn, drukte op twee voorkeuzetoetsen. 'Ze neemt steeds niet op.'

'Is het mogelijk dat Reynold Peaty achter de combinatie is gekomen? Vanwege zijn werk hier.'

Dowd sperde zijn ogen. 'Reynold? Waarom zou hij die willen hebben? Is er iets wat u me niet verteld hebt over hem?'

'Hij blijkt toch auto te rijden. Hij heeft een niet-geregistreerde wagen.'

'Wat? Waarom zou hij dat in vredesnaam doen? Ik heb een carpooldienst om hem op te halen en naar zijn werk te brengen.'

'Hij is vandaag zelf naar een klus in Pasadena gereden.' Milo las het adres op uit zijn notitieboekje.

'Ja, dat is er een van mij. O, jezus… en dat weet u zeker? Ja, natuurlijk, het is wel duidelijk dat u hem in de gaten hebt gehouden.' Dowd haalde zijn vingers door zijn witte haar. Zijn andere hand balde hij tot een vuist. 'Ik heb u de eerste keer gevraagd of ik me zorgen moest maken over hem. En nu zegt u dus ja.' Brad hield een trillende hand boven zijn ogen. 'Hij is alleen geweest met mijn zus. Dit is een nachtmerrie. Dit kan ik Billy niet vertellen.'

'Waar is Billy?'

'Die zit op me te wachten op kantoor. We moeten Nora vinden. Wat gaat u daar verdomme aan doen, inspecteur?'

Milo keek naar het PlayHouse. 'Hebt u al binnen gekeken?'

'Hier? Nee... o, nee!' Brad stoof naar het gebouw, rende met lange, soepele stappen rond de reling van de veranda en graaide in zijn zakken terwijl hij de treden met twee tegelijk nam. Milo liep achter hem aan en toen Dowd de sleutel in het slot stak, legde Milo zijn hand over de zijne.

'Ik ga eerst.'

Dowd verstijfde en deed toen een stap naar achteren. 'Best. Ga voor. Snel.'

Hij ging aan de oostkant van de veranda staan, leunde tegen de reling en staarde naar de garage. De zon kwam onder de mist vandaan. De bladeren waren weer groen. Dowds rode Corvette kreeg een oranje gloed.

Zes minuten gingen in stilte voorbij voordat de deur openging. Milo zei: 'Zo te zien is dit geen plaats delict, maar ik kan voor de zekerheid de technische recherche bellen.'

'Wat houdt dat in? Halen ze dan alles overhoop?'

'Ze onderzoeken op vingerafdrukken, maar veroorzaken geen structurele schade, tenzij ze iets vinden.'

'Zoals?'

'Sporen van geweld.'

'Maar die hebt u niet geconstateerd?'

'Nee.'

'Hebt u mijn toestemming nodig om die mensen hier toe te laten?'

'Zonder aannemelijke verdenking wel.'

'Dan zie ik het nut er niet van in. Laat mij naar binnen gaan. Ik zie direct of er iets niet in orde is.'

Overal gepolijst eikenhout.

Gelambriseerde muren, houten vloeren, plafondbalken, houten kozijnen. Gepolijst hout van een eeuw geleden met de kleur van oude whisky, bijeengehouden met pen-en-gatverbindingen. Voor de pennen was donkerder hout gebruikt, walnotenhout. Er hingen bruinfluwelen gordijnen met franje voor enkele ramen.

Voor een aantal andere ramen hing niets en was het glas-in-lood te zien. Bloemen en vruchten en bladeren van hoge kwaliteit, misschien tiffany.

Er kwam niet veel natuurlijk licht binnen. Het was donker en stil in huis. Het was er kleiner dan het vanaf de straat leek, met een bescheiden hal met aan weerszijden twee voorkamers. Wat eens de eetkamer was geweest, stond nu vol met oude, gestoffeerde tweedehandsstoelen, zitzakken van vinyl, opgerolde dekens en rubberen oefenmatten. Door een openstaande deur was de witte keuken zichtbaar.

Achter in de voormalige salon was een podium opgezet. Het was een slordige triplex constructie op onbewerkte sparrenhouten steunbalken die des te grover leken bij al het schrijnwerk en de glimmende oppervlakken. Er stonden drie rijen klapstoelen voor het publiek. Aan de buitenmuur hingen foto's, de meeste zwartwit. Oude filmfoto's zo te zien.

Brad Dowd zei: 'Alles lijkt normaal.' Zijn ogen gleden naar een openstaande deur rechts van het podium. 'Hebt u achter gekeken?' Milo knikte. 'Ja, maar gaat uw gang.'

Dowd liep door de deur en ik volgde hem. Een korte, donkere gang leidde naar twee kleine kamertjes met een oude wc ertussenin. De vroegere slaapkamertjes met een lambrisering van houten schrootjes en een groen geschilderde muur daarboven. Een kamer was leeg en in de andere, waar meer filmfoto's hingen, stonden extra klapstoelen. Beide kasten waren leeg.

Brad Dowd liep er snel in en uit. De onverschillige surferhouding die ik bij hem thuis had gezien had plaatsgemaakt voor het schrikachtig air van een kemphaan.

Als iets een mens van slag kon brengen, dan was het wel familie. Hij liep weg. Ik bleef nog even staan en bekeek de foto's. Mae West, Harold Lloyd, John Barrymore. Doris Day en James Cagney in *Love Me or Leave Me*. Veronica Lake en Alan Ladd in *The Blue Dahlia*. Voight en Hoffman in *Midnight Cowboy*. Zwart-witgezichten die ik niet herkende. Een serie die was gewijd aan jonge acts. The Lennon Sisters. The Brady Bunch. The Partridge Family. The Cowsills. Een viertal breed grijnzende kinderen in broeken met wijde pijpen die de Kolor Krew heette.

Ik liep terug naar de voorkamer. Milo en Brad Dowd zaten op de rand van het podium, Dowd met gebogen hoofd. Milo zei: 'U kunt helpen door te bedenken waar uw zus zoal naartoe gaat.'

'Ze zou dat ding niet in de garage laten staan en zomaar weggaan.'

'Voor de zekerheid, meneer Dowd.'

'Waar gaat ze zoal naartoe... Goed, ze gaat één keer per jaar naar Parijs. Later in het jaar, half april. Dan logeert ze in het Crillon, kost een vermogen. Soms reist ze door naar het zuiden en huurt ze een klein kasteeltje. Ze is nooit langer dan een maand weg geweest.'

'En verder?'

'Vroeger ging ze overal naartoe... Engeland, Italië, Duitsland... maar Frankrijk is het enige land dat ze echt mooi vindt. Ze spreekt een woordje Frans en heeft nooit die problemen meegemaakt waar je wel eens over hoort.'

'En hier in Amerika?'

'Ze is een paar keer naar een kuuroord in Mexico geweest,' zei Dowd. 'Ergens in Tecate. Volgens mij gaat ze ook wel eens naar Ojai. Of Santa Barbara, ergens in die omgeving. Ze is dol op kuuroorden... Denkt u dat het zoiets kan zijn? Dat ze gewoon zin had om zich te laten verwennen en dat ik me voor niets zorgen maak. Allemachtig, misschien wist Meserve toch de combinatie en heeft hij dat wrak er neergezet, terwijl Nora ergens met een moddermasker op haar gezicht zit en van niets weet.'

Hij trommelde met zijn vingers op zijn knieën. 'Ik bel elk godvergeten kuuroord in de staat.'

'Dat doen wij wel.'

'Ik wil iets dóén.'

'Helpt u mij door na te denken,' zei Milo. 'Was Nora van plan om op reis te gaan?'

'Zeker niet.' Brad sprong overeind. 'Ik ga naar Billy en daarna naar Nora's huis, inspecteur. Ze vindt het niet fijn als ik haar sleutel gebruik, maar stel dat ze is gevallen en hulp nodig heeft.'

Milo zei: 'Wanneer hebt u haar voor het laatst met Meserve samen gezien?'

'Nadat Meserve die grap had uitgehaald en ze me ervan verzekerde dat het over was.'

Milo zei niets.

Dowd lachte bitter. 'Maar wat doet zijn auto verdomme dan hier, hè? U denkt dat ik er niets van snap.'

'Uw zus is een volwassen vrouw.'

'Min of meer,' zei Brad Dowd zacht.

'Het is zwaar om altijd voor iedereen verantwoordelijk te zijn,' zei ik.

'Nou, echt geen lolletje.'

Milo zei: 'U hebt dus een sleutel van Nora's woning.'

'In mijn kluis op kantoor, maar ik heb hem nog nooit gebruikt. Ze heeft hem me jaren geleden een keer gegeven – om dezelfde reden dat ik haar de combinatie van de garage heb gegeven. Als ze niet thuis is, kijk ik misschien wel even rond. Kijken of ik haar paspoort ergens zie. Ik weet niet waar ze dat bewaart, maar ik kan het proberen. Al komt u er waarschijnlijk sneller achter... gewoon de luchtvaartmaatschappijen bellen.'

'Sinds 11 september is dat wat lastiger,' zei Milo.

'Bureaucratische onzin?'

'Inderdaad. Ik mag niet eens met u het huis van uw zus binnen, tenzij u uitdrukkelijk toestemming van haar hebt gekregen om gasten mee te nemen.'

'Gasten,' zei Brad Dowd. 'Alsof we verdomme een feestje gaan bouwen. Nee, dat heeft ze nooit gedaan. Eerlijk gezegd ben ik zelf nooit Nora's huis binnengegaan zonder haar. Dat was ook nooit nodig.' Hij veegde een onzichtbaar stofje van zijn trui. 'Ik ga Reynold ontslaan.'

'Doet u dat alstublieft niet,' zei Milo.

'Maar...'

'We hebben geen enkel bewijs tegen hem, meneer Dowd, en ik wil hem niet alarmeren.'

'Hij is verdomme een viezerik,' zei Brad Dowd. 'Stel dat hij tijdens zijn werk dingen flikt. Wie wordt er dan aangeklaagd wegens medeplichtigheid? Wat hebt u me nog meer niet verteld?'

'Niets.'

Dowd staarde naar Milo. 'Inspecteur, het spijt me dat ik uw plannen in de war stuur, maar ik ga hem toch ontslaan. Zodra ik mijn advocaat en mijn boekhouder heb gesproken en zeker weet dat alles volgens het boekje gebeurt. Het is mijn recht om mijn zaken te regelen zoals...'

'We houden Peaty in de gaten,' zei Milo, 'dus het is onwaarschijnlijk dat hij over de schreef gaat. Ik heb liever dat u dit nog even uitstelt.'

'U hebt dat liever,' zei Dowd. 'En ik heb liever niets te maken met de zooi van al die anderen.'

Hij liep weg, langs de klapstoelen. Schopte tegen een metalen poot. Vloekte zachtjes.

Milo bleef met zijn kin in zijn hand op het podium zitten.

Een onemanshow. De sombere rechercheur.

Brad Dowd liep de gang in en keek achterom. 'Bent u van plan om hier te blijven slapen? Kom, ik wil afsluiten.'

23

Milo duwde zijn schoen tegen de stoep en keek hoe de Corvette weg raasde.

Ik zei: 'Je wilde dat Brad Peaty serieuzer nam.'

'Ik wilde mezelf indekken. Als blijkt dat Nora iets ergs is overkomen, zal hij iemand de schuld willen geven.'

'Je hebt hem niet verteld dat Nora vrijdagavond is vertrokken.'

'Mijn eerlijkheid kent zijn grenzen. Om te beginnen heeft Beamish niet gezien wie er in die auto zat. En er is verder geen wet die haar dwingt thuis te blijven. Misschien is ze ergens wat gaan drinken. Misschien ging ze op reis. Of misschien is ze door buitenaardse wezens ontvoerd.'

'Als Meserve haar heeft ontvoerd, waarom zou hij dan zijn auto bij haar school achterlaten en het van de daken schreeuwen? En als de sneeuwbol een soort trofee is, zou hij hem met zich meenemen.'

'Als?' zei hij. 'Wat kan het anders zijn?'

'Misschien een uitdagende boodschap voor Brad van Dylan én Nora. "We zijn nog steeds bij elkaar." Dat past ook bij het feit dat hij de Toyota op een gekoesterde plek van de broer heeft gezet. Is er een bepaalde reden dat je Brad niet vertrouwt?'

'Omdat ik hem niet alles heb verteld? Nee, ik weet alleen niet genoeg om iets te vertellen. Hoezo, zit hij je niet lekker?'

'Dat niet, maar ik vind dat zijn waarde als informatiebron beperkt is. Het is wel duidelijk dat hij zijn eigen invloed op Nora overschat.'

'De niet zo assertieve zus.'

'Hij nam de rol van verzorger op zich omdat Billy en Nora onbekwaam zijn. Daardoor bleven zij volwassen kinderen. Nora is meer de eeuwige tiener – ze is egocentrisch, losbandig, ze rookt wiet. En wat doen opstandige tieners als ze met de rug tegen de muur staan? Dan bieden ze passief weerstand of ze vechten terug. Toen Brad erop stond dat ze het uitmaakte met Meserve, koos Nora voor een passieve houding.'

'Ervandoor gaan in haar Range Rover en haar minnaars roestbak achterlaten zodat ze in stijl kunnen reizen. Ja, zou kunnen. Is het gewoon een reisje? Of razen Bonnie en Clyde in een dure auto de stad uit omdat ze stoute dingen hebben gedaan?'

'Ik weet het niet,' zei ik. 'De een na de andere leerling van Nora verdwijnt, maar nu we weten dat Peaty ook een auto heeft, blijft hij de belangrijkste verdachte.'

'Een busje. De standaard psychopatenbak. En binnenkort staat hij op straat. Als Sean de surveillance heeft gestaakt en de klootzak ontsnapt, ben ik helemaal ver van huis.'

Hij sloeg zijn armen over elkaar. 'Ik had Brad niets moeten zeggen over dat busje van Peaty.'

'Peaty maakt veel gebouwen schoon,' zei ik. 'Het was de juiste beslissing.'

'Heb je niet gehoord wat ik zei? Ik wilde mezelf indekken.'

'Sorry, ik versta je niet.'

Terwijl we stonden te wachten op de takelwagen van de politie, probeerde Milo Binchy weer te bellen. Opnieuw geen bereik. Hij bromde iets over de 'hightech leugen' en ijsbeerde door de straat. De takelwagen kwam langzaam aangereden terwijl de chauffeur naar het juiste adres zocht. Milo zwaaide, maar werd genegeerd. Eindelijk reed de wagen de oprit op en stapte een slaperige chauffeur uit die eruitzag alsof hij negentien was.

'Daar, de Toyota,' zei Milo. 'Beschouw het als plaats delict en breng hem regelrecht naar de garage van de technische recherche.'

De chauffeur wreef in zijn ogen en rommelde wat met papieren. 'Dat is niet mijn opdracht.'

'Nu wel.' Milo gaf hem een paar handschoenen. De chauffeur trok ze aan en slofte in de richting van het portier van de kleine auto.

Milo zei: 'Er ligt een sneeuwbol op de stoel. Dat is bewijsmateriaal.'

'Een wat?'

'Zo'n ding dat sneeuwt als je hem schudt.'

De chauffeur keek verward. Toen trok hij het portier open en pakte de bol. Hij hield het ding op zijn kop en keek hoe de plastic vlokken dwarrelden. Daarna tuurde hij naar de letters onderop en trok zijn wenkbrauwen op.

Milo deed een paar handschoenen aan, griste het ding uit de handen van de chauffeur en liet het in een bewijsmateriaalzakje glijden. Zijn hoofd was rood.

De chauffeur zei: 'Moet ik dat ding meenemen?'

'Nee, slimmerd, die neem ik mee.'

'Sneeuw,' zei de chauffeur. 'Op het kruispunt van Hollywood en Vine? Daar heb ik het nog nooit zien sneeuwen.'

Toen ik terugreed naar het bureau zei Milo: 'Doe me een lol en bel zo snel mogelijk die advocaat – Montez. Vraag of Michaela hem iets over Meserve en Nora heeft verteld wat ze voor jou heeft verzwegen. Enig idee wie Meserves pro-Deoadvocaat was?'

'Marjani Coolidge.'

'Ken ik niet.'

'Ik ook niet, maar ik kan het proberen.'

'Proberen is goed.'

Het tweede telefoontje naar Binchy werd wel opgenomen. Milo zei: 'Controleer je telefoon eens wat vaker, Sean. Volg je hem nog? Nee, laat maar zitten, die is waarschijnlijk aan het werk. Ik verzin nog wel iets voor 's nachts. Wat je wel kunt doen is alle kuuroorden van Santa Barbara County tot halverwege Baja opbellen om te zien of Nora Dowd en Dylan Meserve ergens hebben ingecheckt... Kuuroorden... massages en natuurlijke voeding en zo. Wat? Nee, dat is wel goed, Sean.'

Hij duwde de telefoon in zijn zak.

'Is hij nog steeds met die overval bezig?' vroeg ik.

'Kennelijk.' Hij roffelde een snelle chachacha op het dashboard. Ik kon de trillingen in het stuur voelen.

'Ik moet vanavond zelf maar eens naar Peaty. Dat niet-geregistreerde busje is reden genoeg voor een arrestatie. Misschien kunnen we bij hem thuis een babbeltje maken, zodat ik het krot vanbinnen kan bekijken. In de tussentijd ga ik zelf die kuuroorden wel bellen... zullen mijn oren blij mee zijn.'

'Laat mij die telefoontjes plegen. Dan kun jij het stoere rechercherwerk doen.'

'Zoals?'

'Onderzoeken of Nora haar paspoort heeft gebruikt. Is het sinds 11 september echt moeilijker geworden? Ik zou denken dat er juist veel meer communicatie tussen de verschillende instanties mogelijk is.'

'Wat ben je toch slim,' zei hij. 'Ja, ik jokte tegen Bradley, in de hoop dat hij naar Nora's huis zou gaan en het me laat weten als er daar iets niet in orde is. In wezen is er niets veranderd, je hebt nog steeds een bevelschrift nodig om passagierslijsten te mogen raadplegen. En de luchtvaartmaatschappijen doen er nog steeds lang over om daaraan gehoor te geven, omdat ze het veel te druk hebben met het kwellen van hun passagiers. Maar er is wel meer onderhands mogelijk. Kun je je de zaak van dat neergeschoten omaatje nog herinneren die ik vorig jaar heb opgelost?'

'Lief oud dametje dat voor haar zoon naar de slijter ging?'

'Alma Napier. Tweeëntachtig, zo gezond als een vis, en een of ander rotjong dat stijf stond van de drugs schoot zijn jachtgeweer op haar leeg. Afijn, in het krot van het rotjong werd een doos videocamera's uit Indonesië aangetroffen waarin pistoolvormige ruimtes zaten. Ik dacht dat de airmarshals dat wel wilden weten en zo heb ik een van de supervisors leren kennen.'

Hij pakte de telefoon en vroeg naar commandant Budowski.

'Bud? Met Milo Sturgis... prima. En met jou? Heel goed. Zeg, zou je iets voor me willen doen?'

Een kwartier nadat we op zijn kamer waren, bracht een burger-beambte ons een fax. We hadden de klus van het opzoeken en bellen van kuuroorden gedeeld, maar kwamen niet veel verder. Milo las de fax van Budowski, gaf hem aan mij en ging verder met bellen.

Nora Dowd had haar paspoort sinds april niet meer gebruikt.

Drie weken Frankrijk, precies wat Brad al had gezegd.

Dylan Meserve had nooit een paspoort aangevraagd.

Ook kwamen Nora en Dylans naam geen van beide voor bij bin-nenlandse vluchten vanaf Los Angeles, Long Beach, Burbank, John Wayne, Lindbergh en Santa Barbara.

Budowski had zelf nog iets onderaan geschreven. Als Nora een privévliegtuig had gehuurd, zou die informatie misschien nooit bovenkomen. Sommige chartermaatschappijen waren niet be-paald zorgvuldig met het controleren van identiteitsbewijzen.

Milo zei: 'Eerst heb je de rijken, dan komt het volk.'

Hij belde nog een aantal kuuroorden en nam om twee uur koffie-pauze. Daarna ging hij niet verder, maar bladerde door zijn no-titieboekje, vond een nummer en belde.

'Mevrouw Stadlbraun? Met rechercheur Sturgis, ik heb u vorige week gesproken over... O ja? Hoe dat zo? Aha. Nee, dat is niet echt beleefd... Ja. Is er verder nog iets gebeurd? Nee, we hebben niets nieuws, maar ik ben van plan vanavond even bij hem langs te gaan. Als u me zou willen bellen als hij thuiskomt, zou ik dat heel fijn vinden. Hebt u mijn kaartje nog? Ik wacht wel even... Ja, heel goed, mevrouw, een van die nummers. Dank u... Nee, mevrouw, u hoeft zich geen zorgen te maken, dit is zuiver routi-ne.'

Hij hing op, speelde met de hoorn, trok aan het snoer en ont-warde het.

'Volgens ons aller Ertha doet Peaty "nog vreemder". Voorheen hield hij zijn hoofd omlaag en deed hij of hij niets hoorde. Te-genwoordig kijkt hij haar met een "vuile" blik aan. Wat maak je daaruit op?'

'Misschien heeft hij Sean zien staan en wordt hij zenuwachtig,' zei ik.

'Misschien, maar als Sean iets goed kan dan is het wel onopge-merkt blijven.' Hij reed in zijn stoel een stukje opzij voor zover de kleine ruimte het toeliet. 'Is Peaty gevaarlijker als hij zenuwachtig is?'

'Mogelijk.'

'Denk je dat ik Stadlbraun moet waarschuwen?'

'Volgens mij kun je niets zeggen wat geen paniek zou veroorzaken. Ongetwijfeld zal Brad Peaty het huis uit schoppen nadat hij hem heeft ontslagen.'

'Dan hebben we een dakloze, werkloze, boze kerel met een onrechtmatig voertuig. Tijd om bij de hoofdinspecteur door het stof te gaan en assistentie te vragen bij de surveillance.'

Hij verdween en kwam even later hoofdschuddend terug. 'Heeft een vergadering op het stadhuis.'

Ik hing aan de lijn met de Wellness Inn in Big Sur en luisterde geërgerd naar een bandje over zeewierpakkingen en ayurvedische massages en wachtte tot ik een mens aan de lijn kreeg.

Om halfvier waren we allebei klaar: Nora Dowd stond in geen enkel chic kuuroord ingeschreven onder haar naam of die van Dylan Meserve.

Ik belde Lauritz Montez op zijn kantoor van de Beverly Hills pro-Deogroep.

Hij was in de rechtszaal en zou over een halfuur klaar zijn.

Ik zat al veel te lang. Ik sprong overeind en zei Milo waar ik naartoe ging. Hij zwaaide met zijn vinger. Ik nam niet de moeite hierop te reageren.

Om vijf voor vier kwam ik bij de rechtbank van Beverly Hills aan. De meeste zittingen waren verdaagd. Overal door de gangen liepen advocaten, agenten, gedaagden en getuigen.

Montez liep ergens in het midden achter een zwartleren koffer op wielen. Mager en grauw als altijd, zijn grijze haar in een paardenstaart. Een enorme hangende snor en een sliertig sikje dat aan de randen wit was. Hij had kobaltblauwe zeshoekige brillenglazen.

Naast hem liep een bleke, jonge vrouw in een ragdun roze jurkje. Lang zwart haar, een beeldschoon gezicht, maar gebogen als een oude vrouw. Ze zei iets tegen Montez. Zo te zien interesseerde het hem niet.

Ik voegde me bij de meute en slaagde erin ze in te halen.

Wanneer ik Montez zie, ziet hij er altijd overdreven keurig uit. Het pak dat hij vandaag droeg was getailleerd en van zwart fluweel met een antieke snit en brede, puntige revers met satijnen randen. Zijn roze overhemd deed denken aan pijnlijke jeugdherinneringen van door de zon verbrande huid. Zijn groenblauwe vlinderdasje was van glimmende zijde.

Het bleke meisje zei iets waardoor hij stil bleef staan. Ze liepen naar rechts en gingen door de openstaande deur een rechtszaal binnen. Ik liep wat dichterbij en deed alsof ik een informatiebord aan de wand bestudeerde. De menigte was wat uitgedund en ik kon door de stijl van de deur horen wat er gezegd werd.

'Deze verdaging betekent dat ik tijd voor je heb weten te rekken om af te kicken en clean te blijven. Je zou ook eens een baan kunnen gaan zoeken om de rechter het idee te geven dat je een fatsoenlijk burger wilt zijn.'

'Wat voor baan?'

'Maakt niet uit, Jessica. Voor mijn part ga je hamburgers bakken.'

'En iets bij Johnny Rockets? Dat is best wel dichtbij.'

'Als jij een baan bij Johnny Rockets kunt krijgen, zou dat geweldig zijn.'

'Ik heb nog nooit hamburgers gebakken.'

'Wat heb je wel gedaan?'

'Gedanst.'

'Ballet?'

'Topless.'

'Je was vast heel goed in paaldansen, Jessica, maar dat zal je hier niet helpen.'

Hij liep weg. Het meisje niet.

Ik kwam achter de deur vandaan en zei: 'Goedemiddag.'

Montez draaide zich om. Het meisje stond met haar rug tegen de muur alsof ze er door een onzichtbare hand tegenaan geduwd werd. 'Zoek een baan, Jessica.'

Ze kromp ineen en vertrok.

Ik zei: 'Heeft Michaela je wel eens verteld dat Dylan en Nora Dowd een relatie hadden?'

'Achtervolg je me, dok? Of is dit een fortuinlijk toeval?'

'We moeten praten...'

'Ik moet naar huis en mijn werk vergeten. Daar val jij ook onder.' Hij pakte zijn bagagekarretje.

'Meserve wordt vermist,' zei ik. 'Gezien het feit dat jouw cliënte vorige week vermoord is, zou ik die lichtzinnige opmerkingen maar terugnemen als ik jou was.'

Hij klemde zijn kaken op elkaar. 'Het is klote, nou goed? Laat me met rust.'

'Meserve is mogelijk in gevaar, of hij is de dader. Heeft Michaela je iets verteld wat de situatie kan ophelderen?'

'Ze gaf hem de schuld van de grap.'

Ik wachtte.

'Ja, hij neukte Dowd. Nou goed?'

'Wat vond Michaela daarvan?'

'Ze dacht dat Meserve gek was,' zei Montez. 'Om het met een bejaarde te doen. Een "oud lijk", zoals zij het noemde.'

'Jaloers?'

'Nee, ze was niet verliefd op Meserve, ze vond het alleen smerig.'

'Was er enige aanwijzing dat Nora iets met de grap te maken had?'

'Dat heeft Michaela nooit gezegd, maar ik vroeg het me wel af. Want ze deed het dus met Meserve en hij werd niet van de opleiding getrapt. Denk je dat hij Michaela heeft vermoord?'

'Ik weet het niet,' zei ik.

'Krijg nou wat,' zei hij. 'Eindelijk een psycholoog die direct is.'

'Is Marjani Coolidge al terug uit Afrika?'

'Daar staat ze.' Hij wees in de hal naar een kleine, slanke, zwarte vrouw in een zachtblauw mantelpakje. Twee lange, grijze mannen luisterden naar wat ze zei.

'Bedankt.' Ik wilde me omdraaien.

'Om te bewijzen dat ik niet zo'n klootzak ben als jij wel denkt, heb ik nog wat info voor je,' zei Montez. 'Dowd belde me vlak nadat ik de zaak had gekregen. Bood aan om alle rekeningen te betalen die de overheid niet betaalde. Ik zei dat de overheid het wel redde en vroeg haar naar de reden van haar vrijgevigheid. Ze zei dat Meserve een begaafd artiest was, dat ze hem wilde helpen en als dat betekende dat Michaela vrijgesproken moest worden, dan was dat maar zo. Ik kon de hormonen vanaf de andere kant van de lijn ruiken. Is ze aantrekkelijk?'

'Gaat wel.'

'Voor haar leeftijd?'

'Zoiets,' zei ik.

Hij lachte en vertrok met zijn karretje, terwijl ik in de richting van Marjani Coolidge liep. De twee mannen waren vertrokken en zij stond de inhoud van haar eigen advocatenbagage te bestuderen. Een dubbele koffer van versleten leer die zó vol zat dat de naden loslieten.

Ik stelde mezelf voor en vertelde haar over de moord op Michaela.

Ze zei: 'Dat heb ik gehoord, het arme kind.' Daarna vroeg ze wat precies mijn relatie met de politie van Los Angeles was. Met grote bruine ogen nam ze mijn woorden en mijn lichaamstaal in zich op. Haar haar zat in vlechtjes, haar huid was glad en strak.

Ik zei: 'Heeft Meserve u ooit iets verteld wat deze zaak zou kunnen ophelderen?'

'Dat meent u toch niet serieus?'

'Iets wat uw cliënt niet belast,' zei ik. 'Iets wat zou kunnen helpen om hem te vinden.'

'Wordt hij verdacht?'

'Hij zou een slachtoffer kunnen worden.'

'Van dezelfde persoon die Brand heeft vermoord?'

'Misschien.'

Ze streek haar rok glad. 'Iets wat niet belastend is. Volgens mij bestaat dat niet.'

'Iets anders dan,' zei ik. 'Kunt u me, zonder op de inhoud in te gaan, vertellen of Meserve iemand was om bang voor te zijn?'

'Of ik bang voor hem was? Helemaal niet. Niet de helderste ster in de constellatie, maar hij deed wat hem gezegd werd. Maar die vriendin van hem...'

'Wie bedoelt u?'

'Die acteerdocente... Dowd.'

'Gaf ze problemen?'

'Wat een kenau,' zei Coolidge. 'Hing onmiddellijk aan de telefoon om te zeggen dat ze een eigen advocaat in de arm zou nemen als ik haar mooie jongen niet de hoogste prioriteit gaf. Ik kreeg de neiging om te zeggen: is dat een belofte of een dreigement?'

'Wat hebt u haar gezegd?'
'"Doe wat u niet laten kunt, mevrouw." Toen heb ik opgehangen. Nooit meer iets van haar gehoord. Ik heb Meserve vertegenwoordigd zoals iedere andere cliënt. Met een prima afloop, vindt u niet?'
'Meserves medeverdachte is dood en Meserve zelf wordt vermist.'
'Niet relevant,' zei ze. 'We hebben een schikking getroffen, ik heb aan mijn verplichtingen voldaan.'
'En daarmee uit,' zei ik.
'Reken maar. In mijn werk leer je wel in je eigen baan te wentelen.'
'In je eigen baan wentelen, constellatie. Bent u in astronomie geïnteresseerd?'
'Het was mijn hoofdvak aan de universiteit van Cornell. Toen ben ik rechten gaan studeren en kwam ik tot de ontdekking dat je hier niets kunt zien vanwege de lichtvervuiling.' Ze glimlachte. 'Beschaving noemen ze dat volgens mij.'

24

Ik verliet de parkeerplaats van de rechtbank en nam Rexford Drive door Beverly Hills. Het stoplicht op Santa Monica Boulevard stond zo lang op rood dat ik tijd had een berichtje in te spreken voor Milo.
Ik reed naar huis en dacht na over de verhouding tussen Meserve en Nora. Medeplichtigen of alleen minnaars?
Zou het niet fijn zijn als Reynold Peaty zou worden betrapt op iets, de meervoudige moord opbiechtte, zodat we allemaal weer verder konden?
Ik besefte dat ik te hard reed en remde af. Ik zette mijn cd-speler aan en luisterde naar de heldere, zoete sopraan van Mindy Smith die op het perron stond te wachten op haar man.
Het enige wat op mij lag te wachten was mijn post en een ongelezen krant. Misschien was het tijd voor een nieuwe hond.
Toen ik Sunset Boulevard verliet, kwam er een bruine Audi Quat-

tro die aan de oostkant van Beverly Glen had gestaan achter me rijden en bleef daar hangen. Ik gaf gas, waarop de Audi hetzelfde deed en zó dicht op mijn bumper bleef kleven dat ik via de achteruitkijkspiegel de vogelpoep op het radiatorscherm kon zien zitten. Door de getinte voorruit zag ik verder niets. Ik ging naar rechts. De Audi haalde me niet in, maar schakelde, kwam even links van me rijden en schoot toen brullend weg. Ik kon de chauffeur zien zitten, geen passagiers. Op de achterbumper zat een sticker met rode letters op een witte achtergrond. De Audi reed te snel om de complete boodschap te kunnen lezen, maar volgens mij zag ik het woord 'therapie'.

Toen ik bij het ruiterpad naar mijn straat kwam, keek ik of ik de auto ergens zag. Nee.

Gewoon een doodnormale dag in de straten van L.A. Ik had hem in de weg gezeten en hij vond dat hij me dat moest laten weten.

De telefoon ging toen ik het huis binnen liep.

Robin zei: 'Jammer dat ik je telefoontje had gemist.'

Ik wist even niet wat ik moest zeggen. Toen bedacht ik dat ik haar vanmorgen had gebeld, maar niets had ingesproken.

Ze begreep mijn stilte en zei: 'Nummerweergave. Hoe is het?'

'Ik wilde je alleen even gedag zeggen.'

'Zullen we iets afspreken? Gewoon om te praten?'

'Prima.'

'Wat dacht je van praten én eten?' zei ze. 'Niets bijzonders, noem maar een restaurant.'

Ze was al heel lang niet meer in het huis geweest dat ze zelf had ontworpen. Ik zei: 'Ik kan hier wel iets klaarmaken.'

'Als je het niet erg vindt, ga ik liever uit eten.'

'Hoe laat zal ik je ophalen?'

'Om zeven uur... halfacht? Ik wacht buiten op je.'

Met andere woorden, ik wil je niet binnen hebben? Of had ze behoefte aan frisse lucht na uren te midden van zaagsel en lak? Maakte het iets uit?

Tussen wasserettes en fastfoodrestaurants aan Rose Avenue lagen enkele boetiekjes en leuke eettentjes verstopt. De oceaanlucht die door de ramen waaide was zurig, maar niet onaangenaam.

De avondlucht was een werveling van grijs en paars als verf op een palet. Straks zouden de leuke eettentjes overvol zijn en zouden mooie mensen versterkt door margarita's en de mogelijkheden van de avond naar buiten komen. Robin woonde er maar een paar minuten vandaan. Deed zij wel eens mee?
Maakte dát iets uit?

Rennie Avenue, de straat waar ze woonde, was stil en slecht verlicht, omzoomd door keurig verzorgde huisjes en halfvrijstaande huizen. Ik keek even naar de bloemen die ze in de voortuin had geplant. Toen zag ik haar uit de schaduw komen.
Haar haar veerde op en neer toen ze naar de auto liep. De avond gaf het een kastanjebruine en roze gloed. Haar krullen deden me zoals altijd denken aan druiven aan een rank.
Ze droeg een strak, donker topje, een lichte, nauwsluitende spijkerbroek en laarzen met indrukwekkende hakken die op de grond tikten. Toen ze het portier opende, verraadde het licht de rest: een chocoladebruine tanktop van zijde, een tint lichter dan haar amandelvormige ogen. De spijkerbroek was roomkleurig, de laarzen bruin. Er zat een glimmend roze glans op haar lippen. De blush op haar jukbeenderen gaf haar een katachtige zweem.
Die rondingen.
Er lag een brede, dubbelzinnige glimlach rond haar lippen toen ze haar gordel omdeed. De band liep schuin tussen haar borsten. 'Waar gaan we naartoe?' zei ze.
Ik had haar geloofd toen ze 'niets bijzonders' had gezegd. Haute cuisine betekende formeel en hoge verwachtingen en daar konden we allebei zonder.
Allison hield van haute cuisine. Ze genoot ervan om de steel van haar wijnglas tussen haar keurig verzorgde vingers te laten rollen, terwijl ze met arrogante obers een serieuze discussie aanging over een elegant menu en haar tenen langs mijn broek omhoogkropen…
Ik noemde een visrestaurantje aan de haven waar Robin en ik vóór de ijstijd wel eens waren geweest. Ruim, aan de kade, geen parkeerproblemen, fraai uitzicht over de haven vol met grote witte jachten waarvan de meeste nooit ergens naartoe leken te gaan.
Ze zei: 'O daar, best.'
We kozen een tafeltje buiten bij de glazen wand die de wind te-

genhoudt. De avond was afgekoeld en de gaskachels stonden aan. De sportbar zat vol, maar voor de eters aan de haven was het nog vroeg en meer dan de helft van de tafeltjes was leeg. Een vrolijke serveerster die niet ouder dan twaalf leek nam onze drankjes op en bracht Robin een glas wijn en mij een Chivas voordat we de kans kregen om ons ongemakkelijk te voelen.

We namen een slokje, staarden naar de schepen en stelden dat moment nog iets langer uit.

Robin zette haar glas neer. 'Je ziet er fit uit.'

'Jij bent beeldschoon.'

Ze staarde naar het water. Zwart en glad en roerloos onder een purperen hemel. 'Dat moet een mooie zonsondergang zijn geweest.'

'Daar hebben wij er ook een paar van gehad,' zei ik. 'Die zomer toen we aan het strand woonden.'

Het jaar dat we ons huis hadden verbouwd. Robin had als aannemer gefungeerd. Miste ze het huis?

Ze zei: 'We hebben ook een paar spectaculaire zonsondergangen in Big Sur gehad. In die boeddhistische tent die zogenaamd zo luxueus was, maar alleen een chemisch toilet had, en waar het zo vreselijk stonk, weet je nog?'

'Landelijk leven.' Ik vroeg me af of dat complex op de lijst met kuuroorden had gestaan die Milo en ik net hadden gebeld. 'Hoe heette het daar ook alweer?'

'The Great Mandala Lodge. Is vorig jaar gesloten.' Ze keek de andere kant op en ik wist waarom. Ze was er daarna dus nog een keer geweest. Met hem.

Ze nam een slok wijn en zei: 'Ondanks de stank en de muggen en die splinter in mijn teen van die stomme dennenappel was het leuk. Geen idee dat een dennenappel dodelijk kon zijn.'

'Je vergeet míjn splinters,' zei ik.

Ze ontblootte haar witte snijtanden. 'Dat was ik niet vergeten, ik wilde je er niet aan herinneren.' Ze maakte draaiende bewegingen met haar handen. 'Die zalf die ik op je lekkere billen moest smeren. Wisten wij veel dat anderen ons konden zien? En wat ze nog meer konden zien vanuit hun hut.'

'We hadden lesgeld moeten vragen,' zei ik. 'Een spoedcursus seks voor pasgetrouwden.'

'Ze leken ook wel erg onbeholpen. Al die spanning tijdens het ontbijt. Denk je dat ze nog getrouwd zijn?'

Ik haalde mijn schouders op.

Robin sloeg haar blik neer. 'Het was terecht dat ze moesten sluiten. Zoveel geld voor zo'n beerput.'

We dronken nog wat.

Ik zei: 'Gezellig zo met zijn tweeën.'

'Vlak voordat je vanmorgen belde zat ik te denken.' Ze grijnsde even. 'Altijd gevaarlijk, hè?'

'Waarover?'

'De uitdaging van relaties. Niet jij en ik. Hij en ik.'

Ik voelde iets in mijn maag wringen. Ik dronk mijn whisky op. Keek om me heen waar de serveerster met het kindergezicht was.

Robin zei: 'Hij en ik als in: hoe haalde ik het in mijn hoofd?'

'Daar wordt niemand vrolijk van.'

'Heb jij dan nooit last van onzekerheid?'

'Natuurlijk wel.'

'Ik vind het goed voor de ziel,' zei ze. 'Dat oude katholieke meisje dat weer bovenkomt. Ik kon alleen maar bedenken dat hij zichzelf ervan had overtuigd dat hij van me hield en dat zijn overtuiging mij ook min of meer overtuigde. Ik was degene die het uitmaakte, wist je dat? Hij vond het heel erg... maar goed, dat is jouw probleem niet. Sorry, ik had er niet over moeten beginnen.'

'Het is geen slechte vent.'

'Je hebt hem nooit gemogen.'

'Kon hem niet uitstaan. Waar zit hij nu?'

'Kan het je iets schelen?'

'Ik hoop dat hij ergens ver weg is.'

'Dan heb je geluk. Hij zit in Londen, doceert zang aan de Royal Academy of Drama. Zijn dochter woont bij hem – ze is twaalf, had wel zin in iets anders.' Ze trok aan haar krullen. 'Het was niet netjes van me om over hem te beginnen.'

'Het is een eikel,' zei ik. 'Al was het probleem niet dat je bij hem was, maar dat je niet bij mij was.'

'Ik weet niet wat het was,' zei ze. 'Na al die tijd weet ik het nog steeds niet. Net als de eerste keer.'

De eerste keer dat we uit elkaar gingen, jaren geleden. Het kostte ons geen van beiden veel tijd om nieuwe minnaars te vinden.

Ik zei: 'Misschien gaat dat bij ons nu eenmaal zo.'

'Hoe bedoel je?'

'Eindeloos bij elkaar en dan eeuwen gescheiden.'

Ergens op het open water klonk een scheepshoorn.

Ze zei: 'Het was een wederzijdse beslissing, maar om de een of andere reden heb ik het gevoel dat ik je om vergeving moet vragen.'

'Moet je niet doen.'

'Hoe is het met Allison?'

'Die gaat haar eigen gang.'

Op zachte toon: 'Is het echt over tussen jullie?'

'Dat lijkt me wel.'

'Dat klinkt alsof je er zelf geen controle over hebt,' zei ze.

'Mijn bescheiden ervaring zegt me dat het zelden nodig is om een officiële aankondiging te doen,' zei ik.

'Rot voor je,' zei ze.

Ik nam een slok.

'Je ziet het toch echt als wederzijds, hè Alex? Je vindt het niet mijn schuld?'

'Nee. En ik begrijp het net zomin als jij.' Hetzelfde gold voor mijn gestrande relatie met Allison. Misschien dat ik bij een andere vrouw...

'Je weet toch dat ik je nooit heb bedrogen? Ik heb hem met geen vinger aangeraakt toen we nog samenwoonden.'

'Je bent me geen verklaring schuldig.'

'We hebben samen zoveel meegemaakt,' zei ze. 'Ik weet niet wat ik je verschuldigd ben.'

Voetstappen naderden ons tafeltje, waardoor ik geen antwoord hoefde te geven. Ik keek op en verwachtte de vrolijke serveerster. Ik was dringend toe aan een nieuw glas.

Er torende een man boven ons uit.

Een dikke buik, een rood, kalend hoofd, rond de vijftig. Een zwarte bril die enigszins scheef stond en een zweterig voorhoofd. Hij droeg een bruine trui met v-hals met daaronder een witte polo, een grijze broek en bruine instappers. Een rode dubbele onderkin hing over de zachte kraag van de polo.

Wankelend legde hij zijn brede, kale handen op ons tafeltje. Worstenvingers met een zegelring aan zijn linkerringvinger.

Hij hing voorovergebogen en het tafeltje wiebelde onder zijn gewicht. Rode ogen staarden ons vanachter de brillenglazen aan. Er hing een bierwalm om hem heen.

Een of andere gek van de sportbar.

Blijf vriendelijk. Mijn glimlach was afwachtend.

Hij probeerde rechtop te staan, verloor zijn evenwicht en legde met een klap zijn hand weer op tafel. Het water klotste over de rand van onze glazen. Robins arm schoot uit om haar glas wijn te redden.

De dronken man keek haar aan en lachte laatdunkend.

Ik zei: 'Hé, vriend...'

'Ik... ben.... jouw... vriend... niet.'

Een hese stem. Ik keek waar de vrolijke serveerster was. Of wie dan ook. Een hulpkelner was even verderop tafels aan het schoonmaken. Ik trok mijn wenkbrauwen op. Hij bleef de tafel afvegen. Het dichtstbijzijnde stel, twee tafeltjes verderop, keek elkaar diep in de ogen.

Ik zei tegen de dronken man: 'De bar is daarginds.'

Hij kwam wat dichterbij. 'Weet... jij... soms... niet... wie.... ik... ben?'

Ik schudde mijn hoofd.

Robin maakte van de gelegenheid gebruik om wat naar achteren te schuiven. Ik gebaarde dat ze weg moest gaan. Toen ze wilde opstaan, bulderde de dronkenlap: 'Zitten, slet!'

Mijn hersenen ontbrandden.

Tegenstrijdige berichten vanuit mijn prefrontale cortex. Lawaaischoppende jongemannen schreeuwden: *Sla hem verrot!* Een schrille, oude mannenstem fluisterde: *Voorzichtig. Denk aan de gevolgen.*

Robin zakte op haar stoel neer.

Ik vroeg me af hoe goed mijn karate nog was.

De dronken man vroeg indringend: 'Wie... ben... ik?'

'Ik weet het niet.' De toon in mijn stem zei dat de oude man het ging verliezen van de twee prefrontale jongens. Robin schudde even met haar hoofd.

De dronkenlap zei: 'Wat... zei... je?'

'Ik weet niet wie je bent en ik zou het fijn vinden...'

'Ik... ben... dokter... Hauser. Dókter... Hauser. En... jij... bent... een... gore... leugenaar.'

De oude man fluisterde: *Zelfbeheersing. Het gaat allemaal om beheersing.*
Hauser haalde zijn arm naar achteren.
De oude man luisterde: *Vergeet wat ik net zei.*

Ik pakte hem bij zijn pols vast, draaide er hard aan en volgde met een stomp tegen zijn neus. Hard genoeg om hem te overrompelen, maar lang niet hard genoeg om bot naar de hersenen te slaan.
Toen hij naar achteren struikelde, sprong ik op, pakte hem bij zijn trui vast en brak zijn val om hem een zachte landing te bezorgen.
Als beloning kreeg ik spuug en bier in mijn gezicht. Ik liet hem los vlak voordat zijn kont op de grond terechtkwam. Morgen zou zijn stuitje verdomd zeer doen.
Hij kwam even schuimbekkend overeind en wreef over zijn neus. De plek waar ik hem had geraakt zag roze en een beetje dik. Hij verzamelde nog meer spuug in zijn mond, deed zijn ogen dicht, viel neer, draaide zich om en begon te snurken.
Een opgewekte stem zei: 'Wauw. Wat is hier gebeurd?'
Een nasale stem zei: 'Die vent wilde die andere vent slaan, maar die andere vent beschermde zijn dame.'
De hulpkelner stond naast de serveerster. Ik keek hem aan en hij glimlachte ongemakkelijk. Hij had al die tijd staan kijken.
'Dat was helemaal terecht, man. Dat ga ik de politie zeggen ook.'
Elf lange minuten later arriveerde de politie.

25

Agent J. Hendricks, gedrongen, verzorgd, zwart als gepolijst ebbenhout.
Agent M. Minette, rond, verzorgd, blond haar in een staartje.
Hendricks keek naar de plek waar Patrick Hauser was gevallen.
'Dus u bent beiden arts?' Hij stond net buiten zijn bereik, met een notitieboekje in zijn hand. Mijn rug was naar de glazen wand

gekeerd. De gasten die in het restaurant waren blijven zitten, deden alsof ze niet keken.

Er was een ambulance voor Hauser gearriveerd. Hij had het ambulancepersoneel vloekend en spugend verwelkomd en ze hadden hem op de brancard vastgebonden. Er was wat kleingeld uit zijn zak gevallen. Er lagen drie muntjes op de grond.

'We zijn allebei psycholoog,' zei ik, 'maar zoals ik al zei, heb ik hem nooit eerder gezien.'

'Een volkomen vreemde heeft u aangevallen.'

'Hij was dronken. Vanmiddag ben ik achtervolgd door een bruine Audi Quattro. Als u die op de parkeerplaats ziet staan, heeft hij me ook gestalkt.'

'En allemaal vanwege...' Hendricks raadpleegde zijn aantekeningen, '... een rapport dat u over hem hebt geschreven.'

Ik herhaalde het verhaal, hield mijn zinnen kort en duidelijk. Liet Milo's naam vallen. Voor de zoveelste keer.

Hendricks zei: 'Dus u zegt dat u hem één keer met uw blote vuist onder zijn neus hebt geraakt.'

'Met de muis van mijn hand.'

'Dat lijkt me een karatebeweging.'

'Het leek de beste manier zonder ernstige verwondingen toe te brengen.'

'Zo'n klap kan wel degelijk ernstige verwondingen toebrengen.'

'Ik was voorzichtig.'

'Doet u aan vechtsport?'

'Niet echt.'

'De handen van iemand die de vechtsport beoefent zijn dodelijke wapens, dokter.'

'Ik ben psycholoog.'

'Zo te horen kunt u er wat van.'

'Het ging heel snel.'

De agent schreef van alles op.

Ik keek naar agent Minette die naar de hulpkelner stond te luisteren en ook aantekeningen maakte. Ze had Robin eerst ondervraagd en daarna de serveerster. Ik was Hendricks klus.

Geen handboeien, dat was een goed teken.

Minette liet de hulpkelner gaan en kwam naar ons toe. 'Iedereen lijkt hetzelfde verhaal te vertellen.' Haar verslag kwam overeen met wat ik Hendricks had verteld. Hij ontspande zich.

'Akkoord. Ik ga even een telefoontje plegen om uw adres te controleren bij de Dienst Wegverkeer. Als dat in orde is, kunt u gaan.'

'Misschien kunt u ook nagaan of Hauser een Quattro heeft.'

Hendricks keek me aan. 'Misschien doe ik dat wel.'

Ik keek waar Robin was.

Minette zei: 'Uw vriendin is naar het kleinste kamertje. Ze zei dat het slachtoffer haar een slet noemde.'

'Ja.'

'Daar was u vast boos om.'

'Hij was dronken,' zei ik. 'Ik nam hem niet serieus.'

'Maar toch,' zei ze. 'Dat is behoorlijk irritant.'

'Pas toen hij me probeerde te slaan, was ik genoodzaakt iets te doen.'

'Een of andere loser beledigt uw vriendin... Sommige mannen zouden veel feller hebben gereageerd.'

'Ik ben een tactvol mens.'

Ze glimlachte. Haar collega niet.

Ze zei: 'Volgens mij zijn we hier klaar, John.'

Toen Robin en ik door het restaurant liepen, fluisterde iemand. 'Dat is hem.'

Eenmaal buiten, blies ik mijn adem uit. Mijn ribben deden pijn. Hauser had me niet aangeraakt; ik had mijn adem heel lang ingehouden. 'Wat een ramp.'

Robin sloeg haar arm om mijn middel.

'Je moet weten,' zei ik, 'dat dit een civiele zaak was, het had niets met politiewerk te maken.' Ik vertelde haar over de beschuldiging van aanranding tegen Hauser, mijn gesprek met de slachtoffers en het verslag dat ik had geschreven.

'Waarom moet ik dat weten?' vroeg ze.

'Omdat ik weet hoe je daarover denkt. Dit kwam echt totaal onverwachts.'

We liepen naar de Seville en ik zocht op de parkeerplaats naar een bruine Audi.

Daar stond hij, zes plaatsen verderop. De rode slogan op de bumpersticker luidde: *Ga toch in therapie.*

Ik wilde lachen, maar kon het niet. Het verbaasde me niets dat ik twee lekke banden had. Niet doorgesneden; het ventiel was opengeduwd.

Robin zei: 'Wat zielig.'

'Ik heb een pomp achterin liggen.'

Onderdeel van de nooduitrusting die Milo en Rick me afgelopen Kerstmis hadden gegeven. Gereedschap om een band te verwisselen, oranje fluorescerende pylonen, dekens, flessen water.

Rick had me even apart genomen en me toevertrouwd: 'Als het aan mij had gelegen, had ik je een mooie trui gegeven, maar een... ahum... *verstandiger* iemand won.'

Vanuit de hoek van hun woonkamer had Milo's stem gebulderd: 'Aan herenmode heb je niks als je ergens op een eenzame, onverlichte weg bent gestrand met wolven en god weet wat nog meer voor bloeddorstige vleeseters die hun roofzuchtige kraalogen op jou hebben gevestigd en klaarstaan om...'

'Waarom hebben we dan geen vuurwapen voor hem gekocht, Milo?'

'Volgend jaar. Ooit zul je me bedanken, Alex. En tot die tijd: graag gedaan.'

Ik bevestigde de pomp en ging aan de slag.

Toen ik klaar was, zei Robin: 'Zoals jij reageerde – precies genoeg om de boel te kalmeren zodat niemand gewond raakte. Stijlvol.'

Ze nam mijn gezicht tussen haar handen en kuste me vurig.

We reden langs een delicatessenwinkel aan Washington Boulevard, kochten veel te veel eten en reden terug naar Beverly Glen. Robin ging het huis binnen alsof ze er woonde, liep naar de keuken en dekte de tafel. We hielden het tot halverwege het eten vol.

Ik werd wakker toen ze uit bed stapte. Een zweterig dutje, maar mijn ogen waren droog.

Door halfopen ogen keek ik hoe ze mijn groezelige gele badjas aantrok en door de slaapkamer liep. Hoe ze haar hand op de rugleuningen van stoelen en tafelbladen legde. Bij de ladekast even bleef staan. Een ingelijste prent rechtzette.

Bij het raam trok ze een van de zijden gordijnen opzij die ze zelf had ontworpen. Ze legde haar gezicht tegen het glas en tuurde naar de heuvels.

Ik zei: 'Het is een mooie nacht.'

'Het uitzicht,' zei ze, zonder zich om te draaien. 'Nog steeds onbelemmerd.'

'Het lijkt erop dat dat zo blijft. Bob heeft zijn achterste stuk bouwland laten taxeren en het is definitief niet geschikt voor bebouwing.'

'Bob de buurman,' zei ze. 'Hoe is het met hem?'

'Als ik hem in de stad tegenkom, lijkt het goed met hem.'

'Met een tweede huis op Tahiti,' zei ze.

'Dit is eerder zijn tweede huis. Er gaat niets boven een fraaie erfenis.'

'Dat is goed nieuws… over het uitzicht. Dat hoopte ik al toen ik de kamer op deze manier situeerde.' Ze liet het gordijn zakken. Streek de plooien glad. 'Ik heb het niet slecht gedaan met dit huis. Vind je het fijn om hier te wonen?'

'Niet zo fijn als vroeger.'

Ze trok de badjas wat strakker om zich heen en draaide zich om. Haar haar zat wild, haar lippen waren licht gezwollen. Een dromerige blik in haar ogen.

'Ik dacht dat het misschien vreemd zou zijn,' zei ze. 'Om hier terug te komen. Het is minder vreemd dan ik had verwacht.'

'Dit is ook jouw huis,' zei ik.

Ze gaf geen antwoord.

'Ik meen het.'

Ze deed een klein stapje in de richting van het voeteneinde, speelde met de randen van het dekbed. 'Dat heb je niet goed doordacht.'

Dat was waar. 'Tuurlijk wel. Vele lange nachten.'

Ze haalde haar schouders op.

'Het is hier hol, Robin.'

'Altijd geweest. We wilden een goede akoestiek.'

'Het kan heel muzikaal zijn,' zei ik. 'Of niet.'

Ze trok aan het dekbed, legde het evenwijdig aan de rand van het matras. 'Je redt je prima in je eentje.'

'Wie zegt dat?'

'Je bent altijd heel zelfstandig geweest.'

'Hah.' Mijn stem klonk bars.

Ze keek op.

Ik zei: 'Kom terug. Hou de studio aan als je behoefte hebt aan privacy, maar kom hier wonen.'

Ze trok weer aan het dekbed. Haar mond vertrok op een manier die ik niet herkende. Ze trok de badjas los, liet hem op de grond vallen, bedacht zich, pakte hem op en legde hem netjes over de stoel. De geordende geest van iemand die met elektrisch gereedschap werkt.

Ze wierp haar haar naar achteren en kwam weer naar bed.

'Denk er gewoon eens over na,' zei ik.

'Het is nogal veel om te verwerken.'

'Je bent een taaie.'

'Schei uit.' Ze duwde haar lichaam tegen me aan, vlocht haar vingers ineen en legde ze op haar buik.

Ik trok het dekbed over ons heen.

'Dat is lekker, dank je,' zei ze.

We bleven allebei heel stil liggen.

26

Als ik eenmaal wakker ben, blijf ik urenlang rusteloos.

Terwijl Robin lag te slapen, liep ik door het huis. Uiteindelijk ging ik in mijn werkkamer zitten en maakte in gedachten een lijstje. Dat ik vervolgens opschreef.

Morgenochtend moest ik eerst Erica Weiss bellen om haar over Hauser te vertellen. Meer ammunitie voor haar civiele procedure. Als Hauser zo weinig zelfbeheersing had, zouden toenemende juridische problemen hem er mogelijk niet van weerhouden om mij lastig te vallen. Of om zelf een rechtszaak aan te spannen.

Deze hele toestand kon me nog duur komen te staan. Ik probeerde mezelf ervan te overtuigen dat dit erbij hoorde.

Fijn als je zo kalm kunt zijn.

Ik dacht na over het gebeurde in het restaurant. En ik vroeg me af hoe het mogelijk was dat Hauser het nog zo lang had volgehouden als therapeut. Misschien was het verstandig om hem een slag voor te zijn en hem aan te klagen. Agenten Hendricks en Minette waren op mijn hand geweest, dus een politierapport zou zeker helpen. Maar je wist natuurlijk nooit.

Milo zou wel weten wat ik moest doen, maar hij had andere dingen aan zijn hoofd.

Ik ook.

Mijn aanbod aan Robin was mijn mond uit gekomen alsof ik gedrogeerd was. Stel dat ze ja zei, zouden we dan nog lang en gelukkig leven?

Maar stel nou.

Milo zei: 'Ik wilde je net bellen.'

'Noodlot.'

'Dit soort noodlot wil je niet.' Hij vertelde me wat er aan de hand was.

Ik zei: 'Ik kom eraan.'

Ik liet een briefje op het nachtkastje achter:

Lieve R., moest weg, vervelende werkzaken. Blijf zolang je wilt. Als je weg moet, zullen we dan morgen iets afspreken?

Ik kleedde me stilletjes aan, liep op mijn tenen naar het bed en kuste haar wang. Ze bewoog, stak een arm omhoog en liet hem weer vallen toen ze zich omdraaide.

De geur van een vrouw vermengd met de geur van seks. Ik keek nog één keer naar haar en ging toen weg.

Reynold Peaty's lichaam lag in een doorzichtig plastic zeil gewikkeld, vastgebonden met stevig draad, op de rechterbrancard in het witte busje van het gerechtelijk laboratorium. Het voertuig stond voor Peaty's flat met de achterdeuren open. Vastgeklonken metalen beugels hielden het lichaam en de lege brancard aan de linkerkant op hun plaats.

Tijdens drukke nachten in L.A. was een dubbele bezetting geen gek idee.

Aan weerszijden van het busje stonden vier zwart-witte politiewagens met zwaailicht. Bondige informatie van medewerkers in
de meldkamer klonk blikkerig, maar niemand luisterde.

Allerlei agenten in uniform deden hun best er officieel uit te zien.
Milo en Sean Binchy stonden bij de verste politieauto met elkaar
te praten. Milo sprak en Binchy luisterde. Voor het eerst sinds ik
de jonge rechercheur kende, zag hij er geschrokken uit.

Milo had me aan de telefoon verteld dat de schietpartij een uur
geleden had plaatsgevonden. Maar de verdachte werd net gearresteerd op de trap van Peaty's gebouw.

Een jonge, forse latino met een groot hoofd en donkere stoppels.
Hij werd begeleid door twee grote, gespierde agenten naast wie
hij nietig leek.

Ik had hem eerder gezien toen ik afgelopen zondag langs het gebouw was gereden.

Vader van een jong gezin op weg naar de kerk. Een vrouw en
drie mollige kindjes. Een stijf grijs pak dat niet bij hem paste.

Kinderen die kinderen krijgen.

Hij had me met een kille blik aangekeken toen ik voor het gebouw was gestopt. Nu kon ik zijn ogen niet zien. Zijn armen waren achter zijn rug geboeid en zijn hoofd was gebogen.

Hij liep op blote voeten en droeg een zwart T-shirt dat ongeveer
tot op zijn knieën kwam, een slobberige grijze joggingbroek die
bijna van zijn heupen gleed en een grote gouden vuist aan een
ketting die heen en weer slingerde over het *BaaadBoyz*-logo van
een grauwende pitbull.

Iemand was vergeten de glimmende sieraden te verwijderen. Milo liep naar ze toe om de fout te herstellen en de kleerkasten van
agenten leken in verlegenheid gebracht. De verdachte keek van-
onder zware oogleden op terwijl Milo aan hem zat te frunniken.
Toen Milo de ketting afdeed, glimlachte het joch en zei iets. Milo glimlachte terug. Hij controleerde achter de oren van de jongen. Daarna gebaarde hij dat de agenten verder konden en gaf
hij de ketting aan iemand van de technische recherche die hem in
een zak deed.

Terwijl de agenten de schutter in een van de politiewagens lieten
instappen en wegreden, kwam mevrouw Ertha Stadlbraun uit
haar flatje op de begane grond en liep de stoep op. Ze liep tot

aan de afzetting, huiverde en sloeg haar armen om zich heen. Haar peignoir was roomgeel en gewatteerd. Ze droeg pluizige witte pantoffels, en door de gele krulspelden leek haar haar op witte tortellini. Haar huid glom van een of andere nachtcrème. Ze huiverde weer en spande haar armen. Verschillende huurders keken vanachter hun ramen naar buiten. Ook een aantal bewoners van het vervallen pand ernaast.

Milo wenkte me. Hij zag er bezweet uit. Sean Binchy stond achter hem en deed verder niets. Toen ik bij ze kwam staan, zei hij: 'Dokter.' Hij beet op zijn lip.

Milo zei: '*Hot town, summer in the city.*'

'En dat in februari.'

'Daarom wonen we hier.'

Ik vertelde hem dat ik de verdachte al eens eerder had gezien. En ik beschreef de houding van de jongen.

Hij zei: 'Dat komt aardig overeen.'

Een assistent van het gerechtelijk lab sloeg de portieren dicht en reed weg.

Ik zei: 'Hoe dicht woont hij bij Peaty?'

'Twee deuren verderop. Hij heet Armando Vasquez en heeft een serie bendegerelateerde jeugddelicten op zijn naam staan die verzegeld zijn. Hij beweert dat hij al vier jaar een vaste baan heeft, naar de kerk gaat, getrouwd is. Hij werkt voor een tuinarchitect die een aantal grote percelen in Beverly Hills onderhoudt ten noorden van Sunset Boulevard. Vroeger mocht hij alleen grasmaaien, maar dit jaar heeft hij leren snoeien. Daar is hij erg trots op.'

'Hoe oud is hij?'

'Eenentwintig. Zijn vrouw is negentien en ze hebben drie kinderen onder de vijf. Die lagen voor het grootste deel te slapen toen ik hun pappie ondervroeg. Op een gegeven moment kwam de oudste kleuter de kamer binnen gedribbeld. Ik gaf Vasquez toestemming om het kind een zoen te geven. Het kind glimlachte naar me.' Hij slaakte een zucht. 'Vasquez heeft geen volwassen strafblad, dus misschien heeft hij echt het licht gezien. Volgens de buren die ik tot nu toe heb gesproken, zijn de kinderen wel eens luidruchtig, maar is het geen probleemgezin. Niemand mocht Peaty. Kennelijk is iedereen in het gebouw over hem aan het roddelen geslagen sinds we met Stadlbraun hebben gesproken.'

Milo wierp even een blik op de oude vrouw. Ze stond nog steeds met haar armen om zich heen geslagen door de donkere straat te staren. Het leek haar moeite te kosten om kalm te blijven.

Ik zei: 'Zij heeft iedereen verteld dat Peaty gevaarlijk was.'

Milo knikte. 'Het roddelcircuit was in volle gang. Voordat Vasquez er het zwijgen toe deed, zei hij dat hij zich altijd al had gestoord aan Peaty.'

'Eerdere problemen?'

'Geen ruzie, gewoon veel spanning. Vasquez vond het niet fijn dat Peaty zo dichtbij woonde. "Een gestoorde idioot," zo noemde hij hem. Vervolgens begon hij zijn hoofd van voor naar achteren en van links naar rechts te bewegen. Ik vroeg hem wat hij aan het doen was, en toen zei hij: "Ik sla een kruis. Ik ben geboeid, dus doe ik het zo."'

'Heeft Peaty zijn vrouw wel eens lastiggevallen?

'Hij staarde altijd naar haar, en dat komt overeen met wat we van anderen horen. "Die gestoorde blik van hem." Helaas is dat nog geen excuus om iemand voor zijn kop te schieten.'

Sean Binchy kwam wat dichterbij staan en keek nog steeds ongemakkelijk. 'Heb je me nog ergens voor nodig?'

'Nee, ga naar huis. Doe rustig aan.'

Binchy huiverde even. 'Bedankt. O, dokter. Tot kijk.'

Milo zei: 'Je hebt het goed gedaan, Sean.'

'Zal wel.'

Toen hij weg was, zei ik: 'Wat is er met hem?'

'Die jongen heeft een veel te sterk ontwikkeld verantwoordelijkheidsgevoel. Hij is de hele dag met een overval bezig geweest, was om elf uur klaar en besloot toen om in zijn eigen tijd Peaty in de gaten te houden. Hij begon hier, zag het busje van Peaty niet staan, is toen een hamburger gaan halen en was even na middernacht terug en zag het busje daarginds staan.'

Hij wees in oostelijke richting. 'Hij was op zoek naar een goede plek in de steeg toen hij de drie schoten hoorde. Allemaal recht in het gezicht. Niet gedacht dat zijn gezicht nog lelijker kon worden, maar...'

'Sean voelt zich schuldig omdat hij er niet was.'

'Over de hamburger. Over niks. Dit had hij nooit kunnen voorkomen.'

'Heeft hij Vasquez gearresteerd?'

'Hij heeft eerst om assistentie gevraagd en is toen de trap op gegaan. Peaty's lichaam lag in de gang tussen de flats. Sean heeft daarna gewacht op de agenten, waarna ze huis aan huis zijn gegaan. Toen ze bij de flat van Vasquez kwamen, zat Vasquez zelf op de bank tv te kijken, met het wapen en zijn vrouw en oudste kind naast zich. Vasquez stak zijn handen in de lucht en zei: "Ik heb de klootzak gemold, doe wat je moet doen." De vrouw begon te jammeren en het kind bleef heel rustig.'

'Hoe is het precies gegaan?' vroeg ik.

'Toen ik details wilde weten, kreeg Vasquez opeens last van keelontsteking. Ik vermoed dat hij hier al een hele tijd op heeft zitten broeden, en toen ons aller Ertha hem over mijn bezoekje vertelde, was dat waarschijnlijk de druppel die de emmer deed overlopen. Om de een of andere reden had hij er vandaag genoeg van om niets te doen, zag hij Peaty thuiskomen en is hij hem gaan zeggen dat hij bij zijn vrouw uit de buurt moest blijven. Er volgde een confrontatie, zoals ze in de kranten altijd zo mooi zeggen. Vasquez beweert dat Peaty op hem afkwam en dat hij zich wel moest verdedigen, *pief, paf, poef.*'

'Vasquez is gewapend de deur uit gegaan.'

'Een klein detail,' zei hij. 'Misschien dat een of andere advocaat nog wel zal proberen daarmee te bewijzen dat Vasquez bang was voor Peaty.'

'Was er nog alcohol of drugs in het spel?' vroeg ik.

'Vasquez geeft toe dat hij vier biertjes heeft gehad en dat komt overeen met de lege blikjes in zijn vuilnisbak. Gezien zijn lichaamsgewicht is dat al of niet relevant, hangt af van wat er uit het bloedonderzoek komt. Ik ga even kijken of de technische recherche al klaar is in Peaty's woning.'

Een woonkamer en een badkamer, allebei klein en smerig.

Een walm van oude kaas, verbrande tabak, lichaamsgassen, knoflook, oregano.

Een lege, vettige pizzadoos stond open op het metalen tweepersoonsbed. Op de verkreukelde grijze lakens en groene dekens met een patroon van hoge hoeden en dophoeden lagen overal kruimels. Er zaten grote, vieze vlekken op de lakens. Op de vloer lagen stapels vuil wasgoed. Het enige wat er verder stond was een enorme stapel blikjes bier en het bed. Overal lag vingerafdrukpoeder. Dat leek nergens voor nodig – het lichaam was buiten tegen de grond gegaan – maar je wist het nooit met creatieve advocaten.

Milo baande zich een weg door de troep en liep naar een houten kistje dat als nachtkastje diende. Het lag vol vettige afhaalmenu's, verfrommelde zakdoekjes, fijngeknepen lege bierblikjes – ik telde er veertien – een grote fles gealcoholiseerde wijn die bijna leeg was en een voordeelverpakking van een drankje tegen brandend maagzuur.

Het enige meubilair naast het bed was een ladekast waarop een kleine tv stond met een videorecorder die zo groot was dat hij antiek leek. Een sprietantenne.

Ik zei: 'Geen kabelaansluiting.' Ik trok een la open. 'Hij had niet veel nodig wat betreft vermaak.'

In de la lagen videobanden die als boeken op een horizontale boekenplank lagen. Schreeuwerige kleuren. Allemaal porno. *Illegale verleidsters*, deel 1 tot en met 11. *Tieners onder de douche, Avontuur in korte rokjes, Geile gluurders.*

In de onderste twee lades lag kleding die er niet veel schoner uitzag dan de rommel op de grond. Onder een wirwar aan T-shirts vond Milo een envelop met zeshonderd dollar en een klein plastic naaidoosje met vijf strak gerolde joints.

De badkamer was een klein hokje in de hoek. Mijn neus was inmiddels gewend geraakt aan de slaapkamerwalm, maar dit was een nieuwe uitdaging. De douche was van fiberglas en nauwelijks groot genoeg voor een vrouw, laat staan voor een man zo groot als Peaty. Oorspronkelijk was hij beige, maar nu bruin met een zwartgroene prut bij de afvoer. Een streperige, vlekkerige spiegel was aan de muur boven de wasbak geplakt; geen medicijnkastje. Op de grond naast de gebroken, smerige wc stond een klein rieten mandje. Daarin zat een verzameling maagzuurtabletten en pijnstillers, een tandenborstel die zo te zien al een tijd niet was gebruikt en een bruin apothekersflesje met twee Vicodin-tabletten die alleen op recept te verkrijgen waren. Op het etiket stond dat er eenentwintig tabletten in hadden gezeten die zeven jaar daarvoor waren voorgeschreven door een arts uit een kliniek in

Las Vegas, afkomstig van de apotheek verbonden aan de kliniek. 'Die bewaarde hij zeker voor slechte tijden,' zei ik. 'Of juist goeie tijden.'

'Gelegenheidshigh,' zei Milo. 'Maar dan op de ordinaire manier.' Hij liep terug naar de slaapkamer, keek onder het bed en kwam met stoffige, lege handen weer overeind. Hij hield zijn handen bij zijn broek vandaan en wierp een blik in de badkamer. 'Van die wasbak word ik waarschijnlijk niet schoner... Eens kijken of er buiten een tuinslang is.'

Voordat we de trap afliepen, nam hij me mee naar de plaats van de schietpartij. Peaty had veel bloed verloren. De plek waar hij tegen de vlakte was gegaan was met zwarte tape afgeplakt.

Bij de flat van Vasquez stond een agent. Milo groette haar en we vonden een tuinslang in de buurt van de flat van mevrouw Stadlbraun. Ze was weer binnen en had de gordijnen stevig dichtgedaan.

Toen hij zijn handen had gewassen, zei Milo: 'Ideeën?'

'Als Peaty onze dader is, bewaarde hij geen trofeeën of andere interessante voorwerpen,' zei ik.

Maar ik had het mis.

Achter in het roestige busje vond Milo dozen met schoonmaakmiddelen, zeildoek, bezems, zwabbers, dweilen. Begraven onder het zeildoek stond een bruine gereedschapskist. Er zat een hangslot op dat open hing.

Milo trok handschoenen aan en deed de gereedschapskist open. Boven in het inklapbare vak zaten schroevendraaiers, hamers, moersleutels, buigtangen, kleine plastic doosjes met schroeven en spijkers. In de vakken daaronder lagen een set inbraakinstrumenten, twee rollen isolatietape, een stanleymes, een draadschaar, een stiletto, een rol dik, wit, nylon draad, vier paar panty's en een blauw stalen automatisch pistool in een groezelige roze washand. Een geladen wapen. Met genoeg munitie in de doos .22-kogels in de hoek van de gereedschapskist.

Naast de kogels lag iets anders in badstof gewikkeld. Rond, hard. Milo wikkelde de stof eraf. Een sneeuwbol. Op de roze plastic rand stond: MALIBU, CALIFORNIA, SURF'S UP!

Hij keerde de bol om. Witte vlokken dwarrelden neer op een kobaltblauwe oceaan. Hij bekeek de onderkant. 'MADE IN U.S.A. NEW HAMPSHIRE. Dat verklaart het. Die smerige klootzakken wilden ons ook kou laten lijden, net als zij.'

Hij legde de sneeuwbol terug in de gereedschapskist en sprak in zijn walkietalkie met een van de technisch rechercheurs op de plaats delict. 'Lucio? Kom even deze kant op. We hebben nog meer.'

Terwijl het team van de technische recherche zijn werk deed in het busje, zocht Milo het chassisnummer op en traceerde dit.

Het busje bleek vier jaar daarvoor te zijn gestolen in Highland Park en stond op naam van Wendell A. Chong. Chong woonde in South Pasadena. Milo noteerde het adres.

Ik zei: 'Peaty maakt veel gebouwen aan de oostkant van de stad schoon. Waarschijnlijk zag hij, een jaar nadat hij naar Californië was gekomen, zijn kans schoon en heeft hij nooit de moeite genomen om het zijn baas te vertellen. Brad Dowd betaalt voor een carpoolservice. Meestal maakte Peaty daar gebruik van. Maar hij had andere mogelijkheden.'

'Compleet met een inbraak/verkrachtingsuitrusting.' Hij fronste zijn wenkbrauwen. 'Oké, we gaan.'

Het was kwart voor een toen ik achter hem aan een restaurantje op de hoek van Pico en Wooster binnen liep. Hij bleef lang op de wc en kwam terug met roze geboende handen en vochtig haar.

'Ik wist niet dat ze hier douches hadden,' zei ik.

'Ik heb met mijn kop onder de kraan gehangen.' Hij bestelde taart en koffie voor ons allebei.

'Ik heb geen trek.'

'Mooi. Dan heb ik er twee zonder dat ik een vreetzak lijk. Dus Peaty is een bijzonder foute kerel. Wat heeft die sneeuwbol te betekenen?'

'Misschien was de bol die Dylan aan Nora heeft gegeven deel van een set. Of van een verzameling. Eentje lag in Dylans auto omdat Peaty wilde opscheppen. De andere bewaarde hij als souvenir om zich bij af te trekken.'

'Met andere woorden, als verzekeringsmaatschappij zou je geen levensverzekering uitschrijven op naam van Nora en Meserve. Enig idee waar we zouden kunnen zoeken naar hun lichamen?'

Ik schudde mijn hoofd. 'Het busje en de uitrusting suggereren dat Peaty overal kan zijn geweest. Ze bieden ook een verklaring voor Michaela. Hij richtte zich op haar toen hij haar in het PlayHouse zag, is haar naar huis gevolgd en ontdekte dat ze in de buurt woonde. Daarna was het voor hem heel makkelijk om haar vanuit zijn busje te bespieden. Op een gegeven moment heeft hij haar ontvoerd, is met haar naar een verlaten plek gereden en heeft haar gewurgd. Misschien zelfs in het busje.'

Milo fronste zijn wenkbrauwen. 'Ontvoering en afzondering... alsof die grap van Dylan en Michaela tot leven wordt gebracht. Denk je dat Peaty daardoor aangemoedigd is?'

'Waarschijnlijk hield hij Michaela al een tijdje in de gaten, maar gaf die grap de doorslag. En toen Michaela van de opleiding werd getrapt, was ze 's avonds vaker thuis.'

'Waar hij haar ook vermoord heeft, hij heeft haar teruggebracht naar de buurt. Wat betekent dat... dat hij op vertrouwd terrein wilde zijn?'

'Of juist het tegenovergestelde,' zei ik. 'De moordenaar van Tori Giacomo heeft haar in Griffith Park gedumpt en haar lichaam heel goed verborgen. Het park is kilometers van Tori's flat in de Valley en nog verder van Peaty's flatje. Het is ook een korte rit van de Valley naar Pasadena – je gaat de 101 af, neemt op de 5 de eerstvolgende afslag, slaat je slag en zit zo weer op de snelweg.'

'Hij heeft haar gedumpt op weg naar zijn werk,' zei Milo. 'Zo heeft hij het busje ook gestolen.'

'Doordat hij Tori ongestraft kon vermoorden, nam hij met Michaela misschien meer risico. Iedereen dacht dat hij geen eigen vervoer had, dus hij was niet bang dat iemand het lichaam met hem in verband kon brengen. Daarom heeft hij haar open en bloot laten liggen.'

'De leugen dat hij geen auto had was zo achterhaald.'

'Zijn verlangen om op te scheppen was groter dan zijn voorzichtigheid,' zei ik. 'Hij was geen crimineel genie. Zoals de meeste.'

De taart arriveerde. Hij at zijn stuk op en pakte toen dat van mij.

'Misschien was hij gewoon lui bij Michaela. Omdat ze zo dichtbij woonde, had hij geen reden om te zwerven. Tori woonde in het noorden van Hollywood, het had geen zin om haar thuis te brengen. Maar hoe zit het dan met het echtpaar Gaidelas? Peaty's videocollectie komt overeen met zijn arrestatie wegens gluren. Aantrekkelijke jonge vrouwen.'

Ik zei: 'Het is moeilijk om het echtpaar Gaidelas daarmee in verband te brengen, maar ik heb al eerder gezegd dat hij mogelijk andere kronkels had. De auto die in Camarillo is gevonden, maakt het een stuk lastiger. Als hij zijn busje in de buurt van de plek van de moord had laten staan, en met de huurauto van Gaidelas naar dat outletcenter is gereden, hoe is hij dan teruggegaan naar Malibu?'

'Dat vind ik dan weer geen probleem. Hij heeft gelift, nóg een auto gestolen, de bus genomen – of hij heeft nooit met die huurauto gereden. Hij hoefde hem alleen maar met de ramen wagenwijd open en de sleutel in het contact op Kanan Dume te laten staan. Een hartelijke uitnodiging voor jeugdige joyriders.'

'Joyriders die naar het outletcenter gaan?' zei ik. 'Jeugdige criminelen op zoek naar een koopje?'

'Waarom niet? Een paar gave Nikes en een hiphopbroek jatten. Hoe je het ook bekijkt, wijlen meneer Peaty is geen groot gemis.'

'Dat is waar.'

Een paar happen later: 'Waar denk je aan?'

'De scenario's die we hebben bedacht draaien om planning en geduld. Maar de manier waarop Peaty is omgekomen – niet vluchten voor een gewapende man – duidt op een gebrek aan zelfbeheersing.'

'Hij was dronken. Of misschien gaf Vasquez hem niet de kans om te vluchten.'

'Vasquez liep naar buiten en schoot hem zo neer?'

'Die dingen gebeuren.'

'Dat is waar,' zei ik. 'Maar bedenk eens: de lichamen van het echtpaar Gaidelas zijn nooit gevonden en hun creditcards zijn nooit gebruikt. Bovendien heeft iemand de moeite genomen om hun gas, water en licht af te sluiten. Dat is zeer berekenend en discreet. Peaty is door een voorbijganger gesnapt toen hij al masturberend naar studentes stond te gluren. Hij bleef openlijk naar vrouwen staren en gaf ze de kriebels. Vind jij dat discreet klinken?'

'Zelfs een sukkel kan leren, Alex. Maar even afgezien van Andy en Cathy Gaidelas, ben je het ermee eens dat Michaela en Tori Peaty's slachtoffers zouden kunnen zijn?'

Ik knikte.

'Mooi, want een gestolen auto, isolatietape, touw, een mes en een geladen pistool zijn in elk geval tastbaar bewijsmateriaal. Basismateriaal afkomstig van het plaatselijke warenhuis voor psychopathische moordenaars.' Hij masseerde zijn slapen. At taart, dronk koffie. Duwde het lege bord terug naar mij en bestelde meer koffie.

De serveerster zei: 'Tjonge, jullie hadden honger.'

Milo grijnsde. Ze dacht dat hij oprecht was en glimlachte terug. Toen ze weg was, betrok zijn blik. 'Er zit bijna twee jaar tussen Tori en Michaela. Dan komt die akelige vraag boven.'

'Hoeveel anderen zijn er in de tussentijd geweest,' zei ik.

'Peaty zoekt ze uit in het PlayHouse. Geen lesprogramma, geen presentielijst, mensen komen en gaan. De droom van elke misdadiger. Ik dacht eerst dat Nora opzettelijk vaag deed toen ze me dat vertelde. Maar nu ze er steeds meer als een slachtoffer begint uit te zien, geloof ik haar.'

'We hebben in Peaty's flat en busje verder geen trofeeën gevonden. Misschien zijn er geen andere slachtoffers.'

'Of hij heeft ergens een opslagruimte.'

'Mogelijk. Dan zou ik beginnen in de gebouwen waar hij schoonmaakwerk deed.'

'Gratis opslag,' zei Milo. 'Misschien verklaart dat waarom de Toyota van Meserve in Brads garage stond. Het sluit ook aan bij zijn grote afkeer van autoriteit. Alle panden van de familie Dowd, Peaty die alle rotklusjes deed. Het moet voor Brad lastig zijn om alle panden in de gaten te houden... Waar belde je me trouwens voor voordat ik je over Peaty vertelde?'

'Niet belangrijk.'

'Belangrijk genoeg om te bellen.'

Ik vertelde hem wat er met Hauser was gebeurd.

'Jij en Robin?'

'Ja.'

Hij deed zijn best om stoïcijns te kijken. 'En die vent is psycholoog? Zo te horen eerder een halvegare.'

'Op zijn zachtst gezegd kan hij niet goed tegen alcohol.'

'Hebben ze hem gearresteerd?'

'Dat weet ik niet,' zei ik. 'Ze hebben hem per ambulance afgevoerd.'

'Je hebt hem een goeie mep gegeven, zeker?'

'Ik ben voorzichtig geweest.'

Hij kneep zijn ogen half toe, maakte platte wapens van zijn handen, sneed met ze door de lucht en fluisterde: '*Haai-jah!* Ik dacht dat je niet meer aan de zwarte band deed.'

'Ik ben nooit verder gekomen dan de bruine band,' zei ik. 'Het is net als fietsen.'

'Hopelijk wordt die sukkel wakker met een zere neus en ziet hij in hoe stom hij is geweest. Wil je dat ik de rapporten opvraag?'

'Dat hoopte ik eigenlijk.'

'Waren er rechercheurs bij?'

'Alleen agenten. Hendricks en Minette. Een man en een vrouw.'

Hij belde met bureau Pacific, vroeg naar de commandant van dienst, legde de situatie uit, luisterde en hing met een glimlach op. 'In het officiële politierapport word je als slachtoffer aangemerkt. Hauser is opgepakt voor het verstoren van de openbare orde en is weer vrijgelaten. Wat voor auto heeft hij?'

'Doe geen moeite om te patrouilleren.'

'Een zielenknijper... Ik gok op een Volvo, misschien een Volkswagen.'

'Een Audi Quattro.'

'Zat ik toch in het goede werelddeel,' zei hij. 'Ja, ik maak vanavond wel een rondje, graag gedaan.'

'Ik denk niet dat hij hiermee doorgaat, Milo. Als hij nuchter is, zal hij wel beseffen dat een tweede aanklacht wegens het verstoren van de openbare orde zijn civiele zaak geen goed zal doen. En anders zal zijn advocaat hem dat wel bijbrengen.'

'Als hij zo slim was, had hij je niet gestalkt, Alex.'

'Maak je niet druk,' zei ik. 'Met mij is alles goed en jij hebt al genoeg op je bord.'

'Interessant,' zei hij.

'Wat?'

Hij maakte zijn riem los en onderdrukte een boer. 'Jouw keus van culinaire beeldspraak.'

27

Hausers Audi was nergens te bekennen toen ik om twee uur 's nachts thuiskwam. Het bed was opgemaakt en Robin was weg.
Ik belde haar zes uur later.
'Ik hoorde je weggaan,' zei ze. 'Ik ben nog naar buiten gelopen, maar je reed net weg. Over wat voor nare dingen ging het?'
'Dat wil je niet weten.'
'Jawel. Dat is de nieuwe ik.'
'Er was niets mis met de oude.'
'De struisvogel heeft haar kop uit het zand gehaald. Wat was er, Alex?'
'Iemand was doodgeschoten. Een enorme slechterik. Je had best mogen blijven.'
'Ik werd een beetje onrustig,' zei ze. 'Het is een groot huis.'
'Vertel mij wat.'
'Het was fijn gisteravond, Alex.'
'Op het karate-intermezzo na.'
'Ben je bang dat Hauser nog meer problemen gaat geven?'
'Misschien is hij verstandiger als hij nuchter is. De politie heeft het in mijn voordeel gerapporteerd. Over mijn voorstel van...'
'Ben je van gedachten veranderd?'
'Natuurlijk niet.'
'Kwam het niet zomaar door het moment, Alex?'
Misschien wel. 'Nee.'
Stilte. 'Zou je het erg vinden als ik zei dat ik wat tijd nodig heb om erover na te denken?'
'Het is een grote stap,' zei ik.
'Ja. Eigenlijk wel merkwaardig als je bedenkt hoeveel we in ons leven al met elkaar gedeeld hebben.'
Ik gaf geen antwoord.
Ze zei: 'Ik zal er niet te lang over doen.'

Ik liet het bericht achter bij de secretaresse van Erica Weiss dat ik met haar wilde praten over Patrick Hauser. Ik had nog niet opgehangen of Milo belde.

Hij klonk doodmoe. Waarschijnlijk was hij de hele nacht met de zaak-Peaty bezig geweest. Misschien nam hij daarom niet de moeite om even een babbeltje te maken.

'Wendell A. Chong, de vent die door Peaty was bestolen, is een softwareconsultant die vroeger kantoorruimte had in een van Dowds panden. Zijn busje werd gejat van zijn vaste parkeerplaats toen hij op een avond overwerkte. Chong was verzekerd, heeft een nieuwe auto gekocht en hoeft zijn oude niet terug.'

'Peaty hield de boel in de gaten en greep zijn kans,' zei ik. 'Wat had Chong over Peaty te zeggen?'

'Had hem nog nooit gezien. Hij kon zich Billy Dowd wél herinneren. Hij heeft zich altijd afgevraagd of Billy Dowd iets met de diefstal te maken had.'

'Waarom?'

'Omdat Billy altijd een beetje doelloos rondhing als Brad de huur kwam halen. Op een gegeven moment kwam hij Chongs kantoor binnen geslenterd en stond daar om zich heen te kijken alsof de boel van hem was. Toen Chong vroeg wat hij wilde, kreeg Billy een wazige blik in zijn ogen en verdween. Zonder iets te zeggen. Chong liep achter Billy aan naar de gang waar hij heen en weer liep alsof hij aan het patrouilleren was. Een paar vrouwen kwamen een kantoor uit en Billy bekeek ze van top tot teen. Behoorlijk intens, volgens Chong. Vervolgens kwam Brad eraan en die sleepte Billy mee. Maar hij nam Billy steeds weer opnieuw mee, waarop Chong elke keer zijn deur op slot deed. Interessant, hè?'

'Billy en Peaty?' zei ik.

'Vreemde snoeshanen die elkaar vinden. Het gebeurt. Brad probeert Billy te beschermen, maar hij kan niet overal tegelijk zijn. En zoals je zelf al zei, overschat hij zijn invloed. Misschien neemt hij Billy met zich mee als hij naar de garage bij het PlayHouse gaat. Of naar het PlayHouse zelf. Ik denk niet dat Billy gemakkelijk sekspartners vindt.'

'Billy kwam heel zachtaardig over.'

'Misschien is hij dat ook,' zei hij. 'Tenzij hij het niet is. Ik heb hoe dan ook net toestemming gekregen van de pro-Deoadvocaat van Vasquez om zijn cliënt te ondervragen, dus ik ben op weg naar de gevangenis. Ik gok op een snelle schikking, misschien dood door schuld. Het zou wel eens fijn zijn om een zaak snel te kunnen sluiten.'

'Je zou Peaty als de moordenaar van Michaela kunnen aanwijzen en die zaak kunnen sluiten,' zei ik.

'En toch heb ik mijn twijfels bij Billy,' zei hij. 'En waarom? Omdat ik een zelfvernietigende sufferd ben. Ik heb twee dagen niet geslapen, ik ben kwétsbaar, amigo. Zeg me dat ik Billy moet vergeten, dan doe ik dat.'

'Twee daders zou wel kunnen verklaren hoe de auto van het echtpaar Gaidelas veertig kilometer bij Kanan Dume vandaan is gevonden. Billy lijkt niet echt gewiekst, maar misschien heeft Peaty hem geholpen. Toch kan ik me nauwelijks voorstellen dat hij ongemerkt lang weg heeft kunnen zijn. Hij en Brad zijn het grootste deel van de dag samen en 's avonds wordt hij door een buurvrouw in de gaten gehouden.'

'De "aardige dame". Hoe goed zou ze opletten? Ik had erachteraan moeten gaan, maar er is zoveel gebeurd... Is het niet interessant dat de negatieve dingen die we van Billy weten dateren van het moment waarop hij op zichzelf ging wonen?'

'Als die negatieve dingen het gevolg zijn van een ongezonde relatie,' zei ik, 'doet hij ze misschien niet meer nu Peaty er niet meer is.'

'Schrale troost.'

'Ik kan een babbeltje gaan maken met die buurvrouw.'

'Dat zou geweldig zijn, ik ben de hele dag nog met Vasquez bezig.' Hij las Billy's adres aan Reeves Drive voor. 'Heb je nog iets gehoord van die klootzak Hauser?'

'Helemaal niets.'

'Mooi zo.'

'Er is nog steeds iets wat ik me afvraag,' zei ik.

'Wil ik het weten?'

'Dylan Meserve had Latigo uitgekozen omdat hij daar wel eens had gewandeld. Maar waarom ging het echtpaar Gaidelas naar dezelfde plek?'

'Aha,' zei hij. 'Daar heb ik ook al over nagedacht. Misschien heeft Peaty Dylan een keer horen praten over zijn wandelingen daar.

En toen het echtpaar Gaidelas op hun auditie stond te wachten, hadden ze het over hun wandelplannen... Dat heeft Peaty mogelijk gehoord en hij heeft hun vervolgens advies gegeven.'

'Dat is allemaal wel toevallig.'

'Peaty is een gluurder.'

'Akkoord,' zei ik.

'Je gelooft er geen snars van.'

'We weten dat Meserve geen geweten heeft, of op zijn minst een zwak geweten. Wat me dwarszit, is Michaela's beschrijving van zijn gedrag die nachten. Opzettelijk iemand gek willen maken, geobsedeerd door de dood, ruwe seks. Ik wil je last niet nog groter maken, maar...'

'Het is mijn last niet. De zaak-Gaidelas is niet van mij.'

Een vage kennis zou dat misschien geloven.

Hij zei: 'Peaty voor de meisjes, Meserve voor Andy en Cathy Gaidelas? Was die school soms een magneet voor psychopathische moordenaars?'

'Er speelde daar wel iets.'

Hij lachte. Geen aangenaam geluid.

28

Erica Weiss belde terug toen ik onder de douche stond. Ik droogde me af en belde haar kantoor.

'Wat een toestand. Is alles goed met u?' Zoals bij zoveel verwijzingen, was ze niet meer dan een stem aan de telefoon voor me. Ze sprak snel, energiek en kittig als een cheerleader.

'Prima. Hebt u al iets over Hauser gehoord?'

'Nog niet gekeken. Wat is er precies gebeurd?'

Toen ik uitgesproken was, klonk ze nog kittiger. 'Zijn verzekeraar zal blij zijn om te horen dat de inzet zojuist is verhoogd. Die sukkel heeft zijn eigen glazen ingegooid. Wanneer kan ik uw getuigenverklaring afnemen?'

'Alles staat in het politierapport,' zei ik.

'Dat doet er niet toe. Wanneer schikt het u?'

Nooit. 'Morgen?'

'Ik zat eigenlijk aan vandaag te denken.'

'Dat is nogal kort dag.'

'Die arme vrouwen kunnen hun schikkingsbedrag goed gebruiken.'

'Probeert u het aan het eind van de middag maar.'

'U bent een schat,' zei ze. 'Ik kom wel naar u toe met een gerechtssecretaris. Zegt u maar waar.'

'Dat spreken we nog wel af.'

'U houdt niet van toezeggingen? Best, wat u maar wilt, maar hoe eerder, hoe liever.'

Het adres van Billy Dowd was ten zuiden van Beverly Hills, een korte wandeling naar Roxbury Park. Vorig jaar was ik getuige geweest van een schietpartij in het park, iets wat nooit in de krant had gestaan. Dit was Beverly Hills waar een schijn van veiligheid hangt en de uitruktijd van de politie zogenaamd negentig seconden is.

Veel Spaanse halfvrijstaande woningen uit de jaren twintig. Die van Billy was roze met glas-in-loodramen, een rood dak en weelderig lijstwerk van pleisterkalk. Een poort zonder hek ervoor leidde naar een betegelde trap naar de eerste verdieping. Het overhangende gedeelte creëerde een donker ingangetje naar de woning op de begane grond.

Op de gietijzeren brievenbus aan de binnenkant van de deurpost stond niets. Ik liep de trap op en klopte op een zware, houten deur. Er zat een houten plankje voor het kijkgat dat dicht bleef toen de deur openging.

Een brunette in een wit nylon uniform keek me aan terwijl ze haar haar kamde. Ruw haar in een jongensachtig kapsel betekende korte, vinnige halen. Ze was in de veertig, had een gevaarlijk donkere huid, een puntige neus en zwarte ogen die dicht bij elkaar stonden. Op het naambordje van Santa Monica Hospital boven haar linkerborst stond: *A. Holzer, verpleegkundige*.

Ze was niet van slag van een onbekende man die onaangekondigd op haar stoep stond.

'Kan ik u helpen?' Een Duits accent.

'Woont Billy Dowd hier beneden?'

'Ja, maar hij is niet thuis.'

Ik liet haar mijn pas zien, 'politieadviseur'. Al een half jaar verlopen. Er zijn maar weinig mensen die op details letten. A. Holzer keek er amper naar. 'Politie? Vanwege Billy?'

'Een van de werknemers van Billy en zijn broer was bij wat problemen betrokken.'

'O... Wilt u Billy daarover spreken?'

'Nee, ik wil u graag spreken.'

'Mij? Waarom?'

'U zorgt toch voor Billy?'

'Zorgen voor?' Ze lachte. 'Het is een volwassen vent.'

'Lichamelijk wel,' zei ik.

De hand rond de haarborstel werd wit. 'Ik begrijp niet waarom u me deze vragen stelt. Er is toch niets met Billy?'

'Nee, hoor. Dit zijn routinevragen. Zo te horen mag u hem wel.'

'Natuurlijk, Billy is aardig,' zei ze. 'Luister, ik ben erg moe, ben vanmorgen vroeg uit mijn werk gekomen. Ik wil graag slapen...'

'Werkt u meestal van elf tot zeven?'

'Ja. Daarom wil ik nu graag naar bed.' Een andere glimlach. IJzig.

'Zo te horen hebt u dat wel verdiend. Op welke afdeling werkt u?'

'Cardiologie.'

'Acht uur op een cardiologieafdeling en dan ook nog alle zorg voor Billy.'

'Dat is niet... Billy heeft niet veel... Waarom is dit belangrijk?' Ze legde haar hand op de deur.

'Waarschijnlijk is het dat niet,' zei ik. 'Maar als er iets ergs is gebeurd, moeten er veel vragen gesteld worden. Over iedereen die het slachtoffer kende.'

'Er was een slachtoffer. Is er iemand gewond?'

'Er is iemand vermoord.'

Haar hand schoot naar haar mond. '*Gott im Himmel...* Wie?'

'Een man die Reynold Peaty heette.'

Ze schudde haar hoofd. 'Die ken ik niet.'

'Hij werkte als conciërge in een aantal gebouwen van Brad en Billy.' Ik beschreef Peaty.

Toen ik over de bakkebaarden begon, zei ze: 'O, die.'

'Kende u hem?'

'Niet echt, ik heb hem wel eens gezien.'

'Hij kwam hier wel eens,' zei ik.

Ze frunnikte aan haar naambordje. Haalde de kam nog een paar keer door haar haar.

'Mevrouw Holzer...'

'Annalise Holzer.' Een lagere stem, zacht, behoedzaam. Ik verwachtte bijna rang en nummer.

Ik zei: 'Reynold Peaty kwam wel eens bij Billy op bezoek.'

'Nee, nee, niet op bezoek, hij bracht spullen terug.'

'Spullen?'

'Spullen die Billy vergeet. Op kantoor. Soms brengt meneer Dowd ze zelf, maar kennelijk stuurt hij soms die man.'

'Reynold Peaty.'

'Billy heeft hem niet vermoord, dat weet ik zeker. Billy doet nog het raam open om vliegen naar buiten te laten, zodat hij ze niet hoeft dood te slaan.'

'Zachtaardig.'

'Zachtaardig,' beaamde Annalise Holzer. 'Als een brave jongen.'

'Maar vergeetachtig,' zei ik.

'Iedereen vergeet wel eens wat.'

'Wat vergeet Billy zoal?'

'Zijn horloge, zijn portemonnee. Vaak zijn portemonnee.'

'En meneer Peaty is wel eens langs geweest om de portemonnee bij u af te geven?'

'Nee,' zei ze. 'Dan zei hij dat Billy zijn portemonnee was vergeten en dat hij hem terug kwam brengen.'

'Hoe vaak is dat gebeurd?'

'Een paar keer,' zei ze. 'Ik hou dat niet bij.'

Vaak zijn portemonnee. Ik trok een wenkbrauw op.

Annalise Holzer zei: 'Een paar keer, meer niet.'

'Ging meneer Peaty die keren bij Billy naar binnen?'

'Dat weet ik niet.'

'U past toch op hem?'

'*Nein*,' zei ze. 'Ik pas niet op hem, het is geen babysitten. Meneer Dowd wil dat ik Billy zo nu en dan help als hij iets nodig heeft.'

'Een goeie baan, zo te horen.'

Ze haalde haar schouders op.

'Betaalt het goed?'

'Geen geld, alleen minder huur.'

'Is meneer Dowd uw huisbaas?'

'Een heel goede huisbaas, er zitten... uitzuigers tussen.'

Milo had geen panden in Beverly Hills genoemd toen hij het over Dowds eigendommen had gehad.

Ik zei: 'Dus u krijgt korting op de huur en in ruil daarvoor let u een beetje op Billy.'

'Ja, precies.'

'Wat betekent dat in de praktijk?'

'Dat ik er ben,' zei Annalise Holzer, 'als hij iets nodig heeft.'

'Hoe verplaatst Billy zich?'

'Verplaatst?'

'Van a naar b. Hij rijdt geen auto.'

'Hij gaat niet veel uit,' zei Annalise Holzer. 'Ik breng hem op zondag wel eens naar de bioscoop. Dan zet ik hem af bij Century City en haal ik hem later weer op. Meestal huur ik dvd's voor hem bij een videotheek aan Olympic vlak bij Almont Drive. Billy heeft een grote flatscreen-tv, beter dan de bioscoop, zeggen ze.'

'Rijdt hij wel eens met iemand anders mee?'

'Meneer Dowd haalt hem 's morgens op en brengt hem weer thuis. Elke werkdag.'

Een breed terrein van Santa Monica Canyon naar Beverly Hills en weer terug naar de stad aan het strand. Brads onbetaalde baan.

'En verder?'

'Hoe bedoelt u?'

'Taxi, huurauto?'

'Voor zover ik weet niet.'

'Dus Billy komt niet zoveel buiten.'

'Nooit alleen,' zei Annalise Holzer. 'Ik zie hem nooit in zijn eentje buiten, zelfs niet voor een ommetje. Ik wandel graag en als ik vraag of hij zin heeft om mee te gaan, dan zegt hij: "Annalise, op school hield ik al niet van gym. Ik lig liever op de bank."' Ze glimlachte. 'Ik plaag hem wel eens dat hij lui is. Dan moet hij lachen.'

'Heeft hij vrienden?'

'Nee. Maar hij is heel vriendelijk.'

'Een huismus,' zei ik.

Dat woord verwarde haar.

'Hij komt thuis en blijft daar.'
'Ja, ja, precies. Dan kijkt hij tv, dvd, hij eet – soms kook ik. Hij houdt van bepaalde dingen... *Sauerbraten*... speciaal kalfsvlees. *Spätzle*, dat is een soort noedels. Ik kook voor twee en breng het beneden.' Ze keek over haar schouder. De kamer achter haar zag er netjes en licht uit. Op de gewelfde, betegelde schoorsteenmantel stonden witte porseleinen beeldjes.

In het huidige economische klimaat moest de huur zeker drie-, vierduizend per maand zijn. Behoorlijk prijzig voor een verpleegkundige.

'Woont u hier alleen, mevrouw Holzer?'
'Ja.'
'Komt u uit Duitsland?'
'Uit Liechtenstein.' Ze duwde haar duim en wijsvinger tegen elkaar. 'Dat is een piepklein landje tussen...'
'Oostenrijk en Zwitserland,' zei ik.
'Kent u Liechtenstein?'
'Ik heb gehoord dat het er erg mooi is. Glooiende heuvels, kastelen, de Alpen.'
'Ja, het is er mooi,' beaamde ze. 'Maar hier is het leuker.'
'L.A. is bruisender.'
'Er is meer te doen, de muziek, paarden, het strand.'
'U rijdt paard?'
'Als de zon maar schijnt,' zei ze.
'Nachtdiensten draaien, overdag slapen en het een en ander voor Billy doen.'
'Werk is leuk. Soms draai ik een dubbele dienst.'
'Wat heeft Billy zoal nodig?'
'Hij is heel makkelijk. Als hij eten wil laten komen, maar het restaurant is erg ver, dan haal ik het voor hem. Je hebt een Domino's Pizza aan Doheny Drive in de buurt van Olympic Boulevard. Billy houdt van Thais en er is een heel goed restaurant op de hoek van La Cienega en Olympic. De sushibar ligt ook aan Olympic. Een leuke tent vlak bij Doheny. Heel handig om daar in de buurt te wonen.'
'Billy houdt van lekker eten.'
'Billy eet alles,' zei Annalise Holzer. 'U moet hem echt zien als een jongen. Een lieve jongen.'

Toen ik weer terug was aan Olympic belde ik Milo in de verwachting dat ik zijn voicemail zou krijgen omdat hij bezig was met Armando Vasquez.

'Afgezegd,' zei hij. 'De pro-Deoadvocaat van Vasquez had andere plannen, maar had niet de moeite genomen om mij dat even te laten weten. De eerste uitslag van de obductie van Michaela is binnen. Ik had er wel bij willen zijn, maar ze hebben het eerder gedaan dan gepland. Waar het op neerkomt is dat er geen bewijs is van aanranding, de doodsoorzaak is wurging, en de steekwonden in haar borst zijn relatief ondiep. De nekwond was een gaatje, de patholoog weet niet waardoor. Ben je al bij Billy geweest?'

'Daar kom ik net vandaan en jij zult nu wel heel tevreden zijn. De vrouw die boven woont is een verpleegkundige die nachtdiensten draait in Santa Monica Hospital, wat betekent dat ze rond kwart over tien het huis verlaat. Bovendien vindt ze L.A. een opwindende stad; ze houdt van kunst, het strand, paardrijden. Aan haar gebruinde huid te zien komt ze overdag veel buiten.'

'Niet veel toezicht.'

'En Peaty is meerdere keren bij Billy thuis geweest. Door Brad gestuurd om dingen terug te brengen die Billy op kantoor had laten liggen, beweerde hij. Brad heeft ons gezegd dat Peaty geen rijbewijs had. Of hij heeft daarover gelogen, of Peaty heeft over zijn aanwezigheid gelogen.'

'Hoe vaak is meerdere keren?'

'Dat kon ze niet zeggen. Of ze wilde het niet. Ze zei dat Billy zijn portemonnee vaak vergat. Daarna zei ze "een paar keer".'

'Hoe heet ze?'

'Annalise Holzer. Ze is zo iemand die je allerlei details geeft, maar eigenlijk niet veel zegt. Ze vindt Billy kinderlijk, lief, helemaal niet lastig. Maar dat kan ook te maken hebben met de korting op de huur die ze van Brad krijgt. Het gebouw is van Dowd.'

'Echt? Dat heb ik niet op de lijst staan.'

'Misschien hebben de Dowds nog een ander bedrijf of een holding die niet naar hen te herleiden is.'

'Al dat onroerend goed,' zei hij. 'Die mensen moeten ontzettend rijk zijn en rijke mensen krijgen bescherming.'

'Holzer was erg beschermend, dat is waar. Maar ik denk niet dat ze veel details van Billy's leven kent.'

'Met andere woorden, Peaty was misschien wel veel vaker bij haar lieve Billy. Ik móét die jongen eens goed onder de loep nemen. Zodra ik de vrouw van Vasquez heb gesproken. Dat bedoelde ik met andere plannen. Ik mag Vasquez opeens pas spreken als ik met moeder de vrouw heb gepraat.'

'Waarover?'

'De advocaat doet nogal geheimzinnig. Waarschijnlijk is het een stom advocatentrucje, maar het OM staat erop.'

'Het OM heeft eigen detectives.'

'Die moeten ze betalen. Daarom denk ik dat het een rotklus is die ze op mijn bord hebben geschoven.'

'Waar heb je met de echtgenote afgesproken?'

'Op mijn kamer over een halfuur.'

'Ik kan er over twintig minuten zijn.'

'Mooi.'

29

Jacalyn Vasquez zag er, zonder haar drie kinderen, make-up en sieraden, nog jonger uit dan die zondag. Ze had haar haar strak naar achteren in een stemmig staartje. Ze droeg een wijde witte bloes, een blauwe spijkerbroek en gympen. Haar voorhoofd en wangen zaten onder de acne. Haar ogen lagen diep in hun kassen.

Een lange vrouw met goudblond haar van in de twintig had Vasquez bij haar arm vast. De blonde haren waren lang en glanzend. Ze droeg een strak zwart mantelpakje dat haar slanke figuur accentueerde. Een rode piercing in haar neus vormde een contrast met de conservatieve snit van het pakje. Het mooie haar en het strakke lijf vochten met een lelijk gezicht waar een camera niets van zou willen weten.

Ze bekeek de kleine ruimte en fronste haar wenkbrauwen. 'Moeten we hier allemaal zitten?'

Milo glimlachte. 'En wie bent u?'

'Brittany Chamfer van de pro-Deogroep.'

'Ik dacht dat meneer Vasquez door Kevin Shuldiner vertegenwoordigd werd.'

'Ik ben derdejaars rechtenstudent,' zei Brittany Chamfer. 'Ik werk aan het project Rechterlijke Dwalingen.' Haar frons werd nog intenser. 'Dit is niet meer dan een kast.'

'Tja,' zei Milo, 'een persoon minder zou helpen. Geniet u van de frisse lucht, mevrouw Chamfer. Komt u binnen, mevrouw Vasquez.'

'Ik heb opdracht gekregen bij Jackie te blijven.'

'Mijn opdracht is dat u van de frisse lucht gaat genieten.' Hij kwam overeind en zijn stoel kraakte. Hij legde zijn hand erop zodat hij stil werd en bood de stoel aan Jacalyn Vasquez aan. 'Gaat u zitten, mevrouw.'

Brittany Chamfer zei: 'Maar ik hóór erbij te zijn.'

'U bent geen advocaat en mevrouw Vasquez is niets ten laste gelegd.'

'Maar toch.'

Milo nam een grote stap tot in de deuropening. Brittany moest een stap naar achteren doen om een botsing te voorkomen en trok de arm waarmee ze Jacalyn Vasquez had ondersteund terug. Vasquez keek langs me heen alsof het kantoor een grote ijsvlakte was.

Brittany Chamfer zei: 'Ik ga het kantoor bellen.'

Milo nam Vasquez mee naar binnen en deed de deur achter zich dicht.

Tegen de tijd dat ze zat, was Jacalyn Vasquez aan het huilen.

Milo gaf haar een papieren zakdoekje. Toen ze haar tranen had gedroogd, zei hij: 'U wilde ons iets vertellen, mevrouw Vasquez?'

'Ja.'

'Zegt u het maar.'

'Armando deed het om ons te beschermen.'

'Om zijn gezin te beschermen.'

'Ja.'

'Tegen...'

'Hem.'

'Meneer Peaty?'

'Die viezerik.'

'Wist u dat meneer Peaty een viezerik was?'

Ze knikte.

'Hoe wist u dat?'

'Dat zei iedereen.'

'Iedereen in de flat.'

'Ja.'

'Zoals mevrouw Stadlbraun.'

'Ja.'

'Wie nog meer?'

'Iedereen.'

'Kunt u namen noemen?'

Ze bleef omlaag kijken. 'Iedereen.'

'Heeft meneer Peaty ooit iets ergs gedaan, voor zover u weet?'

'Hij keek.'

'Naar...'

Jacalyn Vasquez wees naar haar linkerborst. Milo zei: 'Hij keek naar u.'

'Heel vaak.'

'Heeft hij u wel eens aangeraakt?'

Haar hoofd ging heen en weer.

'U voelde zich daar niet prettig bij.'

'Ja.'

'Hebt u dat tegen Armando gezegd?'

'Nee.'

'Waarom niet?'

'Ik wilde niet dat hij boos werd.'

'Armando heeft een kort lontje.'

Ze bleef stil.

'Peaty keek naar u,' zei Milo, 'en dus is het niet erg dat Armando hem heeft doodgeschoten?'

'En de telefoontjes. Dat wilde ik u vertellen.'

Milo kneep zijn ogen samen. 'Welke telefoontjes, mevrouw?'

'Die avond. Bellen, ophangen, bellen, ophangen. Ik dacht dat hij het was.'

'Peaty?'

'Ja.'

'Want...'

'Het was een viezerik.' Ze liet haar blik weer dalen.

'U dacht dat meneer Peaty u lastigviel,' zei Milo.

'Ja.'

'Had hij dat wel eerder gedaan?'

Ze aarzelde.

'Mevrouw Vasquez?'

'Nee.'

'Hij had het niet eerder gedaan, maar toch dacht u dat hij het was. Heeft meneer Shuldiner dat bedacht?'

'Het had gekúnd!'

Milo zei: 'Waren er nog andere redenen dat de telefoontjes u stoorden?'

'Ze hingen steeds op.'

'Ze,' zei Milo. Hij rekte het woord uit.

Vasquez keek verward op.

Milo zei: 'Misschien maakte je je zorgen om "ze", Jackie.'

'Hè?'

'Armando's oude bendevriendjes.'

'Armando heeft geen bendevriendjes.'

'Vroeger wel, Jackie.'

Ze zweeg.

'Iedereen weet dat hij vroeger bij de 88'ers zat, Jackie.'

Vasquez snifte.

'Dat weet iedereen,' herhaalde Milo.

'Dat was heel lang geleden,' zei Vasquez. 'Armando zit niet meer bij die bende.'

'Wie zijn "ze"?'

'De telefoontjes. Een heleboel.'

'Is er gisteravond nog meer gebeld?'

'Mijn moeder belde.'

'Hoe laat?'

'Om een uur of zes.' Jacalyn Vasquez ging wat rechter zitten. 'Dat andere telefoontje was niet van een bendevriend.'

'Welk andere telefoontje?'

'Na de beller die steeds ophing. Iemand zei wat. Fluisterde, weet u wel?'

'Iemand fluisterde.'

'Ja.'

'Waar fluisterde hij over?'

'Over hem. Dat hij gevaarlijk was, dat hij graag vrouwen pijn deed.'

'Iemand fluisterde dat over Peaty?'

'Ja.'

'Dat heb je gehoord?'

'Het was tegen Armando.'

'Hoe laat was dat fluisterende telefoontje, Jackie?'

'Iets van... We lagen in bed tv te kijken. Armando nam op en hij was kwaad vanwege die andere telefoontjes. Hij begon te schreeuwen en toen hield hij opeens op en luisterde. Ik zei iets en hij wuifde me weg, weet u wel? Hij luisterde en werd helemaal rood. Dat was het laatste telefoontje.'

'Armando werd boos.'

'Heel boos.'

'Vanwege het gefluister.'

'Ja.'

'Vertelde Armando je over het gefluister nadat hij had opgehangen?'

Jacalyn Vasquez schudde haar hoofd. 'Later.'

'Hoeveel later?'

'Gisteravond.'

'Vanuit de gevangenis.'

'Ja.'

'Je hebt het gefluister niet gehoord en Armando heeft je er op het moment zelf niets over verteld. Nadat Armando Peaty had neergeschoten, besloot hij het je te vertellen.'

'Ik lieg niet.'

'Ik begrijp heel goed dat je je man wilt beschermen...'

'Ik lieg niet.'

'Laten we er even van uitgaan dat er inderdaad iemand fluisterde,' zei Milo. 'En dus is het niet erg dat Peaty is doodgeschoten?'

'Ja.'

'Waarom, Jackie?'

'Hij was gevaarlijk.'

'Volgens de fluisteraar.'

'Ik lieg niet.'

'Misschien liegt Armando.'
'Armando liegt niet.'
'Heeft Armando gezegd of de fluisteraar een man of een vrouw was?'
'Armando zei dat hij dat niet kon horen door het gefluister.'
'Knap gefluisterd.'
'Ik lieg niet.' Jacalyn Vasquez sloeg haar armen over elkaar en staarde naar Milo.
'Weet je dat telefoontjes naar jullie flat getraceerd kunnen worden, Jackie?'
'Hè?'
'We kunnen jullie telefoontjes controleren.'
'Best,' zei ze.
'Het probleem is,' zei Milo, 'dat we alleen kunnen achterhalen hoe laat iemand jullie heeft gebeld. We kunnen niet nagaan wat er is gezegd.'
'Toch is het zo gegaan.'
'Volgens Armando.'
'Armando liegt niet.'
'Eerst wordt er voortdurend opgehangen,' zei Milo. 'En dan opeens fluistert iemand over Peaty en luistert Armando ernaar.'
Jacalyn Vasquez bracht haar over elkaar geslagen armen naar haar gezicht en duwde tegen haar wangen. Haar gelaatstrekken waren rubberachtig. Toen ze door op elkaar geklemde lippen sprak, klonken de woorden brabbelig als van een nukkig kind.
'Toch is het zo gegaan. Armando heeft het me zelf verteld. Zo is het gegaan.'

Brittany Chamfer zat in de hal te wachten en met haar neuspiercing te spelen. Ze draaide haar hoofd en zag dat Jacalyn Vasquez haar tranen droogde. 'Gaat het, Jackie?'
'Hij gelooft me niet.'
Chamfer zei: 'Wát?'
Milo zei: 'Bedankt voor het komen.'
Chamfer zei: 'We willen de waarheid achterhalen.'
'Een gezamenlijk doel.'
Chamfer dacht even na. 'Wat kan ik meneer Shuldiner zeggen?'
'Bedank hem maar voor zijn goede burgerzin.'

'Pardon?'

'En voor zijn creativiteit.'

Brittany Chamfer zei: 'Dát ga ik hem niet zeggen.'

'Een prettige dag nog.'

'Dat gaat míj wel lukken.' Chamfer wierp haar lange haar naar achteren. 'En u?'

Ze pakte Jacalyn Vasquez weer bij haar arm vast en leidde haar naar de gang.

Milo zei: 'Daarom heeft het OM mij hiermee opgezadeld. Belachelijk.'

'Wijs je het direct van de hand?' vroeg ik.

'Jij niet?'

'Als Vasquez liegt om zichzelf vrij te pleiten, zijn er wel betere manieren. Bijvoorbeeld door te zeggen dat Peaty hem werkelijk had bedreigd.'

'Hij is dus dom.'

'Misschien,' zei ik.

Milo leunde tegen de muur en schuurde met zijn voet langs de plint. 'Zelfs als iemand Vasquez heeft gebeld om hem op te naaien wat betreft Peaty, dan nog hebben we de juiste verdachte in de cel. Misschien heeft Ertha Stadlbraun het vuur aangewakkerd omdat Peaty haar altijd al de kriebels gaf. Misschien was mijn gesprek met haar de druppel die de emmer deed overlopen en heeft ze de buren opgestookt. Een van hen is toevallig een tot inkeer gekomen bendelid met een opvliegend karakter en *pief, paf, poef.*'

'Als jij het niet nodig vindt het nader te onderzoeken, vind ik het prima.'

Hij keerde me de rug toe, haalde zijn beide handen door zijn haar totdat hij wel een vogelverschrikker leek. Hij kreeg het maar gedeeltelijk gladgestreken. Daarna beende hij terug naar zijn kamer.

Toen ik binnenkwam, had hij de hoorn in zijn hand, maar toetste geen nummer in. 'Weet je waar ik gisteren niet van kon slapen? Van die verdomde sneeuwbol. Brad dacht dat Meserve hem daar had neergelegd, maar als ik aan de bol in het busje denk, moet het Peaty zijn geweest. Zou Peaty Brad willen treiteren?'

'Misschien heeft Peaty hem daar niet neergelegd.'

'Wat?'

'Meserve ziet zichzelf als acteur,' zei ik. 'Acteurs doen voice-overs.'

'Die vervloekte fluisteraar? Ik kan me niet laten afleiden door dat soort onzin, Alex. Ik moet al die gebouwen waar Peaty werkte nog controleren. Overal kunnen dingen verborgen zijn. En ik kan Billy ook niet negeren, want hij ging met Peaty om en ik was zo masochistisch om daarachter te komen.'

Hij speelde met de hoorn. 'Wat zou ik graag Billy in zijn eigen flatje willen spreken, ver weg van Brad, om te zien hoe hij reageert op de dood van Peaty.' Hij snoof. 'Laten we die fluister-bullshit dan maar eerst afhandelen.'

Hij belde de telefoonmaatschappij en sprak met een zekere Larry. 'Ik wil dat je me zegt dat het gelul is, zodat ik die gegevens niet via de rechter hoef op te eisen. Bedankt, ja... Jij ook. Ik wacht.'

Even later werd zijn hoofd rood en zat hij verwoed te schrijven. 'Oké Lorenzo, bedankt... nee, ik meen het... Vergeet dit gesprek dan zorg ik z.s.m. voor de verdomde papieren.'

Hij smeet de hoorn op de haak, scheurde een vel papier uit zijn notitieblok en schoof het naar me toe.

Het eerste telefoontje naar de flat van de familie Vasquez die avond was om 17.52 uur gekomen en had tweeëndertig minuten geduurd. Het lokale telefoonnummer stond op naam van Guadelupe Madonado. Het telefoontje van de moeder van Jackie Vasquez van 'een uur of zes'.

Milo deed zijn ogen dicht en deed alsof hij dutte terwijl ik verder las.

Tussen vijf en tien uur 's avonds was er nog vijf keer gebeld, allemaal met netnummer 310 waar Milo *gestolen mobiel* bij had geschreven. Het eerste telefoontje had acht seconden geduurd, het tweede vier seconden. Vervolgens drie van twee seconden, daar moest dus wel direct zijn opgehangen.

Armando Vasquez die zijn geduld verloor en de hoorn op de haak had gesmeten.

Ik zei: 'Gestolen van wie?'

'Weet ik nog niet, maar het is op dezelfde dag gebeurd. Lees verder.'

232

Onder de vijf telefoontjes stond een vage krabbel met kruisjes erdoorheen. Daaronder had Milo iets zo hard onderstreept dat het papier gescheurd was.

Laatste telefoontje. 22.23 uur. Tweeënveertig seconden.

Ondanks Vasquez' woede had iets zijn interesse weten te wekken.

Andere beller, netnummer 805.

Milo stak zijn hand uit en pakte het papiertje, versnipperde het zorgvuldig en liet het in de prullenbak vallen. 'Dat heb je niet gezien. Je krijgt het te zien zodra die stomme dagvaarding de deur uit is die we nu verdomme nodig hebben om het bewijsmateriaal op legale wijze te verkrijgen.'

'Ventura County,' zei ik. 'Misschien Camarillo?'

'Niks misschien, dat is al zeker. Volgens mijn goede vriend Lawrence is het een telefooncel in Camarillo.'

'In de buurt van het outletcenter?'

'Zo precies was hij niet, maar daar komen we nog wel achter. Nu heb ik dus een mogelijke link met het echtpaar Gaidelas. Dat zul jij wel leuk vinden. Jij zag Peaty toch al niet zitten voor hun moord. Waar hebben we het nu over... een moordenaar met netnummer 805 die de kust onveilig maakt en ik ben weer terug bij af?'

'Alleen als Andy en Cathy Gaidelas slachtoffers zijn,' zei ik.

'In tegenstelling tot wat?'

'De sheriffs dachten dat de feiten duidden op een vrijwillige verdwijning en misschien hadden ze gelijk. Armando zei tegen zijn vrouw dat hij niet kon horen of de fluisteraar een man of een vrouw was. Als we het over amateurtheater hebben, is Cathy Gaidelas een mogelijke kandidate.'

Hij klemde zijn kaken op elkaar. Hij schoof met stoel en al naar voren en stopte een paar centimeter voor mijn gezicht. Ik was blij dat we vrienden zijn.

'Andy en Cathy Gaidelas zijn opeens geen slachtoffers meer maar psychopathische móórdenaars?'

'Het lost een aantal problemen op,' zei ik. 'De lichamen zijn nooit gevonden en de huurauto stond in Camarillo omdat ze hem daar zelf hebben gedumpt, zoals het verhuurbedrijf al dacht. Wie zijn er beter in staat een creditcard te blokkeren dan de rechtmatige eigenaars? En wie wisten beter welke nutsbedrijven in Ohio ze moesten bellen?'

'Een leuk stel dat zich schuilhoudt in Ventura County en naar L.A. gaat om stoute dingen te doen? Om te beginnen, waarom zouden ze dat als hun basis gebruiken?'

'Dicht bij de oceaan en je hoeft geen miljonair te zijn. In Oxnard zijn nog altijd huizen met een lage huur te vinden.'

Hij rukte een lok haar opzij en trok zijn wenkbrauwen op. 'Hoe kom je hier in vredesnaam opeens bij, Alex?'

'Dat is mijn verwrongen geest,' zei ik. 'Maar denk er eens over na. De enige reden dat we Cathy en Andy Gaidelas een leuk stel noemen is omdat Cathy's zus hen zo heeft beschreven. Maar Susan Palmer vertelde ook dat ze een asociale kant hebben – drugs, jarenlang teren op de zak van de familie. Cathy is getrouwd met iemand die homo zou zijn. Het is niet helemaal duidelijk.'

'Ik zie dat als een onbeduidende onduidelijkheid. Wat is hun motief voor het plegen van die moorden?'

'Extreme frustratie? We hebben het over twee mensen van middelbare leeftijd die zelf nooit veel hebben bereikt. Dan zetten ze de grote stap door naar L.A. te verhuizen waarmee ze zichzelf net als zoveel andere hoopvolle sterretjes voor de gek houden. Het is door hun leeftijd en uiterlijk een nog groter risico, maar ze pakken het heel methodisch aan: acteerlessen. Misschien werden ze door andere coaches afgewezen en was Nora hun laatste kans. Stel dat ze ze niet zo diplomatiek heeft weggestuurd? Charlie Manson vond het ook niet leuk om te horen dat hij nooit een rockster zou worden.'

'Dus dit gaat om wraak op Nora?' zei hij.

'Op haar en de symbolen van jeugd en schoonheid waarmee zij zich omgaf.'

'Tori Giacomo werd vermoord vóórdat het echtpaar Gaidelas verdween.'

'Dat betekent nog niet dat ze geen contact met haar hebben gehad. Misschien niet in het PlayHouse, maar op haar werk. Wie weet kwamen ze kreeft eten in dat eettentje waar ze werkte, en hebben ze zo over het PlayHouse gehoord.'

'Ze mollen Tori en wachten dan twee jaar om Michaela af te maken? Dat is wel heel onwaarschijnlijk, Alex.'

'Ervan uitgaande dat er geen andere studenten van het PlayHouse zijn verdwenen.'

Hij zuchtte.

Ik zei: 'Die grap heeft mogelijk als katalysator gewerkt. Nora's naam in de krant. Die van Michaela en Dylan ook. Om nog maar te zwijgen van Latigo Canyon. Misschien zit ik er helemaal naast, maar ik vind niet dat je dat netnummer 805 zomaar terzijde kunt schuiven. En het verhaal van Armando Vasquez ook niet.'

Hij kwam overeind, rekte zich uit, ging weer zitten en liet zijn hoofd in zijn handen zakken. Na een tijdje keek hij met vermoeide ogen op. 'Heel creatief, Alex. Fantasierijk, ingenieus en indrukwekkend origineel. Het enige wat daarmee niét opgelost is, is Peaty. Een slechterik die een connectie had met alle slachtoffers, met alle benodigdheden voor een verkrachting in zijn busje. Als het echtpaar Gaidelas een droom najoeg, waarom zouden ze dan iets te maken willen hebben met een loser als hij, en waarom zouden ze hem willen laten neerschieten? En hoe wisten ze in vredesnaam dat ze de boel in scène konden zetten door Vasquez te bellen?'

Hier dacht ik over na. 'Mogelijk hebben Cathy en Andy Gaidelas Peaty in het PlayHouse ontmoet en ontstond er een band – buitenbeentjes die troost zoeken bij elkaar.'

'Dat zijn wel veel ontwikkelingen voor een mislukte auditie. Ervan uitgaande dat ze ooit in het PlayHouse zijn geweest.'

'Misschien liet Nora ze een tijd wachten voordat ze ze zonder enige plichtplegingen wegstuurde. Als ze inmiddels contact hadden gelegd met Peaty, zijn ze misschien in zijn flat geweest en hebben ze de spanning in het gebouw opgemerkt. Of misschien had Peaty hun verteld dat hij een hekel had aan Vasquez.'

'Ertha Stadlbraun zei dat Peaty nooit bezoek had.'

'Ertha Stadlbraun ligt om elf uur in bed,' zei ik. 'Misschien interessant om eens te vragen of iemand in het gebouw de foto's van het echtpaar Gaidelas herkent.'

Hij staarde me aan.

'Peaty, Andy en Cathy. En voor de goeie orde doen we Billy Dowd er ook nog bij. Wat moet dat voorstellen, de domme kneuzenclub?'

'Kijk maar naar al die schietpartijen op scholen die worden gepleegd door de buitenbeentjes.'

'O, hemel,' zei hij. 'Voordat deze fantasie uit de hand loopt, moet ik eerst maar eens wat ouderwets politiewerk doen. Die telefooncel vinden bijvoorbeeld, en eventuele vingerafdrukken, en ik moet op zoek naar mogelijke trofeeën die Peaty god weet waar heeft verstopt, enzovoort, enzovoort... Laten we maar even niet meer speculeren, goed? Ik heb barstende koppijn.'

Hij rukte zijn das los, hees zich overeind, liep naar de andere kant van het kleine kamertje en rukte de deur open. Die klapte tegen de muur, sloeg een stuk pleisterwerk los en klepperde toen een paar keer.

Mijn oren suisden nog na toen hij een paar seconden later zijn hoofd om een hoekje stak. 'Waar kan ik van die aminozuurbrouwsels krijgen waar je slimmer van wordt?'

'Die werken niet,' zei ik.

'Bedankt voor je hulp.'

30

De deur naar het advocatenkantoor van Erica Weiss was van Braziliaans rozenhout. Er stonden zesentwintig partners genoemd in efficiënte tinnen letters. Die van Weiss stonden ergens bovenaan. Ze liet me twintig minuten wachten, maar kwam me persoonlijk begroeten. Achter in de dertig, grijs haar, blauwe ogen, een strenge uitstraling in een donkergrijs Armani-pakje met koraalrode sieraden.

'Mijn excuses dat ik u heb laten wachten, dokter. Ik had ook naar u toe kunnen komen.'

'Geen probleem.'

'Koffie?'

'Zwart, graag.'

'Koekjes? Een van onze assistenten heeft vanmorgen chocoladekoekjes gebakken. Cliff is een geweldige bakker.'

'Nee, dank u.'

'Ik ga even die zwarte koffie halen.' Ze liep over een zee van zachtblauw tapijt naar een hardhouten deuropening. Haar vertrek vormde een castagnettensolo van stilettohakken.

Het hol van deze leeuwin was een licht, koel hoekkantoor op de zevende verdieping van een kantoorpand aan Wilshire, even ten oosten van Rossmore in Hancock Park. Grijze muren, ebbenhouten meubels in art-decostijl, een stoel van chroom met zwart leer die paste bij de afwerking van haar computermonitor. Haar bul van de universiteit van Stanford hing in een hoekje waar iedereen hem kon zien.

Er stond een rozenhouten conferentietafel in de vorm van een lijkkist met vier zwarte leunstoelen. Ik ging aan het hoofd van de tafel zitten. Misschien was die plek bedoeld voor Erica Weiss; dat moest ze me dan maar zeggen.

De oostkant van glas keek uit over Koreatown en het centrum in de verte. Naar het westen, buiten beeld, stond Nora Dowds huis aan McCadden Place.

Weiss kwam terug met een blauwe beker met daarop in gouden letters de naam en het logo van het advocatenkantoor. Het icoon was een helm boven een krans met een spreuk in het Latijn. Iets met eer en trouw. De koffie was sterk en bitter.

Ze keek even naar de stoel aan het hoofd van de tafel en ging toen zonder verder iets te zeggen in de stoel rechts van mij zitten. Een Filippijnse met een stenografeermachine kwam binnen, gevolgd door een jongeman met stekeltjes in een groen pak die Weiss voorstelde als Cliff. 'Hij zal getuige zijn van uw eed. Bent u er klaar voor, dokter?'

'Jazeker.'

Ze zette haar leesbril op en las iets in een dossier terwijl ik een slok koffie nam. Toen ging de bril af, haar blik werd strak en haar ogen kregen een stalen uitdrukking.

'Om te beginnen,' zei ze, en door de verandering in haar toon zette ik mijn beker neer. Ze keek naar de bovenkant van mijn hoofd alsof daar iets vreemds groeide. Ze wees naar me en wist het 'dokter' een weerzinwekkende klank te geven.

Een halfuur lang gaf ik antwoord op vragen die allemaal op me werden afgevuurd in een stevig tempo en vol met insinuaties. Tientallen vragen waarvan velen Hausers kant leken te verdedigen. Het hield niet op. Erica Weiss had kennelijk geen zuurstof nodig.

En opeens zei ze: 'Klaar.' Een brede glimlach. 'Het spijt me dat ik wat kortaf was, maar ik zie deze getuigenverklaringen als oefeningen en ik wil graag dat mijn getuigen klaar zijn voor de rechtbank.'

'Denkt u dat het zover zal komen?'

'Dat zou ik niet kunnen zeggen.' Ze trok haar mouw op en keek op een met saffieren ingelegde Rolex. 'Hoe dan ook, u bent er klaar voor. Neemt u me niet kwalijk, ik heb nu een afspraak.'

Na tien minuten was ik aan McCadden Place.

Nog steeds geen Range Rover, maar er stond wel een auto.

Een zachtblauwe Cadillac cabrio uit 1959 zo groot als een slagschip nam de oprit in beslag. Glimmende spaakwielen, de witte kap omlaag, staartvinnen die dodelijke wapens zouden kunnen zijn. De oude zwart-met-gele nummerplaat gaf aan dat dit een oldtimer was.

Brad en Billy Dowd stonden naast de auto met hun rug naar me toe. Brad droeg een lichtbruin linnen pak en gebaarde met zijn rechterhand. Zijn linkerarm lag op Billy's schouder. Billy droeg hetzelfde blauwe overhemd en dezelfde slobberbroek. Hij was een halve kop kleiner dan zijn broer. De twee hadden voor vader en zoon kunnen doorgaan, ware het niet dat Billy's haar helemaal grijs was.

Vader sprak, zoon luisterde.

Brad keek om toen ik de motor uitzette. Even later keek ook Billy om.

Tegen de tijd dat ik de auto uit was, hadden beide broers zich omgedraaid. Het poloshirt onder Brads jas was van zeegroene piqué. Aan zijn voeten droeg hij Italiaanse pindakaasbruine sandalen. Het was een bewolkte dag, maar hij was gekleed voor een businesslunch aan het strand. Zijn witte haar was warrig en hij keek gespannen. Billy had een wezenloze blik op zijn gezicht. Er zat een vetvlek op de voorkant zijn broek.

Hij begroette me als eerste. 'Dag, rechercheur.'

'Hoe gaat het, Billy?'

'Slecht. We kunnen Nora niet vinden en we zijn bang.'

Brad zei: 'We zijn niet bang, Billy, we zijn bezorgd.'

'Jij zei...'

'Ben je de folders vergeten, Bill? Wat heb ik gezegd?'

'Positief blijven,' zei Billy.

'Precies.'

Ik zei: 'Folders?'

Billy wees naar het huis. 'Brad is weer binnen geweest.'

Brad zei: 'De eerste keer had ik alleen een beetje rondgekeken. Deze keer heb ik wat laatjes opengetrokken en heb ik reisbrochures in het nachtkastje gevonden. Zo te zien ontbreken er verder geen spullen, er is alleen misschien wat extra ruimte in haar kledingkast.'

'Alsof ze een koffer gepakt heeft,' zei ik.

'Dat hoop ik.'

'Wat voor brochures?'

'Plaatsen in Midden-Amerika. Wilt u ze zien?'

'Graag.'

Hij liep op een holletje naar de Cadillac en kwam terug met een stapeltje glanzende blaadjes.

De Pelican's Pouch in Southwater Caye in Belize; Turneffe Island in Belize; Posada La Mandragora in Buzios in Brazilië; Hotel Monasterio in Cusco in Peru; Tapir Lodge in Ecuador.

'Zo te zien had ze vakantieplannen,' zei ik.

'Toch zou ik denken dat ze het ons zou zeggen,' zei Brad. 'Ik wilde u nog bellen om te vragen of ze ergens naartoe was gevlogen.'

Nora's paspoort was niet gebruikt.

Ik zei: 'We hebben tot nu toe niets kunnen vinden, maar we kijken nog. Vliegt Nora wel eens privé?'

'Nee. Hoezo?'

'We houden met alles rekening.'

'We hebben het er wel eens over gehad,' zei Brad. 'Ik, eigenlijk. Omdat we zo dicht bij Santa Monica Airport zitten, zien we die prachtige toestellen opstijgen en dat ziet er erg uitnodigend uit.'

Dat had Milo ook gezegd. Voor de Dowds zou het meer dan een fantasie kunnen zijn.

Ik zei: 'Wat vond Nora ervan?'

'Zij wilde wel iets met timesharing doen, een toestel delen. Maar toen ik zag hoe duur dat was, heb ik daar een stokje voor gestoken. Het zou natuurlijk geweldig zijn om zelf een toestel te hebben, maar dat zit er niet in.'

'Waarom niet?'

'Zoveel geld hebben we nu ook weer niet, rechercheur.'

'Zag Nora het ook zo?'

Brad glimlachte. 'Nora is niet goed met geld. Zou ze in staat zijn zelf een toestel te charteren? Het is mogelijk. Maar ze zou het geld van mij moeten krijgen.'

'Heeft ze zelf geen geld?'

'Ze heeft een eigen rekening voor de dagelijkse dingen, maar voor grote bedragen komt ze naar mij. Dat werkt voor ons allemaal het beste.'

Billy's blik gleed naar de lucht. 'Ik ga nooit ergens naartoe.'

'Toe, Bill,' zei Brad. 'We zijn nog in San Francisco geweest.'

'Dat is heel lang geleden.'

'Twee jaar geleden.'

'Dat is heel lang.' Billy kreeg een dromerige blik in zijn ogen. Zijn hand gleed naar zijn kruis. Brad schraapte zijn keel en Billy duwde zijn hand in zijn zak.

Ik wendde me tot Brad. 'U vindt het niets voor Nora om zonder iets te zeggen te vertrekken?'

'Nora gaat tot op zekere hoogte haar eigen gang, maar ze is nog nooit voor langere tijd op reis gegaan zonder iets te zeggen.'

'Zoals de tripjes naar Parijs.'

'Precies.' Brad wierp een blik op de folders. 'Ik was van plan om al die oorden te bellen, maar als u het wilt doen, kunt u die folders wel meenemen.'

'Dat zal ik doen.'

Hij wreef in zijn ooghoek. 'Misschien komt Nora morgen binnenzeilen met een... met een geweldig bruine huid, wilde ik zeggen, maar Nora houdt niet van de zon.'

Ik zwaaide met de folders. 'Dit zijn allemaal zonnige oorden.'

Brad keek naar Billy. Billy staarde nog steeds naar de lucht. 'Er is vast een logische verklaring, rechercheur. Ik wou alleen... Nou, fijn dat u bent langsgekomen. Als u iets te weten komt, laat het me dan alstublieft weten.'

'Er is iets wat u moet weten,' zei ik. 'Reynold Peaty is gisteravond vermoord.'

Brad hapte naar adem. 'Wat! Dat is absurd!'

Billy verstijfde. Hij bleef staan zoals hij stond, maar keek me strak aan. Zijn blik was verre van afwezig.

Brad zei: 'Billy?'

Billy bleef me aanstaren. Toen wees hij naar me. 'U zei iets heel naars.'

'Het spijt me...'

'Reyn is vermoord?' Billy balde zijn vuisten. 'Néé!'

Brad legde zijn hand even op Billy's arm, maar Billy schudde hem van zich af, rende naar het gras van Nora's tuin en begon zichzelf op zijn dijen te slaan.

Brad rende hem achterna en begon tegen hem te praten. Billy schudde wild met zijn hoofd en liep bij hem weg. Brad volgde hem en bleef maar tegen hem praten. Billy liep weer weg. Brad hield vol, terwijl Billy zijn hoofd schudde en grimaste. Eindelijk liet Billy zich terugleiden. Met gesperde neusvleugels leek zijn mopsneus twee keer zo groot. Er zaten dikke witte klodders spuug op zijn lippen.

'Wie heeft Reyn vermoord?' wilde hij weten.

'Een buurman,' zei ik. 'Ze hadden ruzie en...'

'Een buurman?' zei Brad. 'Een van onze húúrders? Wíé?'

'Ene Armando Vasquez.'

'Díé! Shit, ik had direct al een slecht gevoel over hem, maar zijn aanvraag was in orde en tegenwoordig mag je een huurder niet weigeren op basis van een gevoel.' Hij trok aan zijn revers. 'Jezus, wat is er in vredesnaam gebéúrd?'

'Wat zinde u niet aan Vasquez?'

'Hij leek nogal... u kent het wel, zo'n latino gangstertype.'

'Waar is hij, Brad?' zei Billy. 'Dan zal ik hém eens vermoorden.'

'Sst! Ruzie? Hoe kwam het van praten tot moord?'

'Moeilijk te zeggen.'

'Jezus,' zei Brad. 'Waar hadden ze het over?'

Billy kneep zijn ogen toe. 'Waar is de klootzak?'

'In de gevangenis,' zei Brad. En tegen mij: 'Toch?'

'Hij is in hechtenis genomen.'

'Voor hoelang?' zei Billy.

'Lang,' zei ik.

'Ik wil weten wanneer hij vrijkomt, dan kan ik hem voor zijn kop schieten.'

Brad zei: 'Billy, hou op!'

Billy keek woest. Ademde zwaar.

Brad probeerde zijn hand op Billy's arm te leggen. Opnieuw schudde Billy hem van zich af. 'Ik hou al op, best. Maar als hij vrijkomt, schiet ik hem voor zijn kop.' Hij sloeg met zijn vuist in de lucht.

'Billy, dat is...'

'Reyn was mijn vríénd.'

'Bill, hij was niet echt een... goed, goed, best, Bill, het spijt me. Hij was je vriend en het is logisch dat je overstuur bent.'

'Ik ben niet overstuur. Ik ben woest.'

'Ook goed, woest.' En tegen mij: 'Ruzie? Jezus, ik was net van plan om daar een dezer dagen langs te gaan.'

'Waarom?'

Brad gebaarde met een schuin hoofd naar zijn broer. Billy staarde naar het gras. 'Gewoon, de ronde.'

Om Peaty te ontslaan en het huis uit te zetten.

Billy sloeg met zijn vuist in zijn hand. 'Reyn was mijn vríénd. Nu is hij dóód. Dat is gestoord.'

Ik zei: 'Wat voor dingen deden jij en Reyn samen, Billy?'

Brad deed een poging om tussen Billy en mij in te gaan staan, maar Billy liep om hem heen. 'Reyn was beleefd tegen me.'

Brad zei: 'Billy, Reyn had problemen. Weet je nog dat ik had verteld dat...'

'Dat hij te hard reed. Nou en, dat doe jij ook, Brad.'

'Billy...' Brad glimlachte en haalde zijn schouders op.

Billy hield zijn hoofd schuin en keek naar de Cadillac. 'Niet in de negenenvijftig, de negenenvijftig is te godvergeten traag... dat zeg je altijd, te godvergeten traag, niet vooruit te branden. Jij rijdt hard in de Stingray en in de Porsche en de Austin...'

'Best,' snauwde Brad. Hij glimlachte weer. 'De rechercheur begrijpt het nu wel, Bill.'

'Jij zegt altijd dat de Ray net zo lekker rijdt als dat meisje uit jouw klas... hoe heette ze ook alweer? Eh, eh, eh, Jocelyn... de Stingray rijdt net zo lekker als Jocelyn... Jocelyn... Olderson... Oldenson... en net zo duur. Dat zeg je altijd, dat de Sting...'

'Dat is een geintje, Bill.'

'Ik kan er niet om lachen,' zei Billy. En tegen mij: 'Heel lang geleden reed Reyn te hard en toen kwam hij in de problemen. Betekent dat dat hij kapotgeschoten moet worden?'

Brad zei: 'Er is niemand die dat zegt, Billy.'

'Ik vraag het aan hém, Brad.'

'Dat betekent het niet,' zei ik.

'Ik word er verdomme woest van.' Billy rukte zich weer los en beende naar de oprit. Met enige moeite klom hij over het portier van de Caddy, liet zich zakken, sloeg zijn armen over elkaar en staarde voor zich uit.

Brad zei: 'Hij weet dat dat tegen de re... Hij moet wel erg overstuur zijn, al begrijp ik echt niet waarom.'

'Hij ziet Peaty als zijn vriend.'

Brad liet zijn stem zakken. 'Dat mocht hij willen.'

'Wat bedoelt u daarmee?'

'Mijn broer heeft geen vrienden. Toen ik Peaty in dienst nam, viel me op dat hij Billy aanstaarde alsof hij een of andere freak was. Ik heb hem gezegd dat hij daarmee op moest houden. Dat heeft hij gedaan en daarna was hij altijd vriendelijk tegen Billy. Ik dacht dat hij een wit voetje bij me probeerde te halen. Maar goed, daarom reageert Billy waarschijnlijk zo. Iemand die ook maar een béétje aardig tegen hem is, ziet hij als zijn vriend. Toen jullie op kantoor langs waren geweest, noemde hij júllie zijn vrienden.'

Billy begon in de Cadillac heen en weer te wiegen.

Ik zei: 'Hij is behoorlijk overstuur voor iemand die geen band met Peaty had.'

'Mijn broer kan slecht tegen veranderingen.'

'Het is ook behoorlijk ingrijpend om te horen dat iemand die je kent is vermoord.'

'Ja natuurlijk, ik bagatelliseer het ook niet. Ik zeg alleen dat zulke dingen voor Billy moeilijker te verwerken zijn.' Hij schudde zijn hoofd. 'Doodgeschoten om een ruzie? Nu Billy ons niet kan horen, kunt u me zeggen wat er werkelijk is gebeurd?'

'Wat ik al zei,' zei ik. 'Het was geen poging van mij om Billy te beschermen.'

'O. Oké, sorry. Ik moet nu echt Billy even rustig zien te krijgen, dus als...'

'U weet zeker dat Billy en Peaty niet met elkaar omgingen.'

'Heel zeker. Peaty was conciërge, nota bene.'

Ik zei: 'Hij is bij Billy thuis geweest.'

Brads mond viel open. 'Waar hebt u het over?'

Ik herhaalde wat Annalise Holzer me had verteld.

'Vergeten spulletjes?' zei hij. 'Daar snap ik niks van.'

'Is Billy wat vergeetachtig?'

'Ja, maar...'

'We vroegen ons af of Peaty op uw verzoek bij hem langsging.'

'Op mijn verzoek? Absurd. Voor zover ik wist, reed hij geen auto, weet u nog.' Billy haalde een hand over zijn voorhoofd. 'Heeft Annalise dat gezegd?'

'Is ze betrouwbaar?'

'Jezus, dat hoop ik wel.' Hij krabde zich over zijn hoofd. 'Als zij zegt dat Peaty bij Billy langs is geweest, dan zal dat wel zo zijn. Maar ik moet u zeggen dat ik verbijsterd ben.'

'Dat Peaty en Billy met elkaar omgingen?'

'We weten niet of ze met elkaar omgingen, alleen dat Peaty spulletjes heeft afgegeven. Ja, Billy is wel eens wat vergeetachtig, maar meestal zegt hij het als hij ergens iets heeft laten liggen en dan zeg ik dat dat niet erg is en dat we het de dag daarop wel gaan halen. Als Peaty echt iets bij hem heeft afgegeven, dan weet ik zeker dat het daarbij gebleven is.'

Hij keek naar Billy. Die zat nog harder heen en weer te wiegen. 'Eerst gaat Nora ervandoor en nu dit...'

Ik zei: 'Het zijn volwassen mensen.'

'Op papier.'

'Het zal wel moeilijk zijn om ze te beschermen.'

'Meestal stelt het weinig voor, maar soms is het echt een uitdaging.'

'Dit is zo'n moment.'

'Nou en of.'

'We zullen een dezer dagen met Billy willen praten over Peaty,' zei ik.

'Waarom? Peaty is dood en u weet wie hem heeft neergeschoten.'

'Voor de volledigheid.'

'Wat heeft het met Billy te maken?'

'Waarschijnlijk niets.'

'Wordt Peaty nog steeds verdacht van de moord op dat meisje?'

'Nog steeds?'

'Al die vragen die u over hem stelde toen u bij me thuiskwam. Het was wel duidelijk waar u op doelde. Denkt u echt dat Peaty zoiets gedaan kan hebben?'

'Het is een open onderzoek,' zei ik.

'Met andere woorden, daar wilt u geen antwoord op geven. Moet u horen, ik heb alle begrip voor het werk dat u doet, maar ik ben niet van plan om Billy te laten intimideren.'

'Intimideren is niet het plan, meneer Dowd. Gewoon een paar vragen.'

'Geloof me, rechercheur, hij zal u niets zinnigs kunnen zeggen.'

'En dat weet u zeker?'

'Natuurlijk. Ik kan niet toestaan dat mijn broer bij smerige zaken betrokken wordt.'

'Omdat hij op papier dan wel volwassen is, maar...'

'Precies.'

'Hij lijkt mij niet echt achterlijk,' zei ik.

'Dat is hij ook niet, dat heb ik u ook gezegd,' zei Brad. 'Niemand weet zeker wat hij wél is. Vandaag de dag zou hij waarschijnlijk autistisch genoemd worden. Vroeger toen we klein waren, was hij gewoon "anders".'

'Moet moeilijk zijn geweest.'

'Ach.' Zijn blik gleed naar de Cadillac. Billy hing voorover met zijn hoofd op het dashboard. 'Hij is de onschuld zelve, rechercheur, maar dat weerhield andere kinderen er niet van hem te pesten. Ik ben jonger, maar ik voelde me altijd de oudere broer. Zo is het gebleven en ik wil u vragen onze privacy te respecteren.'

'Misschien is het goed voor Billy om erover te praten,' zei ik.

'Waarom?'

'Hij leek behoorlijk aangeslagen door het nieuws. Soms helpt het om erover te praten.'

'U lijkt wel een psycholoog,' zei Brad. Een nieuwe klank in zijn stem.

'Hebt u ervaring met psychologen?'

'Toen we nog klein waren, werd Billy van de ene naar de andere kwakzalver gesleept. Vitaminekwakzalvers, hypnosekwakzalvers, bewegingskwakzalvers, psychiatrische kwakzalvers. En niemand die ook maar iets voor hem kon doen. Als iedereen nou eens deed waar hij goed in was. U jaagt op de slechteriken en ik zorg voor mijn broer.'

Ik liep naar de Cadillac onder protest van Brad. Billy zat stijf overeind. Hij had zijn ogen dicht en zijn handen zaten om de split van zijn shirt geklemd.

'Leuk je weer te zien, Billy.'

'Het was niet leuk. Dit is een dag met slecht nieuws.'

Brad ging achter het stuur zitten en startte de motor.

'Heel slecht nieuws,' zei ik.

Billy knikte. 'Heel, heel, heel slecht.'

Brad draaide zich om. 'Ik rij nu achteruit, rechercheur.'

Nadat ze waren vertrokken, wachtte ik nog vijf minuten en liep toen naar de voordeur en klopte aan. Geen reactie, zoals ik al verwachtte.

De brievenbus was leeg. Broer Brad had Nora's post opgehaald. Ruimde zoals altijd achter iedereen op. Hij beweerde dat Billy geen vlieg kwaad deed, maar zijn mening betekende niets.

Ik liep terug naar de Seville en reed weg langs het huis van Albert Beamish. De gordijnen bij de oude man waren dicht, maar toen ik langskwam, deed hij zijn voordeur open.

Rood overhemd, groene broek, borrel in zijn hand.

Ik stopte en deed mijn raampje omlaag. 'Hoe gaat het?'

Beamish wilde iets zeggen, schudde toen vol afkeer zijn hoofd en ging weer naar binnen.

31

Billy ging om met Peaty. En Billy had een kort lontje.

Was hij te dom te beseffen wat zijn omgang met Reynold Peaty betekende? Of betekende het gewoon niets?

Eén ding was zo goed als zeker: de bezoekjes van de conciërge hadden niet alleen met vergeten spulletjes te maken.

Terwijl ik naar het eind van Sixth Street reed in de richting van San Vincente dacht ik na over Billy's reactie. Schrik, woede, verlangen naar wraak.

Nóg een familielid dat tegen Brad inging.

De impulsiviteit van een kind en de hormonen van een volwassen vent waren een gevaarlijke combinatie. Zoals Milo al had gezegd, was Billy op zichzelf gaan wonen rond de tijd dat Tori Giacomo was vermoord en het echtpaar Gaidelas was verdwenen.

Een volmaakte kans voor Billy en Peaty om hun vriendschap naar een nieuwe hoogte te brengen? Als ze samen een moordteam waren geworden, was Peaty in elk geval de dominante van de twee. Wat een leiderschap. Een ogenschijnlijk griezelige, voyeuristische dronkenlap en een sullig, uit de kluiten gewassen kind pasten niet bij de planmatige, zorgvuldige manier waarop de plek waar Michaela was gedumpt van elk forensisch spoor was ontdaan, en waarop Tori Giacomo's lichaam was verborgen totdat er niets meer over was dan wat botten hier en daar.

En het gefluisterde telefoontje vanuit Ventura County. Daar was Billy echt niet toe in staat.

Tot kwaad aangezet met behulp van de telefoon. Het had gewerkt.

Ik had gespeculeerd over een wrede kant van het echtpaar Gaidelas, maar er waren nóg twee acteertalenten die het overwegen waard waren.

Nora Dowd was een excentrieke dilettante en een mislukt actrice, maar ze was slim genoeg geweest om haar broer te laten geloven dat ze haar relatie met Dylan Meserve had beëindigd. Voeg een jonge minnaar met een voorliefde voor ruwe seks en psychologische spelletjes aan het geheel toe en je krijgt een interessant brouwsel.

Misschien had Brad geen tekenen van geweld in Nora's huis gevonden omdat die er niet waren. Reisfolders in een nachtkastje en ontbrekende kleren, plus het feit dat Dylan Meserve al weken zijn huur niet had betaald, suggereerden een goed geplande reis. Volgens Albert Beamish had Nora niet met iemand samengewoond, maar het komen en gaan van iemand in het donker zou hem niet zijn opgevallen.

Een vrouw die een privévliegtuig wel een chic idee vond.

Haar paspoort was de laatste tijd niet gebruikt en Meserve had er nooit een aangevraagd. Maar hij was opgegroeid in de straten van New York, wist misschien hoe hij aan valse papieren moest komen. De paspoortcontrole op het vliegveld van Los Angeles was misschien te riskant, maar een contant betaalde vlucht vanaf Santa Monica naar een landingsbaan ergens bij een dorpje over de grens was een heel ander verhaal.

Folders in een la, geen poging ze te verbergen. Omdat Nora zeker wist dat niemand haar privacy zou schenden?

Toen ik voor het rode stoplicht op Melrose Avenue stond, keek ik eens wat beter naar de vakantieoorden die ze had overwogen. Mooie plaatsen in Zuid-Amerika. Misschien niet alleen vanwege het klimaat.

Ik reed zo snel mogelijk over Sunset Boulevard naar huis, nam amper de tijd om te zien of ik Hausers bruine Audi ergens zag. Kort nadat ik me op internet had begeven, kwam ik er al achter dat Belize, Brazilië en Equador allemaal uitleveringsverdragen met de V.S. hadden en dat vrijwel alle landen zonder uitleveringsverdrag in Afrika en Azië lagen.

Onderduiken in Rwanda, Burkina Faso of Oeganda was niet leuk en volgens mij zou Nora de damesmode in Saoedi-Arabië niet weten te waarderen.

Opnieuw las ik de folders. Alle oorden lagen in afgelegen junglegebied.

Om uitgeleverd te worden, moest je eerst gevonden worden.

Ik stelde het me voor: oudere dame en jongeman nemen hun intrek in een luxe hotelsuite, genieten van het strand, de bar, het zwembad. 's Avonds dineetjes bij kaarslicht in de open lucht, misschien een massage. Lange, hete dagen met genoeg tijd om een groene buitenwijk te vinden voor twee rijke buitenlanders.

Oorlogsmisdadigers uit nazi-Duitsland hadden zich tientallen jaren in adellijke levensstijl in Latijns-Amerika weten schuil te houden. Twee moordenaars die het deden voor de kick zouden dat natuurlijk net zo goed kunnen.

Maar als ze van plan waren om voor langere tijd te verdwijnen, waarom hadden ze dan folders laten slingeren?

Tenzij de folders een afleidingsmanoeuvre waren.

Ik zocht naar bedrijven die privéjets verhuurden, naar chartermaatschappijen en timesharebedrijven in Zuid-Californië, stelde een verrassend lange lijst samen en zat twee uur lang aan de telefoon, deed me voor als Bradley Dowd en zei dat ik een noodgeval in de familie had en dringend mijn zus en neef, Dylan moest vinden. De meesten wilden niet meewerken en de enkele bedrijven die hun passagierslogs bekeken, hadden geen Nora of Meserve op hun lijst staan. Wat op zich niets bewees als het stel zich een nieuwe identiteit had aangemeten.

Als Milo de gegevens via de rechter wilde opeisen, had hij bewijs van crimineel gedrag nodig en het enige wat Dowd en Meserve hadden gedaan was verdwijnen.

Tenzij Dylans veroordeling tegen hem gebruikt kon worden.

Milo was druk bezig met 'ouderwets politiewerk'. Ik belde hem toch maar en beschreef het gedrag van Billy Dowd.

Hij zei: 'Interessant. Ik heb net Michaela's volledige obductierapport binnen. Ook interessant.'

We spraken om negen uur af in een pizzatent aan Colorado Boulevard in het centrum van Pasadena Old Town. Hippies en zakenlieden deden zich te goed aan pizza en bier.

Milo had in de oostelijke buitenwijken bij de gebouwen van BNB naar bewijs gezocht van Peaty's onofficiële opslagruimte en had gevraagd of ik daar met hem wilde afspreken. Toen ik om kwart over acht van huis was gegaan, ging net de telefoon, maar ik had niet opgenomen.

Toen ik aan kwam lopen, zat hij aan een tafeltje een beetje bij de rest vandaan op een grote pizza te kauwen. In het condens op de halfvolle kan bier die naast hem stond had hij een smiley getekend. De gelaatstrekken waren uitgelopen en het gezicht zag er nu somber en psychiatrisch veelbelovend uit.

Ik zat nog niet of hij had zijn sjofele koffertje al gepakt, het rapport van de patholoog-anatoom eruit gehaald en op zijn schoot gelegd. 'Neem de tijd. Laat je eten er niet door verpesten.' Smak, smak.

'Ik heb al gegeten.'

'Ook niet erg sociaal van je.' Hij wreef over de kan met bier en veegde het gezichtje weg. 'Ook een biertje?'

Ik zei: 'Nee, dank je.' Maar hij was al weg om een glas te halen en liet het dossier op zijn stoel liggen.

Voorin zaten standaardformulieren die waren ondertekend door patholoog-anatoom A.C. Yee. De mens die eens Michaela Brand was geweest leek op de foto's een paspop die in verschillende stadia was ontleed. Als je maar genoeg obductiefoto's ziet, leer je vanzelf om het menselijk lichaam terug te brengen tot de losse onderdelen, om te vergeten dat het ooit iets goddelijks is geweest. Als je te veel nadenkt, slaap je nooit meer.

Milo kwam terug en schonk een glas bier voor me in. 'Ze is gewurgd en alle messteken zijn postmortaal. Nummer zes en twaalf zijn bijzonder interessant.'

Nummer zes was een close-up van de rechterkant van haar nek. De wond was ongeveer tweeënhalve centimeter lang, in het midden iets opgezet alsof er iets in was gestopt wat er zo lang was blijven zitten dat er een klein huidzakje was ontstaan. De patholoog-anatoom had de wond omcirkeld en had er een referentienummer bij gezet, boven de liniaal die er stond om de maat aan te geven. Ik bladerde naar de samenvatting en vond de aantekening.

Postmortale incisie superieur ten opzichte van het sternoclaviculair gewricht, tekenen dat het weefsel uiteen was getrokken en dat de nekader was onderzocht.

Nummer twaalf was het aangezicht van een gladde, volle vrouwenborst. Michaela's implantaten lagen plat alsof ze waren leeggelopen.

Dokter Yee had de plaatsen gemarkeerd waar ze was gehecht en had opgemerkt: *goed genezen*. In de zachte vlakte tussen de twee bollingen zaten vijf wondjes. Geen zakvorming. Volgens Yees metingen waren ze oppervlakkig en waren een paar nauwelijks door de huid gedrongen.

Ik ging terug naar de beschrijving van de nekwond. 'Er is aan het weefsel gezeten... Heeft de dader met de nekader zitten spelen?'

'Misschien een speciaal spelletje,' zei Milo. 'Yee wilde het niet opschrijven, maar hij zei dat de wond hem deed denken aan het werk van een balsemer die het lichaam prepareert. Die locatie is om het bloed via de nekader en de halsslagader af te voeren. Dan trek je de wond open om de bloedvaten bloot te leggen en breng je een canule in beide in. Het bloed stroomt het lichaam uit, terwijl een conserveringsmiddel in het lichaam wordt gepompt.'

'Maar dat is hier niet gebeurd,' zei ik.

'Nee, alleen een wond aan de ader.'

'Een zogenaamde balsemer die spijt kreeg?'

'Of van gedachten was veranderd. Of niet de juiste instrumenten en de kennis had om het af te maken. Volgens Yee had de moord een onvolwassen uitstraling. De verwondingen aan nek en borst noemde hij knullig en ambivalent. Dat wilde hij trouwens ook niet op papier zetten. Dat vond hij meer iets voor een psychiater.'

Hij stak zijn hand naar me uit.

Ik zei: 'Dan moet je maar een stellige psychiater zien te vinden.'

'Bang je vast te leggen?'

'Dat heb ik vaker gehoord.'

Hij lachte, nam een slok en at verder. 'Maar goed, tot zover de vreemde zaken. Geen tekenen van seksuele activiteiten, of gerommel aan de geslachtsdelen of openlijk sadisme. Ook niet veel bloedverlies, het meeste is naar de laagst gelegen delen gestroomd. En de lijkvlekken tonen aan dat het lichaam een tijd op de rug heeft gelegen.'

'Wurging met de hand,' zei ik. 'Haar in de ogen kijken en het leven uit haar knijpen. Dat kost tijd. Misschien is het genoeg om er opgewonden van te raken.'

'Kijken is typisch iets voor Peaty,' zei hij. 'Hij en Billy zijn twee achtergebleven sukkels – onvolwassen – die zie ik wel met een lichaam knoeien, te bang om diep te gaan. En nu weet jij me te vertellen dat Billy driftig van aard is.'

'Ja.'

'Maar?'

'Maar wat?'

'Je bent niet overtuigd.'

'Ik acht Billy en Peaty daar niet slim genoeg voor. Bovendien kan ik me niet voorstellen dat Billy Peaty in de val zou hebben gelokt met dat telefoontje.'

'Misschien is hij niet zo dom als hij lijkt. De echte acteur van het gezin.'

'Brad heeft niet alles in de gaten, dat is wel gebleken,' zei ik, 'maar hij en Billy woonden samen, dus denk ik niet dat Billy hem in die mate kan hebben bedot. Ben je nog iets te weten gekomen over die gestolen mobiele telefoon?'

Hij trok zijn koffertje open en pakte zijn notitieboekje. 'Motorola v551, account bij Singular Wireless op naam van mevrouw

Angeline Wasserman, Bundy Drive, Brentwood. Binnenhuisar-chitecte, getrouwd met een belegger. De telefoon zat in haar tas toen die een dag voor het telefoontje werd gestolen – negen uur eerder. Mevrouw Wasserman was aan het winkelen, was even af-geleid, keek de andere kant op en *poef*. Ze maakte zich voorna-melijk zorgen om identiteitsdiefstal. En om de tas... een peper-dure Badgley nog wat.'

'Badgley Mischka.'

'Jouw merk?'

'Ik ken een paar vrouwen.'

'Ha! Wil je weten waar ze aan het winkelen was?'

'Het outletcenter in Camarillo,' zei ik.

'Barneys in het bijzonder. Ik wil daar morgenochtend om tien uur als het opengaat foto's laten circuleren van Peaty en Billy, het echtpaar Gaidelas, Nora en Meserve, en van iedereen die ik nog meer kan bedenken.'

'Nora en Meserve hebben het op dit moment misschien wel heel gezellig.' Ik vertelde hem over de reisfolders, mijn telefoontjes met verhuurbedrijven van privéjets.

'Nóg een dagvaarding als ik maar genoeg bewijsmateriaal had,' zei hij. 'De papieren van mevrouw Wassermans mobieltje kwa-men heel snel omdat hij als gestolen was opgegeven, maar on-dertussen zit ik nog steeds te wachten op de gegevens van die te-lefooncel. Hopelijk krijg ik ze vanavond.'

'Een rechter die nachtbraker is?'

Zijn glimlach was vermoeid. 'Ik ken er een paar.'

Ik zei: 'Helpt Meserves veroordeling niet?'

'Een overtreding waarbij een schikking is getroffen tot een paar uur dienstverlening? Geen schijn van kans. Zie je hem en Nora nu meer als verdachten? Zijn Andy en Cathy niet langer de psy-chopaten?'

'Ze vallen op omdat ze zijn vertrokken.'

'Nora en meneer Sneeuwbol. Hij heeft zijn auto in Brads garage gezet en heeft de sneeuwbol achtergelaten om hem te tarten.'

'Als hij en Nora zich op Peaty hebben gericht, zijn ze er misschien achter gekomen dat Peaty een niet-geregistreerd busje had. En hebben ze de sneeuwbol daar neergelegd om een dwaalspoor te creëren.'

'En die verkrachtingsuitrusting ook?'

'Waarom niet?' zei ik. 'Of Peaty heeft het écht gedaan. Iedereen van het PlayHouse lijkt te hebben geweten dat Peaty altijd staarde, en Brad wist dat Peaty een strafblad had. Zo vreemd is het niet om ervan uit te gaan dat Nora dat misschien heeft ontdekt. Als Nora en Dylan op zoek waren naar een zondebok, was hij een perfecte kandidaat.'

'Jarenlang plukken ze de zwakkeren kaal en opeens besluiten ze om naar de tropen te vertrekken?'

'Misschien hadden ze er genoeg van, was het tijd voor iets nieuws,' opperde ik.

'Volgens Brad zou Nora naar hem toe zijn gekomen als ze veel geld nodig had.'

'Brad heeft het al vaker bij het verkeerde eind gehad.'

Hij pakte het dossier van de patholoog-anatoom en bladerde er afwezig doorheen.

Ik zei: 'Michaela moest Dylan heel strak om zijn nek vastbinden. Hij speelde zo goed dat hij dood was, dat ze er doodsbang van werd. Ze zei ook dat pijn hem niets leek te doen.'

'Psychopathische ongevoeligheid,' zei hij.

Een jonge zwarte serveerster met vlechtjes kwam naar ons tafeltje en vroeg of alles naar wens was.

Milo zei: 'Wil je dit voor me inpakken om mee te nemen, en dan wil ik graag een brownie-ijscoupe.'

Hij sloeg het dossier dicht. De serveerster zag het label van de patholoog-anatoom.

'Zijn jullie van tv?' vroeg ze. 'CSI, of zo?'

'Zoiets,' zei Milo.

Ze speelde bedreven met haar vlechtjes. Knipperde met haar wimpers. 'Ik ben actrice.' Brede glimlach. 'Net als iedereen hier.'

'Echt waar?' zei Milo.

'Helemaal waar. Ik heb een heleboel regionaal theaterwerk gedaan in Santa Cruz en San Diego – inclusief de Old Globe waar ik hoofdfee was in *Midsummer*. Ik heb ook improvisatie gedaan in de Groundlings en een reclamefilm in San Francisco, maar die zul je nooit zien. Hij was voor Amtrak en ze hebben hem niet uitgebracht.'

Ze pruilde.

Ik zei: 'Kan gebeuren.'

'Zeker weten. Maar het geeft niet. Ik ben nog maar een paar maanden in L.A. en nu al wil een agent van Starlight me een contract aanbieden.'

'Wat goed.'

'D'Mitra,' zei ze, en ze stak haar hand uit.

'Alex. Dit is Milo. Hij is de baas.'

Milo wierp me een nijdige blik toe en glimlachte naar het meisje. Ze schoof wat dichter naar hem toe. 'Wat een mooie naam, Milo. Leuk je te ontmoeten. Mag ik je mijn naam en telefoonnummer geven?'

Milo zei: 'Ja, hoor.'

'Cool. Bedankt.' Ze hing voorover, leunde met een borst op zijn schouder en schreef iets in haar bestelboekje. 'Ik breng dadelijk je brownie-ijscoupe. Die krijg je van het huis.'

32

Om negen uur vertrokken we naar het outletcenter.

We namen de Seville omdat Milo de voorkeur gaf aan mijn leren stoelen. Een prachtige dag, achttien graden, zonnig – als je geen problemen aan je hoofd had, was Californië net een paradijs.

Milo zei: 'Zullen we de toeristische route nemen?'

Dat betekende Sunset tot aan de kustweg en dan door Malibu naar het noorden. Toen ik Kanan Dume Road naderde, haalde ik mijn voet van het gaspedaal.

'Ga door.' Hij zat onderuitgezakt, maar had zijn blik op de kilometerteller. Hij stelde zich de rit voor vanuit het perspectief van een moordenaar.

Op Mulholland Highway passeerden we de grens met Ventura County. We reden in hoog tempo langs het huurhuis waar ik jaren geleden met Robin had gewoond. Het telefoontje dat ik de vorige avond om kwart over acht had laten gaan was van haar geweest. Ze had alleen gevraagd of ik wilde terugbellen. Dat had ik gedaan. Niet thuis.

De weg werd tweebaans en liep verder door kilometers met lange kliffen omzoomd natuurgebied en campings langs de oceaan. Bij Sycamore Creek waren de heuvels begroeid met bloemen en planten. Lupines en klaprozen en cactussen wisselden elkaar af. Naar het westen sloeg de Grote Oceaan golven met witte koppen op het strand. Ik zag een groep dolfijnen twintig meter uit de kust.

'Schitterend.'

Milo zei: 'Al dat groene spul, als er brand uitbreekt, is het net een barbecue. Kun je je nog herinneren dat het hier twee jaar geleden alleen maar houtskool was?'

'Ook goeiemorgen.'

We sloegen Las Posas Road in, in oostelijke richting en reden verder door kilometerslange akkers. Hier en daar nog wat rijen met groene bladeren, de rest was bruin en vlak en kaal. Schuren en kraampjes waren gesloten nu het seizoen voorbij was. Maaidorsers en andere metalen monsters stonden langs de ploegvoren te wachten op het signaal om te mogen vermalen, omwoelen en inzaaien. Aan de westkant van Amarillo bracht een rit in zuidelijke richting op Factory Stores Drive ons naar een perzikroze handelsdorp.

Zo'n honderdtwintig winkels verdeeld in noord en zuid. Barneys New York besloeg het westelijke puntje van de zuidvleugel. Een compacte, goed verlichte, aantrekkelijk ingerichte, bijna lege ruimte met meer dan genoeg personeel.

We waren amper binnen of een in het zwart geklede jongeman met stekeltjes kwam op ons af. 'Kan ik u helpen?' Hij had ingevallen wangen en droeg mascara en een eau de cologne met citrusgeuren. Het blonde sikje onder zijn lip wiebelde bij elke lettergreep als een miniduikplank.

Milo zei: 'Verkoopt u Stefano Ricci-dassen? Die van vijfhonderd dollar met echt gouddraad?'

'Nee meneer, ik vrees dat...'

'Ik maak maar een grapje, jongen.' Hij frunnikte aan het smalle, gekreukte polyester geval dat over zijn dikke buik hing.

De jongeman deed nog steeds zijn best om een glimlach op zijn gezicht te toveren, toen Milo zijn penning liet zien. Even verderop keken twee Iraanse verkoopsters fluisterend onze kant op.

'Politie?'

'Het gaat om een diefstal die enkele dagen geleden is gepleegd. De handtas van een klant.'

'O. Mevrouw Wasserman.'

'Is ze een vaste klant?'

'Elke maand. Die laat zo vaak haar tas slingeren. Deze keer is hij zeker echt gestolen.'

'Een vergeetachtige dame?'

'Nogal,' zei de jongeman. 'En het zijn schitterende tassen, dus je zou denken dat ze... Ik wil niet roddelen, het is een aardige dame. Deze keer had ze een Badge-Mish van slangenleer bij zich. Ze heeft een Missoni, een Cavallo, een originele Judith Leiber, Hermès, Chanel.'

'Dat zou je denken,' zei Milo.

'Geen kritiek hoor, ze is echt heel aardig. Ze heeft een perfect figuurtje en wil ons altijd fooi geven ook al mag dat niet. Hebt u hem gevonden?'

'Nog niet. Die andere keren dat ze hem kwijt was, meneer...'

'Topher Lembell. Ik ben zelf ontwerper, dus kleine details vallen mij op. De Badge was mooi. Anacondaleer, een opvallend patroon en zó goed geverfd dat je bijna zou denken dat een slang echt paars kan zijn.'

'Waar laat mevrouw Wasserman haar tas meestal liggen?'

'In het pashokje. Daar vind ik hem altijd. Onder een stapel kleren. Deze keer zei ze dat ze hem voor het laatst daar had gezien.' Hij wees naar een vitrine midden in de winkel. Glimmende dingen onder glas geëtaleerd. Even verderop lagen linnen herenpakken van vorig seizoen in aardetinten, canvas-schoenen, strooien hoeden en T-shirts van vijftig dollar per stuk.

Milo zei: 'Maar u betwijfelt dat.'

'Zij zal het wel weten,' zei Topher Lembell. 'Maar als ze hem zo open en bloot had laten liggen, zou iemand hem toch hebben gezien, want hij is zo mooi. En iedereen weet hoe vergeetachtig mevrouw Wasserman is.'

'Misschien heeft iemand hem ook gezien,' zei Milo.

'Ik bedoel een van óns, agent. Al het personeel was die dag aanwezig omdat het zo druk was, veel leveringen, inclusief niet-verkochte spullen van de magazijnverkoop die met superkorting gingen. Er was flink geadverteerd en goede klanten krijgen altijd een e-mail.'

'Zoals mevrouw Wasserman.'

'Zij is zeer zeker een goede klant.'

'Op een drukke dag is het moeilijk om alles in de gaten te hebben,' zei Milo.

'Dat zou je denken, maar op extra drukke dagen zijn wij extra voorzichtig. Dan neemt het aantal gevallen van diefstal zelfs af. Het zijn de middeldrukke dagen die het ergst zijn. Net niet genoeg personeel, je draait je om en iemand heeft iets gejat.'

'Toch is de tas van mevrouw Wasserman gestolen.'

Topher Lembell pruilde. 'Niemand is volmaakt. Ik gok nog steeds op het pashokje. Ze was de hele ochtend kleren aan het passen en ze gooit altijd alles op de vloer. Als ze in zo'n bui is, kan ze er echt een puinhoop van maken – maar dat moet u niet tegen haar zeggen, hoor. Ik ben een van haar lievelingen. Ik ben bijna een soort personal shopper voor haar.'

'Ik zeg niets,' zei Milo. 'Zou u zo goed willen zijn om een paar foto's te bekijken om te zien of deze mensen die dag in de winkel waren?'

'Verdachten?' vroeg Topher Lembell. 'Cool. Mag ik mijn vrienden vertellen dat ik aan een onderzoek heb meegewerkt of is het strikt geheim?'

'U mag het iedereen vertellen. Is het personeel dat die dag werkte vandaag ook aanwezig?'

'Er waren nog vijf anderen, inclusief een van hún vriendinnen uit de Valley.' Hij wierp een blik op de Iraanse vrouwen. 'De anderen waren Larissa, Christy, Andy en Mo. Die studeren allemaal en werken in het weekend en op drukke dagen. Larissa en Christy komen straks hun salaris halen, ik kan ze even bellen om te vragen of ze wat eerder kunnen komen. En misschien kan ik Mo en Andy voor u bellen. Dat zijn huisgenoten.'

'Bedankt,' zei Milo.

'Laat die verdachten maar eens zien. Zoals ik al zei, heb ik oog voor details.'

Terwijl Milo de foto's tevoorschijn haalde, bestudeerde Topher Lembell zijn verkreukelde das en het zelfstrijkende overhemd daaronder. 'We hebben trouwens nog steeds leuke aanbiedingen in kleding van vorig seizoen. Veel ruimzittende, comfortabele stukken.'

Milo glimlachte en liet hem de rijbewijsfoto's van Nora Dowd en Dylan Meserve zien.

'Hij is jonger en aantrekkelijker dan zij.'

Bij de foto's van Cathy en Andy Gaidelas zei hij: 'Sorry, nee. Die zien eruit alsof ze uit Wisconsin komen – ik ben zelf in Kenosha opgegroeid. Zijn het echt criminelen?'

'En deze?'

Lembell bestudeerde Reynold Peaty's politiefoto en stak zijn tong uit. 'Getver. Als hij de winkel binnenkwam, zouden we direct op onze hoede zijn. Jakkes.'

Milo zei: 'Zou iemand op een drukke dag niet opgaan in de menigte, ondanks het extra personeel?'

'Niet als ik de baas was. Mijn ogen zijn net lasers. Maar goed, sommige mensen…' Weer een blik op de verkoopsters die nu zwijgend bij een rek designerjurken hingen.

Een van hen keek naar Milo en wenkte hem aarzelend.

Hij zei: 'Eens kijken wat uw collega's te zeggen hebben. En als u die oproepkrachten nu zou willen bellen, zou dat heel fijn zijn.'

'Doe ik direct,' zei Topher Lembell. Hij liep achter ons aan toen we naar de andere kant liepen. 'Ik maak zelf overigens couture, pakken, jasjes, broeken, allemaal op maat. Ik breng slechts vijf procent van de prijs van de stof als arbeidsloon in rekening, en ik heb restantrollen van Dormeuil en Holland & Sherry en nog prachtige Super 100's. Als u het lastig vindt passende…'

'Na een flinke maaltijd ben ik nog lastiger,' zei Milo.

'Geen probleem, ik kan een uitzetbare taille maken met veel stretch.'

'Mmm,' zei Milo. 'Ik zal erover nadenken… Dag, dames.'

Veertig minuten later stonden we vlak bij het restaurant aan de noordkant van het complex geparkeerd en dronken we ijsthee uit een kartonnen beker.

Milo haalde zijn rietje eruit, vouwde het dubbel tot een plastic lintworm en trok hem toen weer uit elkaar.

Hij was in een slechte bui. Geen van de personeelsleden had iemand op de foto's herkend, ook niet de aanstellerige Larissa en Christy die giechelend aan kwamen zetten en het hele gebeuren om te gillen vonden. Huisgenoten Andy en Mo uit Goleta werden telefonisch ondervraagd. Hetzelfde gold voor Fahriza Nourmand uit Westlake Village. Niemand kon zich herinneren of iemand zich in de buurt van Angeline Wasserman of haar tas had opgehouden.

Geen verdachte types die dag, hoewel er wel een stapeltje herenondergoed was gestolen.

Topher Lembell had ons Angeline Wassermans telefoonnummer gegeven dat hij op de achterkant van een van zijn eigen zachtblauwe visitekaartjes had geschreven. 'U kunt me altijd bellen voor een afspraak, maar dat moet u niet doorvertellen. Eigenlijk mag ik onder werktijd mijn eigen zaak niet aanprijzen, maar ik denk niet dat het God iets uitmaakt, denkt u wel?'

Milo schreef Wassermans nummer in zijn notitieboekje, verfrommelde het kaartje en liet het in mijn asbak vallen.

Ik zei: 'Geen belangstelling voor maatkleding?'

'Daar bel ik Omar de tentenmaker voor.'

'En Stefano Ricci? Vijfhonderd dollar voor een das is te geef.'

'Rick,' zei hij. 'Zijn dassen kosten meer dan mijn pakken. Als ik in een wraakzuchtige bui ben, chanteer ik hem daarmee.'

Hij speelde met het rietje, probeerde het plastic kapot te trekken en duwde het toen weer door het deksel van zijn beker. 'Vlak voordat ik daarstraks naar jouw huis ging, kreeg ik de locatie van de telefooncel door van die fluisteronzin. Laten we maar eens kijken, echt ver is het niet.'

Het was een pompstation op de hoek van Las Posas en Ventura, vijf minuten rijden.

Vrachtwagens en auto's stonden in de rij bij de pomp, en hongerige chauffeurs liepen de aangrenzende Stop & Shop in en uit. De telefooncel stond aan de zijkant bij de wc's. Geen politietape of aanwijzingen dat er op vingerafdrukken was gecontroleerd. Ik maakte daar een opmerking over en hij zei: 'De politie van Ventura was hier al om zes uur vanmorgen en ze hebben een heleboel vingerafdrukken gevonden. Zelfs met behulp van AFIS zal het wel een tijd duren voordat die geïdentificeerd zijn.'

We gingen de winkel binnen waar hij de foto's aan de medewerkers liet zien. Er werd lusteloos nee geschud. Eenmaal buiten zei hij: 'Heb jij nog ideeën?'

'Degene die de tas heeft gestolen is zorgvuldig genoeg geweest om een mobiele telefoon te gebruiken voor de telefoontjes waarbij werd opgehangen en de telefooncel voor het fluistergesprek. Of we hebben met twee personen te maken die samenwerken. De beller is hoe dan ook in Camarillo gebleven, dus misschien moeten we daar gaan kijken.' Ik wees naar de andere kant van Ventura waar allerlei eettentjes waren.

'Best, waarom niet?'

Na zes restaurants zei hij: 'Genoeg. Misschien herkent de verstrooide mevrouw Wasserman wel iemand.'

'Je hebt geen foto's van Billy Dowd laten zien.'

'Kon ik niet vinden,' zei hij. 'Ik dacht dat het er ook niet toe deed, want ik kan me niet voorstellen dat Billy hier helemaal in zijn eentje naartoe zou gaan.'

'Zelfs als hij het zou kunnen, zou het personeel van Barneys hem wel hebben gezien.'

'Niet cool genoeg. Net als op de middelbare school.'

'Waarom liet je hun een foto van Peaty zien? Hij heeft Vasquez heus niet zelf gebeld om te zeggen hoe gevaarlijk hij was.'

'Ik wilde weten of hij hier wel eens is geweest. Zo te zien is geen van onze hoofdpersonen hier ooit geweest.'

'Dat hoeft niet per se,' zei ik. 'Angeline Wasserman komt hier elke maand. Het personeel weet dat ze vergeetachtig is, dus misschien wist iemand anders dat ook. Iemand die stijlvol genoeg is om op te gaan in de menigte. Iemand als Dylan Meserve.'

'Niemand herkende hem, Alex.'

'Misschien weet hij iets van special effects.'

'Hij winkelt vermomd?'

'Een optreden,' zei ik. 'Misschien was dat het doel.'

Ik reed zonder oponthoud over de 101 terug naar de stad, terwijl Milo zijn berichten afluisterde. Hij moest zich drie keer identificeren tegenover de persoon op het bureau van West-L.A. en hing toen vloekend op.

'Nieuwe receptioniste?'

'Het sukkelige neefje van een of ander raadslid dat nog steeds niet weet wie ik ben. De afgelopen drie dagen heb ik geen enkel bericht doorgekregen. Vind ik op zich niet erg, behalve als ik een zaak probeer op te lossen. Nu blijkt dat al mijn berichten in het postvakje van iemand anders terecht zijn gekomen – ene Sterling, een rechercheur die op vakantie is. Gelukkig was het allemaal onbelangrijk.'

Hij toetste het nummer van Angeline Wasserman in. Hij had amper de tijd om zijn naam te zeggen, voordat ze hem de mond snoerde. Uiteindelijk wist hij er tussen te komen en een afspraak voor een uur later te maken.

'In het Design Center, een of andere tapijtwinkel, omdat ze met een chic appartement in Wilshire Corridor bezig is. Ze zei dat ze op de dag van de diefstal door een of andere kerel op de parkeerplaats van het outletcenter is begluurd.'

'Wat voor kerel?'

'Ze wist alleen te vertellen dat het een vent in een terreinwagen was. Ze zei dat ze aan haar geheugen ging werken. Wil je haar niet onder hypnose brengen?' Hij lachte. 'Ze klonk opgewonden.'

'Net als Topher de ontwerper. Je had zeker geen idee dat jouw beroep zoveel glamour had.'

Hij keek in de achteruitkijkspiegel, trok zijn lippen op en peuterde aan een snijtand. 'Ik ben klaar voor mijn close-up. Tijd om kleine kinderen en huisdieren bang te maken.'

De tapijtwinkel Manoosian Oriental was een spelonkachtige ruimte op de begane grond van het Design Center's Blue Building, vol met honderden handgeweven schatten die naar stof en bruin papier roken.

Angeline Wasserman stond midden in de winkel, Ze had rood haar, was graatmager en was zo vaak gelift en getrokken dat haar ogen aan de zijkant van haar gezicht zaten als bij een vis. Een limoengroene broek van zijde rond haar stakerige benen als krimpfolie rond een handjevol kippenbotjes. Haar oranje kasjmier jas had moeten uitwaaieren, ware het niet dat ze geen heupen had. Als een stuk speelgoed stuiterde ze tussen opgerolde tapijten door en deed ze glimlachend bestellingen bij twee jonge latino's die een stapel Sarouks van twintig bij twintig centimeter stuk voor stuk lieten zien.

Toen we dichterbij kwamen, galmde ze: 'Ik doe het!' Ze stortte zich op de kleden, trok flappen dichtgeweven wol opzij en beoordeelde ze allemaal. 'Nee. Nee. Absoluut niet. Misschien. Nee. Nee. Die ook niet... Dat kan beter, Darius.'

De gedrongen man met baard tegen wie ze sprak, zei: 'Wat dacht u van Kashans, mevrouw W.?'

'Als ze beter zijn dan deze.'

Darius gebaarde naar de jonge jongens en ze vertrokken.

Angeline Wasserman zag ons staan, bekeek nog een paar stapels en toen ze klaar was, streek ze over haar haar en zei: 'Dag, politiemensen.'

Milo bedankte haar voor haar medewerking en liet haar de foto's zien.

Met haar wijsvinger tikte ze ze aan. 'Nee. Nee. Nee. Nee. Nee. Zegt u eens, waarom is de politie van L.A. betrokken bij iets wat in Ventura is gebeurd?'

'Mogelijk heeft het iets te maken met een misdrijf in L.A., mevrouw.'

Wassermans vissenogen begonnen te glimmen. 'Een grote misdaadbende? Natuurlijk.'

'Waarom?'

'Iemand die weet wat een Badgley Mischka is, is duidelijk een professional.' Ze wuifde de foto's weg. 'Denkt u dat ik die schoonheid ooit nog terugzie?'

'Moeilijk te zeggen.'

'Niet dus. Goed, zo is het leven, hij was ook al een jaar oud. Maar mocht er een wonder gebeuren, dan hoop ik alleen dat u hem in volmaakte staat teruggeeft. Zo niet, dan kunt u hem net zo goed aan een goed doel schenken en het mij laten weten zodat ik hem kan afschrijven. Zo gewonnen, zo geronnen, nietwaar, inspecteur?'

'Een gezonde houding, mevrouw.'

'Mijn man vindt mij dwangmatig onverschillig, maar moet u eens raden wie van ons beiden 's ochtends opgewekt opstaat. Er zat trouwens toch niet veel contant geld in, misschien acht- of negenhonderd dollar en ik heb mijn magische plastic geblokkeerd.'

'Heeft iemand geprobeerd uw creditcards te gebruiken?'

'Gelukkig niet. Op mijn AmEx Black zit geen limiet. Die telefoon is ook niet erg, het was tijd voor een nieuwe. Maar ik zal u eens vertellen over die man die me begluurde. Hij stond er al toen ik de parkeerplaats opreed, dus het was geen stalker. Waarschijnlijk was hij de boel aan het verkennen, op zoek naar een gemakkelijk doelwit, zo werkt dat toch? Hij zag mij als een volmaakt doelwit.'

'Vanwege de tas.'

'De tas, mijn kleren, mijn houding.' Haar knokige handen gleden over haar bottige zij. 'Ik was opgetut. Ook als ik op koopjesjacht ben, maak ik er werk van.'

'En wat deed deze man precies?' vroeg Milo.

'Hij keek naar me. Door zijn raampje.'

'Zijn ramen waren dicht?'

'Helemaal. En het was getint glas, dus ik kon het niet zo goed zien. Maar ik weet zeker dat hij naar me keek.' Haar wimpers dansten op en neer. 'Dat zeg ik niet om mezelf op te hemelen, inspecteur. Gelooft u me, hij staarde naar me.'

'Wat kunt u me over hem vertellen?'

'Blank. Ik kon geen details zien, maar ik kon zijn gezicht wel zien.' Een rode vingernagel gleed langs een collageenlip. 'Met blank bedoel ik licht gekleurd. Het kan ook een lichte latino of een Aziaat zijn geweest. Niet zwart, dat weet ik zeker.'

'Bleef hij al die tijd in de auto zitten?'

'En hij bleef naar me kijken. Ik weet gewoon zéker dat hij me met zijn ogen volgde.'

'Had hij de motor aan?'

'Eh... nee, volgens mij niet... Nee, zeker niet.'

'En u zag alleen iets door de ruit?'

'Ja, maar het gaat niet alleen om wat ik zag, het gaat om wat ik vóélde. Kent u dat kriebelige gevoel achter in je nek als je weet dat je bekeken wordt?'

'O, zeker,' zei Milo.

'Ik ben blij dat ú het begrijpt, want mijn man snapt het niet. Hij is ervan overtuigd dat ik alleen maar aandacht wil.'

'Mannen,' zei Milo, en hij grijnsde.

Wassermans glimlach tartte de uiterste grenzen van haar schedel. 'Zaten er mogelijk nog meer mensen in de auto, mevrouw Wasserman?'

'Dat zou kunnen, maar ik had het gevóél dat het maar één persoon was.'
'Het gevoel.'
'Hij had gewoon iets... iets eenzaams over zich.' Ze legde haar hand tegen haar holle buik. 'Ik vertrouw hierop.'
'Is er nog meer wat u kunt vertellen?'
'Eerst dacht ik dat het gewoon een typische man was – die de waren inspecteert. Maar nadat mijn Badge was gestolen, dacht ik dat hij misschien snode plannen had. Is de telefoon gebruikt?'
'Ja, mevrouw.'
'Waar hebben ze naartoe gebeld? Buiten-Mongolië of iets dergelijks?'
'L.A.'
'Goh,' zei Angeline Wasserman, 'ook niet erg creatief. Misschien had ik het mis.'
'Wat bedoelt u?'
'Ik dacht dat hij een topcrimineel was en niet alleen een ordinaire dief.'
'Omdat hij wist wat een Badge was,' zei Milo.
'Het hele beeld – Barneys, een Rover.'
'Een Range Rover?'
'Een heel mooie, glimmend en nieuw.'
'Wat voor kleur?'
'Zilver, die van mij is antraciet. Daarom vond ik het eerst niet vervelend dat hij naar me keek. Allebei een Rover, vlak bij elkaar geparkeerd? Een soort karma, weet u wel?'

33

Er werd een nieuwe stapel kleden gebracht. Angeline Wasserman bestudeerde de franje. 'Dit is één grote warboel.'
Milo mompelde. 'Net als mijn leven.'
Ze liet niet merken of ze hem had gehoord. 'Darius, heb je echt niets beters?'

Op weg naar Butler Avenue zei ik: 'AmEx Black, nooit gebruikt.'
'Ik weet het, net als bij het echtpaar Gaidelas. Maar zie jij ze al rondrijden in een Range Rover die toevallig lijkt op die van Nora Dowd?'

Antwoord was niet nodig.

Toen we op het bureau kwamen, vroeg Milo de nieuwe receptionist, een doodsbange, kale veertiger die Tom heette, dwingend of er berichten voor hem waren. 'Er is niets nieuws binnengekomen, inspecteur, ik zweer het u.'

Ik liep achter een hijgende Milo aan de trap op. Toen we op zijn kamer kwamen, pakte hij zijn koffertje uit, legde het obductieverslag naast zijn computer, vroeg een opsporingsbericht aan voor de Range Rover en ging toen pas zitten.

'Wat dacht je hiervan, Alex? Nora en Meserve hebben ergens een liefdesnestje en die folders waren een afleidingsmanoeuvre. Ik stel me iets aan het strand voor, want wat is een rijk meisje zonder strandhuis? Het zou in Camarillo kunnen zijn of verder naar het noorden – Oxnard Harbor, Ventura, Carpinteria, Mussel Shoals, Santa Barbara of nog verder.'

Ik zei: 'Of in het zuiden. Misschien kende Meserve Latigo niet omdat híj er had gewandeld.'

'Nora is een typisch Malibu-meisje,' zei hij. 'Die heeft vast een landelijk huisje ergens in de bergen.'

'Iets wat op haar naam staat en niet deel uitmaakt van het BNB-vennootschap.'

'We kunnen er gauw genoeg achter komen waar ze onroerendgoedbelasting over betaalt.' Hij zette de computer aan. Het scherm werd blauw, toen zwart, flikkerde een paar keer en ging toen uit. Milo probeerde een paar keer opnieuw op te starten, maar het bleef stil.

Hij zei: 'Vloeken is zonde van mijn zuurstof. Ik ga het wel even bij iemand anders proberen.'

Ik maakte van de tijd gebruik om weer een bericht voor Robin in te spreken. Daarna las ik Michaela's obductieverslag nog een keer. Er was met bloedvaten en slagaders gespeeld.

Het PlayHouse.

Nora die genoeg had van theaterabstracties. Die Dylan Meserve had ontmoet en wederzijdse interesses had ontdekt.

Balsemen. Nora's voorkeur voor huisdieren.

Milo kwam terug.

'Goed nieuws?' vroeg ik.

'Als falen een vorm van succes is. Het hele netwerk ligt plat, de helpdesk is uren geleden al gebeld. Ik ga naar het hoofdbureau om het op de ouderwetse manier te doen. Als belastinguitzuigers met hun vriendjes in andere districten kunnen communiceren, kan ik misschien een link met Ventura en Santa Barbara krijgen. En anders ga ik wel met de auto.'

Hij neuriede.

'Je vat dit goed op,' zei ik.

'Dat hoort allemaal bij mijn auditie,' zei hij.

'Pardon?'

'Voor de rol van mentaal evenwichtig individu.' Hij griste zijn jas mee en hield de deur voor me open.

Ik zei: 'Opgezette beesten.'

'Wat?'

'Het vermoeden van de patholoog over het balsemen. Denk eens aan dat donzige hondje van Nora.'

Hij ging weer zitten. 'Een of andere gruwelijke kunstnijverheidstoestand?'

'Ik zat aan rekwisieten te denken.'

'Waarvoor?'

'Horrorshows.'

Hij deed zijn ogen dicht en duwde zijn vuist tegen zijn slaap. 'Die gedachtekronkels van jou...' De ogen gingen open. 'Als Dowd en Meserve een duivelse hobby hebben, waarom is er dan niet met Michaela geknoeid?'

'Ze was afgewezen,' zei ik. 'Net als Tori Giacomo. Of niet. Doordat de botten verspreid zijn is dat niet meer te zeggen.'

'Waarom?'

Ik schudde mijn hoofd. 'Op dat niveau van pathologie kan de symboliek elk begrip te boven gaan.'

'Twee aantrekkelijke meisjes die niet geschikt waren voor de rol,' zei hij. 'Maar het echtpaar Gaidelas is nooit gevonden. Met andere woorden, hun hoofd hangt ergens aan de wand?'

Hij wreef weer over zijn slaap. 'Fijn hoor! Met die beelden in mijn hoofd wordt het vast een prettige dag. Laten we hier weggaan.'

Ik liep achter hem aan de gang op. Toen we bij de trap kwamen, zei hij: 'Afmaken en opzetten. Je weet me altijd weer op te vrolijken.'

Op weg naar buiten galmde Tom de receptionist: 'Fijne dag, inspecteur.'

Milo's antwoord was zacht en obsceen. Hij liet me op de stoep achter en liep naar de parkeerplaats.

Zijn ergernis over de gemiste berichten deed me denken aan de blik vol walging op het gezicht van Albert Beamish gisteren.

Aangeboren chagrijnigheid? Of had de oude man, die altijd bereid was om over de Dowds te roddelen, rondgeneusd en had hij daadwerkelijk iets ontdekt waaraan ze wat zouden kunnen hebben? Had hij zijn best gedaan om te klikken en had niemand geluisterd?

Het had geen zin om Milo gek te maken. Ik reed naar Hancock Park.

Toen ik bij Beamish had aangebeld, werd de deur opengedaan door een kleine Indonesische werkster in een zwart uniform met een stoffige plumeau.

'Meneer Beamish, alstublieft.'

'Niet thuis.'

'Hebt u enig idee wanneer hij weer thuiskomt?'

'Niet thuis.'

Ik liep naar Nora's huis, keek nog eens goed naar de deuren van haar garage. Vergrendeld. Ik duwde tegen de panelen. Ze gaven iets mee, maar ik was niet sterk genoeg om de deuren open te schuiven. Milo had het daarbij gelaten, maar ik was niet gebonden aan de regels voor bewijsmateriaal.

Ik haalde een koevoet uit de achterbak van de Seville, verborg hem langs mijn been, liep terug en slaagde erin om de deuren een paar centimeter open te krijgen.

Een muffe benzinelucht ontsnapte. Geen Range Rover of ander voertuig. Dan hoefde Milo ook geen moeite te doen om een huiszoekingsbevel te vragen.

Mijn telefoon ging. 'Dokter Delaware? Met Karen van de telefooncentrale. Ik heb hier een bericht voor u van dokter Gwynn waarop "belangrijk" staat. Hij vraagt of u zo snel mogelijk bij hem op kantoor wilt komen.'

'Dokter Gwynn is een zij,' zei ik.

'O, neemt u mij niet kwalijk. Louise heeft het opgeschreven, ik ben nieuw. Wordt bij u altijd vermeld of het om een man of een vrouw gaat?'

'Het geeft niet. Wanneer heeft ze gebeld?'

'Twintig minuten geleden, vlak voordat ik begon.'

'Heeft dokter Gwynn aangegeven waarom ze wil dat ik langskom?'

'Er staat alleen *zo snel mogelijk*, dokter. Wilt u het nummer?'

'Dat heb ik.'

Er moest wel iets ergs aan de hand zijn, wilde Allison mij bellen. Haar oma? Weer een beroerte? Waarvoor ze het meest gevreesd had?

Maar dan nog, waarom zou ze mij bellen?

Misschien omdat ze niemand anders had.

Toen ik haar belde, kreeg ik het antwoordapparaat. Ik reed naar Santa Monica.

Een lege wachtkamer. De rode lamp naast haar naam was uit, dus was ze niet met een sessie bezig. Ik duwde de deur open en liep door de korte gang naar Allisons hoekkantoor. Ik klopte aan en liep direct door.

Ze zat niet aan haar bureau. Ook niet in een van de zachte witte patiëntenstoelen.

Toen ik haar naam zei, kreeg ik geen antwoord.

Er klopte iets niet.

Voordat ik dat gevoel kon analyseren, explodeerde mijn achterhoofd van de pijn.

Zoals een hamer op een meloen.

Striptekenaars hebben gelijk: je ziet echt sterretjes.

Het duizelde me, ik kreeg weer een klap. Achter in mijn nek deze keer.

Ik viel op mijn knieën, wankelde op Allisons zachte tapijt, vocht om bij bewustzijn te blijven.

Een níeuwe pijn in mijn rechterzij. Scherp, elektrisch. Werd ik gestoken?

Er stond iemand achter me te hijgen, iemand die heel erg zijn best deed, een donker gekleed been in een waas.

De tweede trap tegen mijn ribben ontnam me elke kracht en ik viel naar voren.

Hard leer bleef op me in trappen. Mijn hoofd galmde als een gong. Ik probeerde de schoppen af te weren, maar mijn armen waren verdoofd.

Om de een of andere reden begon ik te tellen.

Drie trappen, vier, vijf, zes...

34

Een grijzige, drabbige wereld vanaf de bodem van een soepketel. Ik verdronk in mijn stoel, knipperde om iets te zien door ogen die niet open wilden. Er speelde iemand een trombonesolo. Eindelijk begonnen mijn oogleden mee te werken. Het plafond kwam omlaag, veranderde van gedachten en scheerde toen kilometers ver omhoog als een witte lucht van gips.

Blauwe lucht. Nee, het blauw was links.

Met iets zwarts erbovenop.

Lichtblauw, dezelfde kleur als de lucht van verbrande kurk in mijn keel.

Het zwart, Allisons haar.

Het lichtblauw, een van haar mantelpakjes. Herinneringen schoten door mijn hoofd. Een getailleerd jasje, een rok die nog net iets van haar knieën liet zien. Een band langs de boord, stoffen knopen.

Veel knopen; het kon heerlijk lang duren om die allemaal los te maken.

De pijn in mijn hoofd nam het over. Mijn rug en mijn rechterzij...

Iemand bewoog zich. Boven Allison. Rechts.

'Zie je dan niet dat hij hulp nodig heeft...'

'Kop dicht!'

Mijn oogleden zakten weer dicht. Ik knipperde nog een paar keer met mijn ogen. Maakte er een aerobicsoefening van en slaagde er eindelijk in iets te zien.

Daar was ze. In een van de zachte witte stoelen waar ze straks niet in had gezeten... hoelang geleden?

Ik probeerde op mijn horloge te kijken. Het was een zilveren schijf.

Mijn blik werd iets helderder. Ik had gelijk gehad: ze droeg het pakje dat ik in gedachten voor me had gezien...

Rechts bewoog iets.

Dokter Patrick Hauser torende boven haar uit. Een van zijn handen was in haar haar verdwenen. Met de andere hand hield hij een mes tegen haar gladde witte keel.

Een rood heft. Zwitsers zakmes, groot. Om de een of andere reden vond ik dat belachelijk amateuristisch.

Hausers kleren gaven de doorslag. Een wit golfshirt, een wijde bruine broek en keurige bruine schoenen.

Veel te chic voor deze kleren. Wit was de verkeerde kleur als je hardnekkige bloedvlekken wilde voorkomen.

Er zaten zweetvlekken op Hausers shirt, maar geen bloed. Beginnersgeluk. Geen zin om hem dat in te wrijven. Ik glimlachte naar hem.

'Vind je het soms grappig?'

Ik had zoveel gevatte weerwoorden, maar ik was ze allemaal vergeten. *Boing. Boing.*

Allisons blik gleed naar rechts. Langs Hauser... naar haar bureau?

Daar was alleen een muur en een kast.

Een kast die door de deur geblokkeerd werd als die openstond.

Diepblauwe irissen bewogen weer. Naar het bureau. Naar het eind, waar haar tas lag.

Hauser zei: 'Ga rechtop zitten en pak die pen.'

Ik zat al rechtop. Dwaze man.

Ik spreidde mijn armen om hem dat te laten zien en botste met mijn arm tegen de houten bureaustoel.

Ik zat helemaal niet. Onderuitgezakt, bijna languit, hoofd naar achteren, ruggengraat in een vreemde houding.

Misschien deed daarom alles pijn.

Ik probeerde rechtop te zitten en ging bijna van mijn stokje.

'Kom op, schiet op,' blafte Hauser.

Met elke centimeter die ik bewoog, explodeerden de zenuwen in mijn ruggengraat. Het duurde een eeuwigheid eer ik rechtop zat en ik was helemaal buiten adem. Inademen was een hel, uitademen erger.

Een eeuwigheid later en ik kon weer wat beter zien. De realiteit begon tot me door te dringen. Allison en Hauser zaten vierenhalve meter bij me vandaan. Mijn stoel stond tegen Allisons bureau. Tegen de zijkant waar normaal gesproken een nieuwe patiënt zou zitten voor een eerste consult. Er lagen therapiegrafieken en wat snuisterijtjes van Allison op het lichte eikenhouten blad. Ze was met haar administratie bezig geweest toen hij...

Hauser zei: 'Pak die pen en schrijf op.'

Welke pen? O, die daar, verstopt tussen het lawaai en de kleuren. Naast een helder, wit vel papier.

Een komische mannenstem zei: 'Wattuh?'

Ik schraapte mijn keel. Haalde mijn tong over mijn lippen. Herhaalde: 'Wat-tuh?'

Hauser zei: 'Doe niet of je lollig bent, er is niets met je aan de hand.'

Allison verschoof haar linkerschoen. Bewoog haar lippen geluidloos om iets te zeggen wat op 'sorry' leek. Ze huiverde toen het mes in haar huid werd geduwd. Hauser had zijn eigen beweging en haar reactie kennelijk niet door.

'Schrijven, klootzak.'

'Best,' zei ik. 'Wattan – wat dan?'

'Je neemt alles terug wat je tegen die trut van een advocaat hebt gezegd, je zegt dat die andere takkewijven aanstellerige takkewijven zijn, met naam en datum.'

'Ehda?'

'En dan?'

'Wt hebeut e als i tatoe?'

'Dat zien we dan wel weer, onethische klootzak.'

'Oozak.'

'Als je eenmaal ontmaskerd bent,' zei Hauser, 'is het leven weer goed.'

'Voor wie?'

Zijn bril zakte over zijn neus omlaag en hij gaf een rukje met zijn hoofd om hem weer recht te zetten. Door deze beweging was het mes heel even bij Allisons nek weg.

En toen was het weer terug.

Er kwam een laag geluid tussen zijn lippen vandaan. 'Kop dicht en schrijven anders snij ik haar keel door en zorg ik ervoor dat het lijkt of jij het gedaan hebt.'

'Dat meen je niet.'

'Denk je dat ik een geintje maak?' Zijn ogen werden waterig. Zijn onderlip trilde. 'Ik had het prima voor elkaar tot iedereen begon te liegen. Mijn hele leven heb ik mijn best gedaan voor anderen. Nu ben ík eens aan de beurt.'

Ik slaagde erin de pen te pakken, al liet ik hem bijna vallen. Wat een zwaar kreng – waar maken ze die dingen tegenwoordig van… lood? Was lood niet slecht voor de nieren? Nee, dat waren potloden. Nee, dat was grafiet…

Ik strekte mijn armen. Geen gevoelloosheid meer. De pijn was niet afgenomen, maar ik begon me weer mens te voelen.

Ik zei: 'Als je wilt dat dit gefoolw… geloofaar… geloof-w-aardig is, moet er dan geen notaris bij zijn?'

Hauser gleed met zijn tong langs zijn lippen. Zijn bril was weer omlaag gegleden, maar hij liet hem zitten. 'Stel je niet aan. Zo hard heb ik je niet geslagen.'

'Bedankt,' zei ik. 'Maar de vraag is niettemin… revelant…'

'Schrijf nou maar, ik zeg wel wat relevant is of niet.'

De pen probeerde niet langer te ontsnappen en lag ongemakkelijk tussen mijn ringvinger en pink. Ik slaagde erin hem in schrijfpositie te brengen.

Allison keek naar me.

Ik maakte haar bang.

Een loden pen van; wat zou de milieubescherming daarvan zeggen?

Ik zei: 'Ik schrijf wel. Nu. Hoe?'

Hauser zei: 'Wat bedoel je met hoe?'

'Welke woorden?'

'Begin met toegeven dat je een dwangmatige leugenaar bent die helemaal niet zou mogen werken.'

'Moet ik de eerste persoon gebruiken?'

'Dat zeg ik toch net?' Hausers kaken trilden van woede. Zijn armen ook, en weer danste het mes weg bij Allisons huid.

Niet goed in multitasking.

Met zijn rechterhand greep hij Allisons haar stevig vast. Ze hapte naar adem, deed haar ogen dicht en beet op haar lip.

Ik zei: 'Voorzichtig, je doet haar pijn.'

'Ik doe haar geen pijn...'

'Je trekt aan haar haar,' zei ik.

Hauser keek naar zijn hand. Hield hem stil. 'Dit gaat niet om haar.'

'Precies.'

'Niks precies,' zei hij. 'Je staat bij me in het krijt. Als ik je pijn had willen doen, had ik wel een golfclub of iets dergelijks gebruikt. Ik heb je alleen met mijn blote hand een stomp gegeven. Heb jij bij mij ook gedaan. Het deed nog zeer aan mijn knokkels ook. Ik hou niet van geweld, ik wil alleen gerechtigheid.'

'Je hebt me tegen mijn ribben getrapt,' zei ik, en ik klonk als een humeurig kind.

'Toen je mij sloeg in dat restaurant, ging je over op geweld. Ik wilde alleen maar een redelijk gesprek met je voeren. Het is je eigen schuld.'

'Ik was bang voor je in het restaurant,' zei ik.

Hier moest hij om lachen. 'Ben je nu ook bang?'

'Ja.'

'Gebruik de pijn dan – sublimatie. Schrijf op, dan kunnen we allemaal naar huis.'

Ik wist dat hij loog, maar ik geloofde hem. Probeerde weer te glimlachen.

Hij staarde langs me heen.

Allison keek naar haar tasje. Knipperde een paar keer.

Ik zei: 'Zal ik zo beginnen? Mijn naam is Alex Demlaware, ik ben krinisch psycholoog, erkend door de staat Californië, mijn registratienummer is 45...'

Ik praatte verder. Hauser luisterde naar me met schokkerige bewegingen van zijn hoofd. Hij begon de voordracht te waarderen omdat het precies was wat hij wilde horen.

'Best. Schrijf maar op.'

Ik boog me over het bureau en schermde met mijn linkerarm mijn rechterhand af. Ik liet de bal van de pen net boven het papier hangen en maakte een schrijfbeweging.

'Oeps,' zei ik. 'Doet het niet.'

'Gelul, waag het niet...'

Ik hield de pen omhoog. 'Wat moet ik doen? Zeg het maar.'

Hauser dacht na. Het mes zakte weg. 'Pak er een uit de la. Waag het niet om iets te flikken.'

Ik kwam worstelend overeind en hield me aan de stoel vast. 'Moet ik over het bureau heen leunen of omlopen?'

'Omlopen. Die kant op.' Hij wees naar rechts.

Ik liep om de voorkant van het bureau heen, streek met mijn mouw langs Allisons tasje. Ik trok de la open, pakte een paar pennen en bleef even staan om op adem te komen. Het was geen aanstellerij; mijn ribben voelden aan alsof ze verpulverd waren. Toen ik terugliep, kwam ik weer tegen het tasje aan en ik keek even.

De rits was open. Allisons slechte gewoonte. Ik had het opgegeven om haar daarop te wijzen.

Ik deed alsof ik mijn knie tegen de hoek van het bureau stootte. Ik schreeuwde het uit van de pijn en liet de pennen vallen.

'Stomme idioot!'

'Ik ben mijn evenwicht kwijt. Volgens mij heb je iets geraakt.'

'Gelul, zo hard heb ik je niet geslagen.'

'Ik ben bewusteloos geweest. Misschien heb ik een hersenschudding.'

'Je hoofd lag stil en als je enige basiskennis neuropsychologie had, zou je weten dat een zware hersenschudding in de meeste gevallen ontstaat wanneer twee bewegende objecten elkaar raken.'

Ik keek naar het tapijt.

'Raap ze op!'

Ik bukte me, verzamelde de pennen. Daarna ging ik rechtop staan en liep terug terwijl Hauser toekeek.

Het mes was een paar centimeter bij Allisons keel weggegleden, maar met zijn rechterhand hield hij haar haar stevig vast.

Ik keek haar aan. Leunde wat verder naar rechts, verder bij Hauser vandaan. Dat ontspande hem.

Allison knipperde met haar ogen.

Ik zei: 'Eén ding...'

Voordat Hauser iets kon zeggen, haalde Allison uit naar de arm met het mes, draaide het om en dook onder Hauser vandaan.

Hij schreeuwde. Ze rende naar de deur. Hij dook achter haar aan. Ik had het tasje vast, graaide met tintelende vingers en vond het.

Allisons glanzende, kleine, volautomatische wapen, perfect voor haar kleine hand, te klein voor de mijne. Ze had hem pas geolied en misschien was er iets van het smeermiddel op het handvat gekomen. Of mijn motoriek was naar de klote en daarom stond ik met trillende armen te stuntelen.

Ik pakte het vast, gebruikte mijn beide handen om te richten.

Hauser bevond zich een halve meter achter Allison. Hij hijgde en pufte, had het mes in de lucht. Hij dook op haar af, greep haar haar vast, rukte haar hoofd naar achteren en haalde uit.

Ik schoot hem achter in zijn knie.

Hij ging niet direct tegen de grond en dus schoot ik in zijn andere knie.

Voor de goede orde.

35

Ik heb tien jaar in een ziekenhuis gewerkt. Sommige geuren veranderen nooit.

Robin en Allison zaten aan het voeteneinde van mijn bed.

Naast elkaar. Als vriendinnen.

Robin in het zwart. Allison nog steeds in het lichtblauwe mantelpakje.

Ik kon me herinneren dat er mensen in me geprikt en met me gesold hadden en allerlei andere onwaardige dingen hadden gedaan, maar niet dat ze me hiernaartoe hadden gebracht.

De CT-scan en de röntgenfoto's waren vervelend geweest, de MRI op een claustrofobische manier wel grappig en de ruggenprik helemaal niet leuk.

Maar ik had geen pijn meer. Wat was ik toch stoer.

Robin en Allison – of was het Allison en Robin – glimlachten.

Ik zei: 'Wat moet dit voorstellen, een schoonheidswedstrijd?'

Milo kwam in beeld.

Ik zei: 'Dat neem ik onmiddellijk terug!'

Iedereen glimlachte. Ik was een doorslaand succes.

'Dit zal wel een clichévraag zijn, maar waar ben ik eigenlijk?'

'Cedars,' zei Milo, op een langzame, geduldige toon die suggereerde dat hij deze vraag niet voor het eerst had beantwoord.

'Heb je Rick gezien? Je moet Rick opzoeken, jullie hebben nooit genoeg tijd samen.'

Pijnlijk glimlachen. Timing, het draait allemaal om de timing. Ik zei: 'Dames en bacillen.'

Milo kwam wat dichterbij. 'Je krijgt de groeten van Rick. Hij heeft ervoor gezorgd dat ze alle nodige onderzoeken hebben gedaan. Geen hersenschudding of bloedingen en je hersenen zijn niet gezwollen – niet meer dan normaal in elk geval. Je hebt wel een paar gekneusde ruggenwervels en een paar gebroken ribben. Vandaar die mummieverpakking.'

'Vandaar.' Ik legde mijn hand op mijn zij en voelde een stijf plakkaat verband. 'Mocht Rick niet opereren? Geen enkel sneetje?'

'Deze keer niet, vriend.'

Hij belemmerde mijn uitzicht. Dat zei ik tegen hem en hij trok zich terug in een hoek van de kamer.

Ik keek naar de meisjes. Mijn meisjes.

Nee, ik meen het, allebei. Misschien had ik het niet hard genoeg gezegd. 'Geen enkel sneetjemineetje?'

Twee fraaie pogingen tot meelevend gegrinnik. Ik had het niet meer. Robin zei iets tegen Allison, of misschien was het andersom, ik kon er geen touw aan vastknopen, een knoop, een platte knoop, wie kon hem ontwarren...

'Wát?' schreeuwde iemand die als ikzelf klonk. 'Welke gespreksdraad wordt daar door de deelnemers geweven?'

'Je moet slapen,' zei Allison. Ze keek alsof ze moest huilen.

Robin ook.

Tijd voor nieuw materiaal. 'Ik heb gisteren prima geslapen. Méísjes!'

'Ze hebben je een kalmerend middel gegeven,' zei Robin. 'Je bent gesedeerd.'

'Demerol,' zei Allison. 'Straks mag je een pijnstiller.'

'Waarom hebben ze dat gedaan?' zei ik. 'Ik ben geen junkie, ik word niet high van het leven.'

Robin stond op en kwam naar het bed. Allison deed hetzelfde en bleef iets achter Robin hangen.

Al dat parfum. Wauw!

'Heb je Chanel op?' wilde ik van Milo weten. 'Kom eens hier, vent, en meng je in het feestgedruis.'

Allison keek me aan. Er was hier geen tasje dat me kon redden, ze had hem zelf vast. 'Waar was je?' zei ik. 'Toen ik naar je kantoor kwam, was je er niet.'

'Hij had me in de kast gestopt.'

Robin zei: 'Och arme.'

Ik zei: 'Zij of ik?'

'Jullie allebei.' Robin pakte Allisons hand vast en gaf haar een kneepje.

Allison keek dankbaar.

Iedereen was zo triest. Wat een energieverspilling. Het was tijd om me aan te kleden, een glas sap en een kop koffie te nemen, een muffin of iets dergelijks en wegwezen... Waar waren mijn kleren? Ik kon me best aankleden waar zij bij waren. We waren allemaal vrienden.

Kennelijk had ik dat hardop gezegd, misschien iets vulgairder dan ik had gedacht, want beide meisjes – mijn mooie meisjes – keken geschokt.

Robin haalde diep adem en gaf me een klopje op de hand waar geen infuus in zat. Allison wilde hetzelfde doen, dat kon ik aan haar zien, misschien hield ze toch nog op die manier van me, maar door het infuus deed ze het niet.

Ik zei: 'Geeft niks, jij mag me ook een klopje geven, hoor.'

Ze gehoorzaamde.

'Hou mijn hand vast!' commandeerde ik. 'Jullie allebei! Iedereen, geef elkaar een hand.'

Ze gehoorzaamden. Lieve, mooie meisjes.

Ik zei tegen Milo: 'Jij, daarentegen, mag helemaal niets vasthouden.'

Hij zei: 'Ach, wat jammer.'

Ik viel weer in slaap.

36

Rick wilde dat ik nog een nacht ter observatie in het ziekenhuis bleef, maar ik vond het mooi geweest.

Hij gooide al zijn medische autoriteit in de strijd, maar niets helpt als je wordt geconfronteerd met extreme koppigheid. Ik bestelde een taxi en vertrok met een tasje pijnstillers, ontstekingsremmers, steroïden en een waslijst aan ijzingwekkende bijwerkingen.

Robin was langs geweest. Allison had gebeld, maar was sinds die eerste keer niet meer geweest.

'Ik heb haar een beetje leren kennen,' zei Robin. 'Ze is heel leuk.'

'Vrouwen onder elkaar?' vroeg ik.

'Het is gewoon een leuk mens, dat is alles.'

'En jullie hebben over het weer gepraat.'

'Tjongejonge, wat vinden we onszelf weer belangrijk.' Ze streelde mijn haar. 'Ik had je woensdag gebeld omdat ik weer bij je wil komen wonen. Wil je dat nog steeds?'

'Ja.'

'Allison vindt het goed.'

'Ik wist niet dat we haar toestemming nodig hadden.'

'Ze is dol op je,' zei Robin. 'Maar ik hóú van je.'

Ik had geen flauw idee wat dat betekende. Maar ik was weer helder genoeg om er niet naar te vragen.

'Ik heb haar gezegd dat ze altijd langs mag komen, maar ze wil ons wat tijd samen gunnen. Ze vindt het vreselijk wat er is gebeurd, Alex.'

'Waarom?'

'Omdat ze jou naar Hauser heeft geleid.'

'Ze had een mes op de keel, erg veel keus had ze niet. Hauser heeft ongetwijfeld vragen gesteld, is erachter gekomen dat we... met elkaar omgingen. Zij was in gevaar omdat ze mij kent. Ik zou háár mijn excuses moeten aanbieden.'

Er sprongen tranen in mijn ogen. Waar was dát goed voor? Robin veegde ze weg. 'Het is niemands schuld, Alex, die vent is duidelijk gestoord.'

'En nu is hij een gestoorde mankepoot. Ik vraag me af wanneer de politie me komt ondervragen.'

'Dat regelt Milo allemaal. Volgens hem hoef jij je nergens zorgen om te maken, gezien Hausers eerdere arrestaties.'

'Dat zou fijn zijn.'

Koele lippen gleden langs mijn voorhoofd. 'Het komt wel goed, lieverd. Jij moet nu rusten en genezen...'

'Geeft Allison echt zichzelf de schuld?'

'Ze vindt dat ze beter had moeten weten vanwege de dingen die je haar over Hauser had verteld.'

'Dat slaat nergens op.'

'Dat wil ze vast heel graag van jou horen. In die bewoordingen.'

Ik moest lachen. Het verband rond mijn ribben leek wel een riem van glasscherven.

'Doet het pijn, schatje?'

'Welnee.'

'Lieve leugenaar.' Ze kuste mijn oogleden en daarna mijn mond. Veel te teer, verdomme. Ik had iets nodig wat dicht bij pijn kwam en dus duwde ik haar hoofd tegen me aan. Toen ze zich eindelijk lostrok, was ze buiten adem.

'Meer, vrouw!' zei ik. 'Méér.'

Ze liet haar hand onder de dekens glijden. 'Een van je lichaamsdelen lijkt het nog prima te doen.'

'Man van staal,' zei ik. 'Kom je echt weer bij me wonen?'

'Als je wilt.'

'Natuurlijk wil ik dat.'

'Als je geen pijn meer hebt, verander je misschien van...'

Ik legde een vinger tegen haar lippen. 'Wanneer kom je?'

'Over een paar dagen.' Stilte. 'Ik denk dat ik de studio aanhou. Zoals jij al zei, voor mijn werk.'

'En voor als je bij me weg wilt,' zei ik.

'Nee lieverd, ik ben lang genoeg bij je weg geweest.'

37

Ik liep het ziekenhuis uit met een houding alsof ik er werkte. De taxi kwam tien minuten later. Om zeven uur 's avonds was ik thuis.

De Seville stond voor het huis; nog iets waarvoor Milo had gezorgd.

De taxichauffeur had in West-Hollywood verschillende kuilen in de weg geraakt. De stad houdt van glamour, maar vermijdt het alledaagse werk.

De pijn bij elke schok was geruststellend geweest; ik kon ertegen. Ik stopte de Percocet in mijn medicijnkastje en opende een nieuw flesje extra sterke Advil.

Ik had niets meer gehoord van Milo sinds zijn bezoekje in het ziekenhuis de vorige dag. Misschien betekende dat vooruitgang. Toen ik hem belde, zat hij in zijn auto. 'Fijn dat je mijn auto thuis hebt gebracht.'

'Dat heb ik niet gedaan, dat was Robin. Gedraag je je als een goede patiënt?'

'Ik ben weer thuis.'

'Heeft Rick je ontslagen?'

'Rick en ik zijn tot een overeenkomst gekomen.'

Stilte. 'Niet echt slim van je, Alex.'

'Als jíj naar hem luisterde, zou je mooiere dassen dragen.'

Weer bleef het stil.

'Het gaat prima met me,' zei ik. 'Fijn dat je Hauser hebt afgehandeld.'

'Voor zover dat kon.'

'Kan ik nog problemen verwachten?'

'Je zult nog wel wat ellende over je heen krijgen, maar de mensen die het kunnen weten, zeggen dat je je geen zorgen hoeft te maken. In de tussentijd zit die klootzak op een gesloten afdeling in een gele pyjama naar inktvlekken te kijken. Wat is er gebeurd, is hij compleet geïmplodeerd?'

'Hij nam slechte beslissingen en projecteerde die op mij. Hoe erg heb ik hem verwond?'

'Die zal voorlopig niet voetballen. Dat schietertje van Allison was wel handig, hè?'

'Nou en of,' zei ik. 'Heb je nog onroerend goed gevonden op naam van Nora Dowd in regio 805?'

'Je bent weer helemaal op dreef,' zei hij. 'Heel soepel.'

'Op goed advies.'

'Van wie?'

'Van mezelf.'

Hij schoot in de lach. 'Toevallig heeft Nora drie panden op haar naam staan in dat gebied. Een appartement in Carpinteria en een paar huizen in Goleta. Ze worden allemaal verhuurd. Haar huurders hebben haar nog nooit gezien, maar ze vinden haar erg aardig omdat ze de huur laag houdt.'

'Worden de gebouwen door BNB onderhouden?'

'Nee, door een bedrijf in Santa Barbara. Ik heb de manager gesproken. Nora krijgt haar cheques per post, komt nooit langs. Dat is alles, Alex. Geen liefdesnestje ergens, geen verband met Camarillo, geen huisje in Malibu. Misschien hebben zij en Meserve die telefoontjes gepleegd en zijn ze daarna naar een tropisch vakantieoord vertrokken.'

Ik zei: 'Hebben de broertjes nog panden in die buurt?'

'Wat doet dat ertoe? Billy is een sukkel en Brad haat Meserve. Onze zoektocht naar Peaty's schuilplaatsen heeft tot nu toe ook nog geen zak opgeleverd. Zodra ik met Armando Vasquez klaar ben, ga ik mogelijke privévluchten onderzoeken.'

'Wat moet je met Vasquez?'

'Een tweede verhoor. Gisteravond was het eerste verhoor om elf uur, op verzoek van de pro-Deoadvocaat van Vasquez. Armando wilde praten. Trouwe ambtenaar die ik ben, ben ik ernaartoe gegaan. Vasquez wilde het verhaal over dat telefoongesprek verfraaien. Hij beweert nu dat de avond van de moord niet de eerste keer was, en dat het de week ervoor ook al gebeurd was, alleen wist hij niet meer precies wanneer en hoe vaak. Er werd niet opgehangen, maar iemand fluisterde dat Peaty een gevaarlijke gluiperd was die zijn vrouw en kinderen kwaad kon doen. De officier wil elk rechtvaardigingsverweer afzwakken, dus moet ik verder en zullen zij waarschijnlijk een maand aan telefoongegevens opeisen. Ik heb Vasquez mijn fotocollectie laten zien toen ik bij hem was. Hij had het echtpaar Gaidelas, Nora en Meserve nog nooit gezien. Maar het gekke was dat hij de laatste foto, die van Billy, ook niet herkende. Terwijl ik zeker weet dat Billy met Brad in de flat is geweest. Met andere woorden, omdat hij overdag nooit thuis was, hebben we aan Vasquez ook al niks. Net zomin als aan de rest.'

'Kan ik nog iets voor je doen?'

'Jij kunt beter worden zodat je er niet langer als een dwaze mummie uitziet. En nog iets, Peaty's lichaam is opgeëist door een nicht in Nevada. Ze vroeg naar de rechercheur die de zaak onderzoekt en zei dat ze al een paar keer een bericht had achtergelaten. Bedankt, achterlijke Tom. Ik heb morgenmiddag in opdracht van de officier met haar afgesproken om te zien of zij nog iets kan ophelderen wat betreft Peaty's geestestoestand. De verdediging schildert hem af als een psychopathisch monster, dus moet ik nu met zijn goede eigenschappen komen.'

'Over achterlijke Tom gesproken.' Ik vertelde hem over de blik van afkeer die ik van Beamish had gekregen.

'Zou me niks verbazen. Misschien dat Beamish zich nog meer gestolen fruit kan herinneren... Wat kan het anders zijn? O ja, ik heb wat bedrijven gebeld die materiaal leveren voor het opzetten van dieren. Nora en Meserve hebben geen griezelige middelen gekocht. Oké, ik sta inmiddels voor het huis van bewaring. Tijd om nog een paar leugens aan mijn dagelijkse dieet toe te voegen.'

De dag begon met barstende hoofdpijn, een stijf gevoel in mijn hele lichaam en een kurkdroge mond. Een handvol Advil en drie koppen zwarte koffie later kwam ik op gang. Als ik niet te diep ademhaalde.

Ik belde Allison, bedankte haar voicemail voor de alertheid van zijn eigenaresse en verontschuldigde me voor het feit dat ik haar bij zo'n akelige toestand had betrokken.

Daarna vertelde ik Robins voicemail dat ik zijn eigenaresse graag wilde zien.

Albert Beamish stond niet in het telefoonboek. Ik probeerde zijn advocatenkantoor. Een heldere receptionistenstem zei: 'Meneer Beamish komt zelden op kantoor. Ik denk dat ik hem voor het laatst... een paar maanden geleden heb gezien.'

'Emeritus.'

'Sommige partners zijn hoogleraar, dus we houden wel van die term.'

'Is meneer Beamish hoogleraar?'

'Nee,' zei ze. 'Hij hield niet van doceren. Hij was een echte strafpleiter.'

Om elf uur arriveerde ik bij het huis van Beamish. Dezelfde Indonesische werkster deed open.

'Ja!' Ze straalde. 'Meneer thuis!'

Even later kwam de oude man aanschuifelen in een slobberig wit vest over een bruin gebreid shirt, een dunne, roze-wit gestreepte broek en dezelfde sloffen met wolvenkoppen op de punten.

Zijn hoongelach was volmaakt. 'De verloren agent keert weder. Wat is er voor nodig om jullie een beetje te motiveren?'

'We hebben wat problemen met de telefoon gehad,' zei ik.

Hij kakelde van pret om wat hij al wist, schraapte zijn keel vier keer, rochelde iets nats op en slikte het door. 'Mijn belastinggeld wordt goed gebruikt.'

'Waar ging uw telefoontje over, meneer?'

'Weet u dat niet?'

'Daarom ben ik hier.'

'U hebt het bericht nog steeds niet gelezen? Maar hoe weet u dan...'

'Zelf bedacht, meneer Beamish, door die blik van minachting van u toen ik langsreed.'

'Die blik van...' Een gerimpelde, liploze mond krulde dubbelzinnig om. 'Een ware Sherlock.'

'Wat was uw boodschap?' zei ik.

'Je verkrampt helemaal als je praat, jongeman.'

'Ik ben een beetje gekneusd, meneer Beamish.'

'Aan de boemel geweest van mijn goeie geld?'

Ik knoopte mijn jas los, maakte een paar knoopjes van mijn overhemd open en liet het verband rond mijn middel zien.

'Gebroken ribben?'

'Een paar.'

'Dat is mij ook een keer overkomen toen ik in het leger zat,' zei hij. 'Geen heldhaftige gevechtsdaden, ik was in Bayonne in New Jersey gestationeerd en een of andere Ierse knul uit Brooklyn reed in zijn jeep achteruit op me in. Het had maar een paar centimeter gescheeld of ik was een kinderloze Democratische sopraan geweest.'

Ik glimlachte.

'Niet doen,' zei hij. 'Dat zal wel vreselijk zeer doen.'

'Moet u maar niet zo grappig zijn,' zei ik.

Hij glimlachte. Een oprechte glimlach zonder minachting. 'Legerartsen konden niets doen om me op te lappen, maar deden een verband om me heen en zeiden dat het vanzelf overging. Toen ik genezen was, werd ik naar het front verscheept.'

'Er is sindsdien geen medische vooruitgang geboekt.'

'Wanneer is het gebeurd? Niet dat het me interesseert.'

'Twee dagen geleden. Niet dat het uw zaken zijn.'

Hij keek verschrikt. Boos. Trok aan de bruine stof rond zijn ingevallen borst. Daarna uitte hij een droge lach en hoestte nog meer slijm op. Toen hij uitgehijgd was, zei hij: 'Zin in een borrel? Het is bijna middag.'

Toen ik achter hem aan liep door donkere, stoffige kamers met hoge plafonds vol antiek en Chinees porselein, zei hij: 'Hoe is het met de andere vent afgelopen?'

'Die is er erger aan toe.'

'Goed zo.'

We gingen aan een ronde tafel zitten in zijn achthoekige ontbijtkamer vlak bij de keuken met roestvrijstalen aanrecht en beschadigde witte kastjes die suggereerden dat ze zeker een halve eeuw niet waren veranderd.

Verticale raamstijlen keken uit over een schaduwrijke tuin. De tafel was van oud mahoniehout met brandplekken en kringen, met daaromheen vier stoelen in de Queen Annestijl. Op de muren zat een hier en daar vaal, zachtgroen behang van zijde met een Aziatische prent met pioenen en vogels en wijnstokken. Er hing een ingelijste foto aan de muur. Zwart-wit, ook vaal door tientallen jaren ultraviolet.

Toen Beamish de drankjes ging halen, keek ik naar de foto. Een slungelige jongeman met lichtgekleurd haar in een legeruniform stond arm in arm met een aantrekkelijke jonge vrouw. Op haar donkere krullen zat een klokvormige hoed. Ze droeg een getailleerd zomers pakje en had een boeket in haar handen.

Een groot schip op de achtergrond, USS nog iets. Met vulpen stond rechtsonder: *7 april 1945, Long Beach: Betty en Al. Eindelijk terug van het front!*

Beamish kwam terug met een kristallen karaf en een paar bijpassende, ouderwetse glazen. Hij liet zich langzaam in een stoel zakken en deed zijn best om niet te laten merken dat hij zelf ook van pijn vertrok. Toen gaf hij het op.

'Per slot van rekening hoef je niet in elkaar geslagen te worden om pijn te hebben,' zei hij. 'Daar zorgt Moeder Natuur wel voor.' Hij schonk ons elk twee vingers in en schoof mijn glas naar me toe.

'Fijn om te weten.' Ik hield mijn glas op.

Hij gromde iets en nam een slok. Ik stelde me Milo voor over veertig jaar, hoestend en drinkend en mopperend over de toestand in de wereld. Oud en grijs.

Bij 'hetero' en 'rijk' hield de fantasie op.

Beamish en ik dronken onze borrel. De whisky was een single malt, turfachtig met een zoete nasmaak, die een brandend gevoel achterliet waardoor je wist dat het alcohol was.

Hij likte de plek waar zijn lippen vroeger zaten en zette zijn glas neer. 'Het goeie spul, ik weet niet waarom ik dit heb ingeschonken.'

'Een ongewoon gulle bui,' zei ik.

'U bent schaamteloos – helemaal niet zo kruiperig als de gemiddelde ambtenaar.'

'Dat ben ik ook niet. Ik ben psycholoog.'

'Wat? Nee, geef maar geen antwoord, ik heb u best gehoord. Bent u er zo eentje? Die dikke rechercheur heeft u op dit gestoorde oude lijk afgestuurd?'

'Dat was mijn idee.' Ik vertelde hem in het kort wat mijn relatie tot de politie was. En verwachtte het ergste.

Beamish nam nog een slok en trok zijn neus op. 'Na de dood van Rebecca zag ik de zin van het leven niet meer. Mijn kinderen stonden erop dat ik naar een psychiater ging en ze stuurden me naar een of andere joodse vent in Beverly Hills. Hij schreef me pillen voor die ik nooit heb geslikt en verwees me naar een joodse psychologe die in zijn praktijk werkte. Ik vond haar bij voorbaat een veel te dure babysitter, maar mijn kinderen dwongen me. Toen bleek dat ze gelijk hadden. Ze heeft me echt geholpen.'

'Fijn.'

'Soms heb ik het nog wel moeilijk,' zei hij. 'Dat bed is veel te groot... Hè, genoeg gewauwel, als we hier nog langer blijven zitten, stuurt u me nog een rekening. Dit is het bericht dat ik voor die dikke rechercheur had achtergelaten: drie dagen geleden kwam er een vrouw bij die stapel brandhout langs.'

Hij wees in de richting van Nora's huis. 'Ik ben naar haar toe gegaan en heb gevraagd wat ze wilde. Toen zei ze dat ze op zoek was naar haar nichtje Nora. Ik zei dat Nora al een tijdje weg was en dat de politie mogelijk het vermoeden had dat ze bij foute zaakjes was betrokken. Dat leek haar in het geheel niet te verbazen. Moet ik u trouwens "dokter" noemen?'

'Alex is prima.'

'Hebt u vroeger gespiekt op uw examens?' snauwde hij.

'Nee...'

'Dan hebt u uw titel verdiend, gebruik hem dan ook, allemachtig. Als er íéts is waar ik een hekel aan heb, dan is het wel die geforceerde informaliteit die de beatniks hebben geïntroduceerd. Wij drinken hier dan wel mijn beste *single* malt, meneer, maar als u me zou tutoyeren, zou ik u de deur uit schoppen.'

'Dat lijkt me pijnlijk, gezien de omstandigheden,' zei ik.

Hij vertrok zijn lippen. Moest onwillekeurig glimlachen. 'Wat is uw achternaam?'

'Delaware.'

'Goed dan, dokter Delaware... waar was ik gebleven?'

'De nicht was helemaal niet verbaasd.'

'Integendeel,' zei Beamish. 'De mogelijkheid dat Nora onder verdenking stond, vond ze gewoonweg syntonisch.' Hij grijnsde. 'Een psychologische term die ik van dokter Ruth Goldberg heb geleerd.'

'Een tien met een griffel,' zei ik. 'Had ze een verklaring voor het feit dat ze niet verbaasd was?'

'Daar heb ik haar naar gevraagd, maar ze liet niets los. Integendeel, ze wilde snel weg en ik moest erop aandringen dat ze haar naam en telefoonnummer achterliet.'

Hij stond weer langzaam van tafel op en kwam vijf minuten later terug, terwijl ik ondertussen mijn glas leegdronk. Beamish kwam terug met een opgevouwen velletje wit papier. Knoestige vingers vouwden het moeizaam open en streken het glad.

Het was een half velletje briefpapier van kantoor.

Martin, Crutch & Melvyn
advocatenkantoor

Een adres aan Olive Street, een lange lijst namen in kleine letters met die van Beamish ergens bovenin.

Onder aan het vel stond in zwarte, vlekkerige vulpeninkt iets in een bibberig handschrift geschreven.

Marcia Peaty. Een telefoonnummer met kengetal 702.

'Ik heb het opgezocht, dat is Las Vegas,' zei Beamish. 'Al vond ik haar niet het Vegas-type.'

'Ze is het nichtje van de Dowds?'

'Dat zei ze en dat lijkt me niet iets wat je verzint. Ze was niet bepaald welopgevoed, maar ook niet ordinair en dat is tegenwoordig al heel wat...'

Ik vouwde het papiertje weer op. 'Dank u.'

'Er ging een lichtje in uw ogen branden, dokter Delaware. Ben ik van dienst geweest?'

'Meer dan u misschien denkt.'

'Wilt u me ook zeggen waarom?'

'Dat zou ik graag willen, maar dat kan ik niet.'

Terwijl ik opstond, schonk Beamish me nog een vinger whisky in. 'Dat is vijftien dollar waard. Drink het niet staand, dat is vreselijk vulgair.'

'Dank u, maar ik heb genoeg gehad, meneer.'

'Gematigdheid is het laatste toevluchtsoord van een lafaard.'

Ik schoot in de lach.

Hij tikte tegen de rand van zijn glas. 'Is het nu werkelijk nodig dat u er als een paniekerig paard vandoor gaat?'

'Ik vrees van wel, meneer Beamish.'

Ik wachtte tot hij opstond.

Hij zei: 'Een ander keertje dan? Als u ze allemaal hebt opgesloten, wilt u dan laten weten wat ik heb gedaan?'

'Ze allemaal?'

'Zij, haar broers – een akelig stelletje bij elkaar. Dat zei ik al toen u hier de eerste keer kwam rondneuzen samen met die dikke rechercheur.'

'De dadelpruimen.'

'Dat ook, uiteraard,' zei hij. 'Maar u zoekt meer dan gestolen fruit.'

Het duurde zes minuten voordat de medewerker van de gevangenis weer aan de telefoon kwam.

'Ja, hij is er nog.'

'Wilt u hem vragen me te bellen als hij klaar is? Het is belangrijk.'

Hij vroeg mijn naam en nummer. Voor de tweede keer. Zei toen: 'Goed.' Maar de toon in zijn stem was duidelijk: ik hoefde er niet op te rekenen.

Een uur later probeerde ik het opnieuw. Een andere medewerker zei: 'Ik zal even voor u kijken... Sturgis? Die is weg.'

Ik wist hem uiteindelijk in zijn auto te pakken te krijgen.

Hij zei: 'Vasquez heeft mijn tijd verspild. Hij wist zich opeens te herinneren dat Peaty hem openlijk heeft bedreigd. "Ik maak je af, vent."'

'Klinkt meer als iets wat Vasquez zelf zou zeggen.'

'Shuldiner gaat zijn verweer gooien op langdurig getreiter. Maar goed, ik ben er klaar mee en kan me nu eindelijk op Nora en Meserve richten. Niets duidt erop dat ze per vliegtuig zijn vertrokken, maar met Angeline Wassermans verklaring over de Range Rover ben ik in staat om via de rechter informatie over privévliegtuigen op te eisen. Ik ga wat administratie doen. Hoe voel je je?'

'De vrouw waar de patholoog-anatoom het met jou over had, heet die Marcia Peaty?'

'Ja, hoezo?'

'Zij is ook het nichtje van de Dowds.' Ik vertelde hem wat ik van Albert Beamish had gehoord.

'Dus die oude man had echt iets te melden. Dat zegt niet veel goeds over mijn intuïtie.'

Ik zei: 'Broertjes en zus Dowd huren hun neef als conciërge in tegen minimumloon en geven hem een oud washok om in te wonen. Dat zegt wel iets over hun karakter. Het feit dat ze er geen van allen iets over hebben gezegd, zegt nog veel meer. Heb je nog kans gezien om de privé-eigendommen van de broertjes te onderzoeken?'

'Nog niet, maar dat moet ik maar eens doen. Marcia Peaty heeft nooit gezegd dat ze niet alleen familie was van Peaty, maar ook van de Dowds.'

'Hoe laat heb je met haar afgesproken?'

'Over een uur. Ze logeert in het Roosevelt aan Hollywood Boulevard. Ik heb bij Musso & Frank afgesproken, dan hou ik er in elk geval nog een lekker maaltje aan over.'

'Familiegeheimen en schar,' zei ik.

'Ik zat meer aan kippenpastei te denken.'

'Ik neem de schar.'

'Jíj hebt trek?'

'Ik verga van de honger.'

Ik zette de auto op het reusachtige parkeerterrein achter Musso & Frank. Al dat land, de ontwikkelaars stonden er waarschijnlijk bij te kwijlen en ik kon me het gebulder van de pneumatische boren al voorstellen. Het restaurant was bijna honderd jaar oud, ongevoelig voor vooruitgang en terugval. Goed zo.

Milo had een tafeltje bezet linksachter in de grotere eetzaal van Musso. Zes meter hoge, beige geschilderde plafonds zoals je ze tegenwoordig niet meer ziet, groene jachttaferelen op de muren, eikenhouten schrootjes die met de tijd bijna zwart waren geworden, sterkedrank aan de bar.

Op het allesomvattende menu stond wat tegenwoordig *comfort food* zou worden genoemd, maar wat vroeger gewoon eten heette. Sommige gerechten kosten tijd en het management waarschuwt de klant dan ook om niet ongeduldig te worden, Musso is misschien wel de laatste tent in L.A. waar je als dessert een enorme schaal *spumoni* kunt bestellen.

In vrolijk groen geklede hulpkelners renden door de grote ruimte en schonken waterglazen vol voor een zestal tafels met mensen die een late lunch genoten. Obers in rode jasjes naast wie Albert Beamish een aardige man leek, wachtten hun kans af om duidelijk te maken dat gerechten niet gewijzigd konden worden. Aan een paar tafeltjes zaten gelukkige, overspelige mensen. In het midden van de ruimte zaten vijf grijze mannen in kasjmieren trui en windjack. Vertrouwde maar onbekende gezichten; het duurde even voordat ik wist waarom.

Een vijftal acteurs – mannen die in de televisieshows van mijn jeugd hadden gespeeld, maar nooit de sterrenstatus hadden gekregen. Ze zagen er stuk voor stuk uit als doorgewinterde tachtigers. Veel gepor van ellebogen en gelach. Misschien betekende het onderste deel van de trechter niet noodzakelijkerwijs gratie. Milo zat aan een glas bier. 'De computers doen het eindelijk weer. Sean heeft net het onroerend goed onderzocht, en moet je horen: niets op naam van Brad, maar Billy heeft vier hectare in Latigo Canyon op zijn naam staan. Vlak bij de plek waar Michaela en Meserve slachtoffertje speelden.'

'Tjonge,' zei ik. 'Alleen land, geen huis?'

'Zo staat het geregistreerd.'

'Misschien staan er wat schuurtjes op het land,' zei ik.

'Reken maar dat ik dat ga onderzoeken.' Hij keek op zijn horloge.

'Brad is de dominante, maar hij heeft zelf geen land?'

'Zelfs het huis niet in Santa Monica Canyon. Dat is van Billy. En de twee-onder-een-kap in Beverly Hills ook.'

'Billy en Nora hebben allebei drie percelen,' zei ik. 'En Brad heeft niets.'

'Misschien een belastingtruc, Alex. Hij krijgt een salaris voor het managen van de gezamenlijke gebouwen en heeft belastingredenen om zelf geen onroerend goed te bezitten.'

'Integendeel, onroerendgoedbelasting is aftrekbaar. De waardevermindering en kosten van huurpanden ook.'

'De woorden van een ware onroerendgoedmagnaat.'

Ik had op het juiste moment goed geld verdiend met de aan- en verkoop van onroerend goed. Ik was ermee gestopt omdat ik geen huisbaas wilde zijn en had de winst in obligaties gestopt. Niet heel slim als het je om de pegels ging. Vroeger dacht ik dat rust mijn doel was. Nu wist ik het niet meer.

Ik zei: 'Misschien kan nicht Marcia het ophelderen.'

Hij hield zijn hoofd schuin en keek de andere kant op. 'Ja, als ervaren rechercheur zou ik zeggen dat ze daar is.'

De vrouw die rechts van de bar stond was een meter tachtig, in de veertig, met grijzige krullen en een indringende blik. Ze droeg een zwarte coltrui en een zwarte broek en had een roomkleurige handtas bij zich.

Milo zei: 'Ze inspecteert de boel alsof ze agente is.' Hij wuifde.
Ze wuifde terug en liep op ons af. Op de handtas stond een wereldkaart gedrukt. Een gouden kruisje om haar hals was haar enige sieraad. Van dichtbij zag haar haar er stug uit, en het hing half over haar rechteroog. Beide irissen waren helder, onderzoekend en grijs.

Een smal gezicht, puntige neus, tanige huid. Ze leek op het eerste gezicht niet op Reynold Peaty. Of op de Dowds.

'Inspecteur? Marcia Peaty.'

'Aangenaam kennis te maken.' Milo stelde me voor, maar liet mijn titel weg.

Ik zag de afkeurende blik van Al Beamish al voor me.

Marcia Peaty gaf ons een hand en ging zitten. 'Ik kan me herinneren dat ze hier een heerlijke martini hebben.'

'Komt u oorspronkelijk uit L.A.?'

'Opgegroeid in Downey. Mijn vader was chiropractor, had daar een praktijk en ook aan Edgemont Street in Hollywood. Als ik een goed rapport had, nam hij me mee uit eten. We gingen altijd hiernaartoe en als niemand keek, mocht ik een slokje martini proeven. Ik vond het naar chloor smaken, maar liet het nooit merken. Ik wilde volwassen lijken, hè?' Ze glimlachte. 'Nu vind ik ze echt lekker.'

Er kwam een ober naar ons toe en ze bestelde een martini met ijs, olijven en een uitje. 'Mijn salade.'

De ober zei: 'Nog een bier voor u?'

Milo zei: 'Nee, dank u.'

'En u?'

De smaak van Beamish' single malt lag nog op mijn tong. 'Cola.'

De ober fronste zijn wenkbrauwen en vertrok.

Milo zei: 'Wat kan ik voor u doen, mevrouw Peaty?'

'Ik probeer erachter te komen wat er met Reyn is gebeurd.'

'Hoe hebt u het gehoord?'

'Ik ben een collega van u – van vroeger.'

'De politie van Las Vegas?'

'Twaalf jaar,' zei ze. 'Voornamelijk bij de zedenpolitie, de verkeerspolitie en het huis van bewaring. Ik werk nu in de beveiligingsdienst bij een groot bedrijf, we doen een aantal casino's.'

'Geen gebrek aan werk in zo'n gokstad,' zei Milo.

'Jullie zitten ook niet bepaald duimen te draaien.'

De drankjes werden gebracht.

Marcia Peaty nam een slok van haar martini. 'Lekkerder dan in mijn herinnering.'

De ober vroeg of we al wilden bestellen.

Kippenpastei, schar, schar.

'Nog zo'n goeie herinnering,' zei Marcia Peaty. 'Die heb je in Las Vegas niet.'

Milo zei: 'In L.A. ook niet vaak. Je krijgt hier meestal Amerikaanse schol.'

Ze keek teleurgesteld. 'Een goedkoop substituut?'

'Nee, het is vrijwel hetzelfde – een kleine platvis met veel graten. De ene leeft dieper in zee, maar niemand weet het verschil.'

'Vist u graag?'

'Ik eet graag.'

'Vrijwel hetzelfde, dus?' zei Marcia Peaty. 'Van dezelfde familie?'

'Familieleden kunnen heel verschillend zijn.'

Ze haalde een olijf uit haar glas, kauwde erop en slikte hem door. 'Ik kwam erachter toen ik Reyn al een paar dagen niet te pakken kreeg. Niet dat ik hem regelmatig bel, maar een van onze oudtantes was overleden en ze had hem wat geld nagelaten – stelt niet veel voor, twaalfhonderd dollar. Toen ik hem niet te pakken kon krijgen, ben ik gaan bellen – ziekenhuizen, gevangenissen. Uiteindelijk heb ik het nieuws van uw patholoog-anatoom gehoord.'

'U hebt gevangenissen en mortuaria gebeld,' zei Milo. 'Dat is een wel heel specifieke nieuwsgierigheid.'

Marcia Peaty knikte. 'Reyn was een probleemgeval, altijd al geweest. Ik heb nooit gedacht dat ik een modelburger van hem zou weten te maken, maar zo nu en dan vond ik dat ik hem een beetje in bescherming moest nemen. We zijn samen opgegroeid in Downey, hij was een paar jaar jonger dan ik. We zijn allebei enig kind, dus weinig familie. Hij was een beetje een broertje voor me.'

Ik zei: 'Een probleembroertje.'

'Ik zal het niet mooier maken dan het is, maar hij was geen psychopaat, hij was gewoon niet slim. Zo iemand die altijd de verkeerde beslissingen neemt, weet u wel? Misschien was het erfelijk. Onze vaders waren broers. Mijn vader had drie baantjes om zijn opleiding te betalen, kraakte genoeg botten om zich uit de achterbuurt op te werken tot een fatsoenlijk burger. Reyns vader was een loser en een alcoholist, twaalf ambachten, dertien ongelukken, zat voortdurend in de cel wegens kruimeldiefstal. Reyns moeder was niet veel beter.' Ze zweeg. 'Een en al ellende, niets wat u niet eerder bent tegengekomen.'

Milo zei: 'Hoe bent u beiden in Nevada terechtgekomen?'

'Reyn liep van huis weg toen hij vijftien was – er was niemand die naar hem omkeek. Ik ben hem tien jaar uit het oog verloren, ik weet dat hij de marine heeft geprobeerd, maar in de cel eindigde en oneervol ontslag kreeg. Ik ben naar Vegas verhuisd nadat mijn vader was overleden. Mijn moeder was dol op de fruitautomaten. Als enig kind voel je je verantwoordelijk. Mijn man komt uit een gezin van vijf, een mormonenclan, dat is totaal anders.'

Milo knikte. 'Tien jaar. En Reyn dook weer op toen hij vijfentwintig was.'

'Bij mijn moeder thuis. Vol met tatoeages, dronken en bijna dertig kilo zwaarder. Ze weigerde hem binnen te laten. Hij ging niet tegen haar in, maar bleef wel in de straat rondhangen. Dus belde ze haar dochter, de politieagente. Ik schrok toen ik hem zag, want hij was vroeger best knap, al zou je dat niet denken. Ik heb hem wat geld gegeven, een hotelkamer voor hem geregeld, gezegd dat hij moest stoppen met drinken en ergens anders heen moest. Dat laatste heeft hij gedaan.'

'Reno.'

'Ik hoorde pas twee jaar later weer iets van hem, toen hij geld nodig had voor zijn borgtocht. Wat hij in de tussentijd heeft gedaan, zou ik niet weten.'

'Slechte beslissingen,' zei ik.

'Hij is nooit gewelddadig geweest,' zei Marcia Peaty. 'Meer een kleine draaideurcrimineel.'

Milo zei: 'Die gluuractiviteiten kunnen als eng worden gezien.'

'Misschien ben ik nu te rationeel, maar eerlijk gezegd leek me dat eerder een geval van openbare dronkenschap en verstoring van de openbare orde. Zoiets had hij nog nooit gedaan en hij heeft het daarna ook niet meer gedaan, of wel?'

'Mensen zeggen dat hij veel staarde. Dat ze dat vervelend vonden.'

'Ja, hij had de neiging om... af te dwalen,' zei Marcia Peaty. 'Hij was geen Einstein, bepaald geen rekenwonder. Ik weet dat het lijkt of ik hem nu verdedig, maar hij verdiende het niet om door een bendelid overhoopgeschoten te worden. Kunt u me vertellen hoe het is gegaan?'

Milo gaf haar heel summier wat details van de moord, maar liet de fluistertelefoontjes achterwege en zei ook niets over het feit dat Vasquez beweerde dat Peaty hem had lastiggevallen.

Ze zei: 'Gewoon stom dus.' Ze nam een flinke slok martini. 'Gaat die vent het bezuren?'

'Hij zal wel iets krijgen.'

'Wat wil dat zeggen?'

'De verdediging zal uw neef afschilderen als een bullebak.'

'Reynold was een alcoholist en een loser, maar hij deed geen vlieg kwaad.'

'Had hij een vriendin?'

Marcia Peaty kneep haar bruine ogen toe. Wantrouwig. 'Wat heeft dat ermee te maken?'

'De officier van justitie wil een helder beeld hebben van wat voor iemand hij was. Ik kan geen enkel bewijs voor een liefdesleven vinden, alleen een verzameling pornovideo's met jonge meisjes.'

Marcia Peaty's knokkels werden wit rond haar glas. 'Hoe jong?'

'Dat kon nauwelijks door de beugel.'

'Waarom doet het er iets toe?'

'Reynold werkte als conciërge op een toneelopleiding. Een paar vrouwelijke leerlingen zijn vermoord.'

Marcia Peaty verbleekte. 'O, nee. Echt niet. Ik heb lang genoeg bij de zedenpolitie gewerkt om een sekscrimineel te herkennen, en Reynold was dat niet... en dat zeg ik niet omdat ik familie ben. Geloof me, u kunt beter ergens anders zoeken.'

'Over familie gesproken, laten we het eens over uw andere neven en uw nicht hebben.'

'Ik meen het,' zei ze. 'Zo zat Reyn niet in elkaar.'

'Uw andere neven en uw nicht,' zei Milo.

'Wie?'

'De Dowds. U bent laatst bij het huis van Nora Dowd geweest en hebt een buurman verteld dat u haar nicht bent.'

Marcia Peaty schoof het glas naar haar linkerhand. Toen weer naar haar rechterhand. Ze pakte het cocktailprikkertje met het uitje, draaide het in het rond en legde het weer terug. 'Strikt genomen is dat niet helemaal waar.'

'De waarheid is rekbaar?' vroeg Milo.

'Ze is mijn nicht niet. Brad is mijn neef.'

'Hij is haar broer.'

Marcia Peaty slaakte een zucht. 'Het is ingewikkeld.'

'We hebben de tijd.'

39

'Zoals ik al zei, kom ik uit een achterbuurt,' zei Marcia Peaty. 'Dat is geen schande, want mijn vader, dokter James Peaty, wist zichzelf op te werken.'

'In tegenstelling tot zijn broer,' zei ik.

'Broers,' zei ze. 'En zus. Reyns vader, Roald, was de jongste, zat met enige regelmaat in de cel en heeft zich later doodgeschoten. Daarna kwam Millard en tussen hem en mijn vader zat Bernadine. Die is in de gevangenis overleden.'

'Waarom zat ze vast?' vroeg Milo.

'Verstoring van de openbare orde wegens dronkenschap. Ze was een aantrekkelijke vrouw, maar ze maakte niet op de beste manier gebruik van haar uiterlijk.' Ze duwde haar bord van zich af. 'Ik heb dit allemaal van mijn moeder gehoord. Zij had een hekel aan de Dowds, dus het kan zijn dat ze het allemaal wat heeft aangedikt. Maar ik denk dat ze in grote lijnen gelijk had, want papa heeft het nooit ontkend. Mijn moeder gebruikte Bernadine als voorbeeld van hoe het niet moest. "Doe niet wat die verderfelijke lichtekooi deed."'

'Wat deed Bernadine?' zei Milo.

'Ging op haar zeventiende het huis uit en vertrok met een vriendin, Amelia Stultz, naar Oceanside. Met zijn tweeën werkten ze de havenklanten af en deden ze god weet wat nog meer. Bernadine raakte zwanger van een of andere kerel op verlof die ze vervolgens nooit meer heeft gezien. Ze kreeg een jongetje.'

'Brad,' zei ik.

Marcia knikte. 'Zo is Brad geboren. Toen Bernadine de cel in moest, was hij drie of vier, en werd hij naar Californië gestuurd om bij Amelia Stultz te wonen, die het heel wat beter had gedaan en met een rijke kapitein was getrouwd.'

Milo zei: 'Amelia was een verderfelijke lichtekooi, maar voedde wel andermans kind op?'

'Volgens mijn moeder heeft mijn oom Millard haar gechanteerd, gedreigd haar rijke man over haar verleden te vertellen als ze het joch niet in huis nam.'

'Vals type, die lieve oom van je,' zei ik. 'Wilde hij zelf ook nog wat hebben?'

'Ik weet niet of er geld mee gemoeid is geweest.' Marcia Peaty fronste haar wenkbrauwen. 'Ik besef wel dat iedereen hier een rol in speelt, behalve mijn vader. Dat heb ik me wel eens afgevraagd. Zou mijn vader zo berekenend zijn geweest?' Een spiertje in haar wang vertrok. 'Zelfs als hij Brad had willen helpen, had mijn moeder hem nooit in huis genomen.'

'De rijke kapitein was Bill Dowd junior.'

'Hancock Park,' zei ze. 'Op het eerste gezicht leek het of Brad een lot uit de loterij had gewonnen. Het probleem was dat Amelia helemaal geen zin had om haar eigen kinderen op te voeden, laat staan een kind dat haar opgedrongen was. Ze zag zichzelf altijd als danseres en actrice. Een artieste, noemde mijn moeder het. Wat betekende dat ze haar kleren uittrok in van die Tijuana-clubs en wie weet nog erger.'

'Hoe wist Amelia kapitein Dowd te strikken?'

'Ze was knap,' zei Marcia Peaty. 'Een blonde stoot, toen ze jong was. Kennelijk vallen mannen op ordinaire types, net als in de countrysongs.'

Of familietraditie. Volgens Albert Beamish was Bill Dowd junior getrouwd met een vrouw zonder stijl, net als zijn moeder.

Milo zei: 'Amelia nam Brad in huis, maar had geen zin om hem op te voeden? Hebben we het dan over mishandeling of verwaarlozing?'

'Ik heb nooit iets over mishandeling gehoord, ik denk eerder dat ze hem compleet genegeerd heeft. Maar dat deed ze met haar eigen kinderen ook. Die hadden allebei problemen. Hebt u Nora en Billy de Derde ontmoet?'

'Ja.'

'Ik heb ze niet meer gezien sinds we klein waren. Wat zijn het voor mensen geworden?'

Milo negeerde de vraag. 'Vertelt u eens over de keren dat u ze als kind gezien hebt.'

'Kennelijk voelde mijn vader zich schuldig, want hij probeerde contact met Brad te krijgen toen die vijf was. We reden naar Los Angeles en gingen bij ze op bezoek. Amelia Dowd mocht mijn vader en begon ons uit te nodigen voor verjaarsfeestjes. Mama klaagde erover, maar stiekem vond ze het wel leuk om naar een chic feest in een groot huis te gaan. Ze zei wel dat ik bij Bill de Derde uit de buurt moest blijven. Dat hij achterlijk was en geen zelfbeheersing had.'

'Deed hij wel eens iets engs?'

Ze schudde het hoofd. 'Hij was alleen erg stil en verlegen. Hij was duidelijk niet normaal, maar hij heeft mij nooit lastiggevallen. Nora was van de wereld, liep voortdurend in zichzelf te praten. Mama zei: "Moet je Amelia nou zien. Ze trouwt een rijke vent, heeft een goed leven en eindigt met gebrekkige kinderen." Ik wil u niet het idee geven dat mijn moeder erg hatelijk was, maar ze kon gewoon niet opschieten met mijn vaders familie en aanverwanten. Oom Millard heeft zijn hele leven op ons geteerd en Roald was ook geen lolletje. En mijn moeder bracht het ook altijd als een compliment naar mij toe: "Geld is niet belangrijk, schatje. Je kinderen zijn je nalatenschap en daarom ben ík een rijke vrouw."'

Milo zei: 'Zouden we uw moeder kunnen spreken?'

'Ze is overleden. Vier jaar geleden, aan kanker. Ze was zo'n dame die je bij de fruitautomaten ziet zitten. Gebonden aan een rolstoel, met een sigaret in haar mond en een handvol muntjes.'

Ik zei: 'Brad noemt zich Dowd. Is hij officieel geadopteerd?'

'Dat weet ik niet. Misschien liet Amelia hem de naam gebruiken om lastige vragen te vermijden.'

'Of ze was toch niet zo'n akelig mens,' zei Milo.

'Zou kunnen,' zei Marcia. 'Mijn moeder was soms best onverdraagzaam.'

Ik zei: 'Had kapitein Dowd geen bezwaar tegen een extra kind?'

'Kapitein Dowd was niet zo stoer. Juist het tegenovergestelde. Amelia kreeg altijd haar zin.'

'Heeft uw moeder ooit iets gezegd over Brads psychische toestand?'

'Ze noemde hem een "lastpost" en vond dat ik uit zijn buurt moest blijven. Ze zei dat hij, in tegenstelling tot Billy, wel slim was, maar altijd loog en stal. Amelia heeft hem een paar keer naar kostscholen en militaire scholen gestuurd.'

Dadelpruimen en meer. Alfred Beamish had Brads gedrag goed weten te verwoorden, maar had nooit ontdekt waar het vandaan kwam.

Landhuizen, sociëteiten, olifanten op verjaardagspartijtjes. Een moeder die geen echte moeder was. Die zichzelf als artieste zag.

Ik zei: 'Welke vormen nam Amelia's acteerinteresse aan?'

'Hoe bedoelt u?'

'Al die dromen van optredens die nooit uitkwamen. Soms leven mensen via hun kinderen.'

'Of ze zo'n fanatieke toneelmoeder was? Brad heeft me wel eens verteld dat ze heeft geprobeerd de kinderen op tv te krijgen. Als groep – met zingen en dansen. Hij zei dat hij zelf nog wel een beetje kon zingen, maar dat de anderen geen muzikaal gehoor hadden.'

Ik moest aan de wand met foto's in het PlayHouse denken. Tussen de beroemde gezichten had een band gezeten die ik niet kende. Een viertal jongelui met wilde kapsels... de Kolor Krew. 'Hoe heette de groep?'

'Dat heeft hij nooit gezegd.'

'Wanneer was dat?'

'Eens kijken... Brad was ongeveer veertien toen hij het me vertelde, dus dat moet rond die tijd zijn geweest. Hij moest erom lachen, maar het klonk verbitterd. Hij zei dat Amelia hen naar impresario's sleepte, hen liet poseren voor foto's, gitaren en drums voor ze kocht waarmee ze niets konden en ze zanglessen gaf die zinloos waren. Zelfs daarvoor had ze al geprobeerd voor Nora en Billy de Derde baantjes als acteur te scoren.'

298

'Brad niet?'

'Hij zei dat hij van Amelia alleen bij de band mocht omdat de andere twee hopeloos waren.'

'Noemde hij haar zo?' zei ik. 'Amelia?'

Ze dacht na. 'Ik heb hem nooit "mama" horen zeggen.'

'Hadden Nora en Billy succes, samen of apart?'

'Volgens mij had Nora wat onbeduidend modellenwerk, warenhuisklussen, kinderkleren. Billy had niets. Hij was niet slim genoeg.'

'Brad heeft u dit allemaal verteld,' zei Milo. 'Had u vaak contact?'

'Alleen tijdens die feestjes.'

'En als volwassenen?'

'We hebben elkaar één keer gezien, twaalf jaar geleden, en verder spreken we elkaar wel eens aan de telefoon. Om de paar jaar, of zo.'

'Wie belt wie?'

'Hij belt mij. Met Kerstmis en zo. Voornamelijk om te vertellen hoe rijk hij is en welke auto hij nu weer gekocht heeft.'

'Twaalf jaar geleden,' zei ik. 'Dat is heel precies.'

Marcia speelde met haar servet. 'Dat heeft een reden en misschien is het belangrijk voor u. Twaalf jaar geleden is Brad ondervraagd met betrekking tot een zaak in Las Vegas. Ik werkte destijds aan autodiefstalzaken en kreeg een telefoontje van een rechercheur van het hoofdbureau, die zei dat iemand mijn naam noemde en beweerde dat we neef en nicht waren. Ik hoorde dat het om Brad ging en heb hem toen gebeld. We hadden elkaar al een tijd niet gesproken, maar hij was een en al charme, alsof het gisteren was: "Leuk weer iets van je te horen, nichtje." Hij wilde me per se mee uit eten nemen in Caesars. Toen bleek dat hij al een jaar in Vegas woonde, met een of andere onroerendgoeddeal bezig was, maar niet de moeite had genomen contact op te nemen. En toen hij me niet meer nodig had, heb ik ook jaren niets meer van hem gehoord – tot op een gegeven moment met kerst weer, om op te scheppen.'

'Waarover?'

'Dat hij weer in L.A. was, het goed had en de onroerendgoedzaak van de familie runde. Hij nodigde me uit, zei dat hij me wilde rondrijden in een van zijn auto's. Met andere woorden, hij had er meerdere.'

'Een platonische uitnodiging?' vroeg ik.

'Dat is bij Brad moeilijk te zeggen. Ik koos ervoor om het als platonisch te zien.'

Milo zei: 'In wat voor zaak werd hij ondervraagd?'

'Een vermist meisje, een danseres uit de Dunes, nooit gevonden. Brad was met haar uit geweest, hij was de laatste die haar had gezien.'

'Is hij ooit als mogelijke verdachte gezien?'

'Nee. Er is nooit bewijs van een misdrijf gevonden. Brad zei dat ze tegen hem gezegd had dat ze een beter leven wilde en naar L.A. was vertrokken. Dat gebeurt vaak in Las Vegas.'

Ik zei: 'Een beter leven als actrice?'

Marcia Peaty glimlachte. 'Het bekende verhaal.'

'Weet u nog hoe ze heette?' vroeg Milo.

'Julie nog iets. Ik kan het voor u navragen... Of u kunt zelf bellen. De eerste rechercheur was Harold Fordebrand, nu met pensioen, maar hij woont nog in Vegas, staat in het telefoonboek.'

'Ik heb vroeger met een Ed Fordebrand gewerkt.'

'Harold heeft wel eens verteld dat hij een broer had die bij Moordzaken in L.A. werkte.'

'Geen bewijs van een misdrijf,' zei Milo, 'maar wat vond Harold van Brad?'

'Hij mocht hem niet. Een gladjanus. Noemde hem Mister Hollywood. Brad wilde geen leugendetectortest doen, maar goed, dat is geen vergrijp.'

'Waarom niet?'

'Wilde hij gewoon niet.'

'Had hij een advocaat?'

'Nee,' zei ze. 'Hij werkte mee, was heel ontspannen.'

'Mister Hollywood,' zei ik. 'Misschien was hij toch beïnvloed door Amelia's ambities.'

'Dat hij heeft leren acteren?' zei ze. 'Zo heb ik het nooit gezien, maar misschien wel. Bradley weet altijd precies te vertellen wat je wilt horen.'

Ik zei: 'Die verjaardagsfeestjes die Amelia organiseerde, waren die ook voor hem?'

'Nee, altijd voor Billy de Derde en Nora. Daar moet hij van ge-baald hebben, maar hij liet het nooit merken. Het waren fantas-tische feesten, luxe kinderpartijtjes, ik had er altijd zin in. Dan reden we er vanuit Downey naartoe, mijn moeder klagend dat 'die mensen' toch zo ordinair waren en mijn vader glimlachend alsof hij wel wist dat hij er beter niet tegenin kon gaan.'
'Brad koesterde geen enkele wrok?'
'Integendeel, hij lachte altijd en maakte grapjes, liet me het hele huis en zijn hobby's zien, maakte geintjes over hoe suf het feest wel niet was. Hij is een paar jaar ouder dan ik en had dat blon-de surferuiterlijk. Stiekem was ik wel een beetje verliefd op hem.'
'Hij maakte de feesten belachelijk,' zei ik.
'Eigenlijk maakte hij voornamelijk Amelia belachelijk, dat alles zo'n enorme productie moest zijn voor haar. Alles moest precies op tijd, als een theatershow. Ze had de neiging om te overdrij-ven.'
'De olifant,' zei ik.
'Dat was nog eens een stunt,' zei ze. 'Hoe weet u dat?'
'Een buurman wist dat te vertellen.'
'Die chagrijnige oude vent?' Ze lachte. 'Ja, ik kan me voorstellen dat hij dat heeft onthouden, de stank alleen al. Het was Billy's dertiende verjaardag. Ik weet nog dat ik het allemaal wat kin-derachtig vond, hij was daar veel te oud voor. Alleen was hij gees-telijk een stuk jonger, en hij leek het leuk te vinden. De andere kinderen ook, want de olifant poepte de hele straat onder en wij stonden te joelen en te wijzen naar de kilo's stront die uit dat beest kwamen, knepen onze neus dicht, u kent het wel. Amelia kreeg zowat een appelflauwte. Met haar goudblonde Marilyn Monroekapsel en haar strakke zijden jurk en dikke lagen make-up rende ze op van die gigantisch hoge naaldhakken achter de dresseur aan, en iedereen stond te wachten tot ze in de olifan-tenstront zou trappen. Een heel strak jurkje, ze barstte er bijna uit. Ze had haar beste tijd al zo'n tien kilo geleden achter zich gelaten.'
Milo haalde de foto's tevoorschijn en liet haar de portretfoto's van Michaela en Tori Giacomo zien.
'Knappe meisjes,' zei ze. 'Zijn ze ook nu nog zo aantrekkelijk of hebben we het hier over slecht nieuws?'

'Enige gelijkenis met Amelia?'

'Het blonde haar misschien. Amelia was... wat gemaakter. Ze had een boller gezicht en ze zag eruit alsof ze de hele ochtend bezig was om zichzelf op te tutten.'

'En Julie de vermiste danseres. Enige gelijkenis met haar?'

Ze keek wat beter. 'Ik heb maar één keer een foto van haar gezien en dat was twaalf jaar geleden... Ze was ook blond, dat wel. Ze wist het tot het podium van het Dunes te schoppen, dus lelijk was ze niet. Ja, een klein beetje.'

'En deze mensen?' Hij liet de foto's van Cathy en Andy Gaidelas zien.

Marcia deed haar mond open en weer dicht. 'Dit zou Amelia Dowd kunnen zijn, ze heeft diezelfde bolle kaken en wangen. Die man is geen evenbeeld van Bill Dowd junior, maar hij lijkt er wel op... Dezelfde ogen, de rimpeltjes, ook een beetje Gregory Peck.'

'Dowd leek op Gregory Peck?'

'Mijn moeder zei dat Amelia daar altijd over opschepte. Er zal wel iets van waarheid in gezeten hebben, alleen was kapitein Dowd maar een meter vijfenzestig. Mijn moeder zei altijd: "Hij is Gregory Peck de ochtend na een aardbeving en een tornado en een overstroming, maar dan zonder het charisma en met afgezaagde onderbenen."'

Ik zei: 'Deze man is wel eens vergeleken met Dennis Quaid.'

'Dat kan ik begrijpen... maar minder aantrekkelijk.' Ze keek nog eens naar de foto's en gaf ze toen terug. 'Jullie zijn met een serieuze zaak bezig, hè?'

'U zei dat kapitein Dowd geen stoere vent was,' zei ik. 'Wat kunt u ons nog meer over hem vertellen?'

'Hij was rustig, deed geen vlieg kwaad, deed eigenlijk nooit wat.'

'Mannelijk?'

'Hoe bedoelt u?'

'Een echte man?'

'O, nee,' zei ze. 'Integendeel. Mijn moeder was ervan overtuigd dat hij homo was. Homofiel, zoals zij het noemde. Ik kan niet zeggen dat ik dat zag, maar ik was nog te jong om in die trant te denken.'

'Had uw vader er een mening over?' zei Milo.

'Mijn vader hield zijn mening altijd voor zich.'

'Maar uw moeder was heel stellig.'

'Mijn moeder was altijd stellig. Waarom is dat belangrijk? Amelia en de kapitein zijn al jaren dood.'

'Hoeveel jaar?'

'Het was nadat Brad werd ondervraagd en vóór zijn eerstvolgende telefoontje vijf jaar later... Ik denk tien jaar geleden.'

'Ze stierven tegelijkertijd?'

'Een auto-ongeluk,' zei Marcia Peaty. 'Onderweg naar San Francisco. Ik geloof dat de kapitein achter het stuur in slaap is gevallen.'

'Dat gelooft u,' zei Milo.

'Dat zei mijn moeder, maar die wilde altijd graag iemand de schuld geven. Misschien had hij een hartaanval, ik weet het niet zeker.'

'Toen Brad u tijdens die verjaarspartijtjes het huis en zijn hobby's liet zien, in wat voor dingen was hij toen geïnteresseerd?'

'Van die typische jongensdingen,' zei ze. 'Zijn postzegelverzameling, munten, sportkaartjes, hij had een messenverzameling – is dat wat u wilt horen?'

'Het is een algemene vraag. Verder nog iets?'

'Verder nog... even denken. Hij had een paar mooie vliegers. Een heleboel metalen autootjes – hij was altijd gek op auto's. Een verzameling insecten – vlinders op een bord geprikt. Opgezette beesten – niet van die meisjesachtige dingen, maar trofeeën die hij zelf had opgezet.'

'Opgezette dieren?'

'Ja. Vogels, een wasbeer, een heel vreemde padhagedis op zijn bureau. Hij zei dat hij dat tijdens een zomerkamp had geleerd. Hij was er best goed in. Had allemaal dozen – van die ladekastjes vol glazen ogen, naalden, draad, lijm, allerlei gereedschap. Ik vond het wel tof, vroeg of hij me wilde laten zien hoe hij dat deed. Hij zei: "Zodra ik weer iets heb." Maar dat is nooit gebeurd. Ik ben daarna misschien nog naar één feest geweest en tegen die tijd had ik een vriendje en dacht ik aan weinig anders.'

'Ik wil het even over uw andere neef hebben,' zei Milo. 'Hebt u enig idee hoe Reynold aan zijn baan voor de Dowds kwam?'

'Dat heb ik geregeld,' zei ze. 'Dat opschepperige telefoontje van Brad vijf jaar geleden. Het was Kerstmis, ik hoorde allemaal la-

waai op de achtergrond alsof hij flink aan het feesten was. Dat was na Reyns problemen in Reno. Ik zei tegen Brad: "Wil je, nu je zo'n grote onroerendgoedjongen bent, je neef van het platteland niet helpen?" Hij wilde er niets van weten. Hij en Reyn kenden elkaar niet, hebben elkaar als kind ooit wel eens gezien, maar verder niet. Ik was in een opdringerige bui en bleef hem bewerken – speelde in op zijn trots. "De zaken gaan zeker toch niet zo goed", dat soort opmerkingen. Uiteindelijk zei hij: "Laat hem maar bellen, maar één fout en hij ligt eruit." Vervolgens kreeg ik een telefoontje van Reynold uit L.A., om me te vertellen dat Brad hem in dienst had genomen om een aantal flats te onderhouden.'
'Ja, met bezem en dweil.'
'Dat heb ik later begrepen,' zei Marcia Peaty. 'Lieve jongen, hè?'
'Reynold accepteerde het.'
'Reynold had niet veel keus. Heeft Brad ooit iemand laten weten dat Reynold familie was?'
'Nee,' zei Milo. 'Zouden Billy en Nora iets van de band weten?'
'Niet als Brad dat niet heeft verteld. Er is geen bloedverwantschap.'
'Misschien heeft Reynold het verteld. We hebben gehoord dat hij en Billy met elkaar omgingen.'
'O, ja?' zei ze. 'Wat hield dat in?'
'Reynold kwam wel eens bij Billy langs, zogenaamd om vergeten spullen terug te brengen.'
'Zogenaamd?'
'Brad ontkent dat hij hem gestuurd had.'
'Gelooft u hem?'
Milo glimlachte. 'Het zijn uw neven, maar u hebt liever dat we ons op Brad concentreren dan op Reynold. Is dat de reden dat u naar L.A. bent gekomen?'
'Ik ben hier gekomen omdat Reynold dood is en niemand anders hem zal begraven. Hij is de enige familie die ik nog heb.'
'Op Brad na.'
'Brad is uw probleem, niet het mijne.'
'U mag hem niet.'
'Hij is in een andere familie grootgebracht,' zei ze.
Het bleef stil.
Uiteindelijk zei ze: 'Julie de danseres. Daar heb ik heel erg mee

gezeten. En nu laat u me foto's van andere blonde meisjes zien. Reynold was dom en slonzig en een zuiplap, maar hij was niet wreed.'

'U hebt ons tot nu toe niets verteld wat erop duidt dat Brad wel wreed was.'

'Nee,' zei Marcia Peaty. 'En dat kan ik ook eigenlijk niet, omdat we niet echt met elkaar omgaan, zoals ik al zei.'

'Maar...'

'Weet u,' zei ze, 'dit is allemaal erg vreemd en ik geloof niet dat ik het erg prettig vind.'

'Wat?'

'De ondervraagde te zijn in plaats van zelf de vragen te stellen.'

'Het is voor een goed doel,' zei Milo. 'Had Harold Fordebrand nog meer te zeggen in de zaak van Julie de danseres, behalve dat Brad een gladjanus was?'

'Dat moet u Harold vragen. Toen hij erachter kwam dat Brad mijn neef was, vertelde hij me niets meer.'

'En wat zegt uw gevoel?'

'Ik stoorde me aan Brads houding. Alsof hij een binnenpretje had. U weet wel wat ik bedoel.'

'Toch hebt u voor Reyn een baan bij hem geregeld.'

'En nu is Reyn dood,' zei ze. Haar gezicht vertrok en ze wendde zich van ons af. Toen ze zich weer omdraaide, klonk haar stem iel. 'U zegt dat ik het fout gedaan heb.'

'Nee,' zei Milo. 'Ik probeer u geen schuldgevoel aan te praten, verre van dat. Alles wat u ons vertelt is geweldig nuttig. We tasten op dit moment nog in het duister.'

'U hebt geen zaak.'

'Nee.'

'Ik hoopte dat ik het mis had,' zei ze.

'Wat?'

'Dat Brad op de een of andere manier iets met Reynolds dood te maken had.'

'Er is niets wat daarop wijst.'

'Ik weet het, het ging om een ruzie. Wilt u zeggen dat het niet meer was?'

'Tot nu toe.'

'U wilt niets prijsgeven,' zei Marcia Peaty. 'Dat ken ik. Maar mag ik u dan dit vragen: de manier waarop Brad Reynold behandelde, hem de rotklussen gaf, het feit dat de Dowds al dat onroerend goed hadden en Reyn in een bouwval lieten wonen. Ziet u dat als de goedheid zelve? Die lui zijn precies wat mijn moeder altijd zei.'

'En wat is dat?'

'Vergif dat zich voordoet als parfum.'

40

Marcia Peaty begon over wat anders en Milo hield haar niet tegen. Procedurele vragen over hoe ze het lichaam van haar neef moest claimen. Zijn verhaal verschilde niet veel van wat hij Lou Giacomo had verteld.

Ze zei: 'Een administratieve oefening. Goed, bedankt voor uw tijd. Is het verspilde moeite om u te vragen me op de hoogte te houden?'

'Als er nieuwe ontwikkelingen zijn, zullen we het u laten weten.'

'Als, dus niet wanneer? Hebt u enige aanwijzingen?'

Hij glimlachte.

Ze zei: 'Daarom heb ik dus nooit bij Moordzaken gewerkt. Te veel moeite om optimistisch te blijven.'

'Zeden kan anders ook behoorlijk naar zijn.'

'Daarom heb ik er ook niet lang gewerkt. Doe mij maar lekker een gestolen auto.'

'Chroom bloedt niet,' zei Milo.

'Precies.' Ze wilde de rekening pakken. Milo legde zijn hand erop. 'Ik wil mijn deel graag betalen.'

'Dat regel ik wel,' zei Milo.

'Op uw kosten of op kosten van het bureau?'

'Het bureau.'

'Aha.' Ze legde een briefje van twintig op tafel, stond op, glimlachte even gespannen en liep toen haastig weg.

Milo stopte het geld in zijn zak en schoof de kruimels over zijn bord heen en weer. 'Onze Brad is een stoute jongen geweest.'

'Jonge blondines,' zei ik. 'Triest dat Tori haar haar geblondeerd had.'

'Amelia, een blonde stoot… Probeert hij steeds opnieuw zijn stiefmoeder te vermoorden?'

'Zijn eigen moeder liet hem in de steek en dumpte hem bij iemand die niet eens deed alsof ze iets om hem gaf. Hij heeft veel redenen om vrouwen te haten.'

'Hij was in de dertig toen Julie de danseres verdween. Denk je dat zij de eerste was?'

'Moeilijk te zeggen. Het belangrijkste is dat hij het ongestraft kon doen, waardoor hij het zelfvertrouwen kreeg om terug te gaan naar L.A.. Toen Amelia en de kapitein waren overleden, slaagde hij erin om het onroerendgoedimperium van de familie over te nemen. Zorgde goed voor Billy en Nora, want tevreden broers en zussen klagen niet. Misschien is het PlayHouse inderdaad een belastingtruc en een zoethoudertje voor Nora, maar het kwam hém ook goed uit. Begin een toneelopleiding en wie komen er opdagen?'

'Beeldschone mutantjes,' zei hij. 'Al die blonde audities.'

'En kneusjes als het echtpaar Gaidelas. Normaal gesproken zou Brad mensen als Cathy en Andy links laten liggen, maar ze deden hem aan Amelia en de kapitein denken, tot het verwijfde gedrag van de kapitein aan toe. Wat dacht je hiervan: hij kwam ze tegen bij een auditie. Of bij een try-out. Het moet hoe dan ook als het noodlot hebben aangevoeld, dus speelde hij de vriendelijke man die beloofde hen te helpen. En in de tussentijd moesten ze vooral van hun vakantie genieten. Lekker wandelen, hij wist wel een mooie plek.'

'Billy's land in Latigo.' Milo speelde met zijn servet. Griste toen zijn telefoon uit zijn zak, vroeg het nummer van Harold Fordebrand in Vegas op, belde en sprak een berichtje in. 'Die vent heeft precies dezelfde stem als Ed.'

Ik zei: 'De Kolor Krew bestond uit vier personen.'

'Wie?'

'Dat kinderbandje dat Amelia probeerde te lanceren.' Ik beschreef de publiciteitsfoto aan de wand van het PlayHouse. 'De kinderen Dowd plus nog iemand. Misschien kan die iemand anders ons iets vertellen over de goeie ouwe tijd.'

Hij zei: 'Als jij per se de geschiedenis van de bubbelgummuziek wilt onderzoeken, dan ga je je gang maar. Ik moet hoognodig eens een babbeltje maken met de broer die geen broer is. Om te beginnen ga ik maar eens naar het kantoor van BNB. Als Brad er niet is, ga ik naar zijn huis. En anders wordt het een dagje aan het strand.'

Ik zei: 'Denk je dat Billy überhaupt wéét dat hij land heeft in Latigo?'

'Bedoel je dat Brad het misschien heeft gekocht en het op Billy's naam heeft gezet?'

'Brad woont vlak bij zee, heeft zoveel gesurft dat de knobbels ervan op zijn knieën staan. Met andere woorden, hij kent Malibu op zijn duimpje. Een fraai afgelegen plekje met uitzicht over zee vindt hij vast aantrekkelijk, zeker als het wordt betaald van Billy's geld. Brad is verantwoordelijk voor de financiën van de familie, dus kan hij makkelijk Billy ergens voor laten tekenen. Of hij vervalst zijn handtekening gewoon. Billy betaalt de onroerendgoedbelasting en heeft geen idee.'

'Volgens het kadaster staan er geen huizen op het perceel. Waar zou Brad het voor gebruiken?'

'Mediteren, een droomhuis plannen, lijken begraven.'

'Billy betaalt en Brad heeft vrij spel,' zei hij. 'Nora is ook geen zakelijk type. Met andere woorden, Brad kan met al dat geld doen waar hij zin in heeft.' Hij wreef over zijn gezicht. 'Al die tijd hebben we naar Peaty's geheime bergplaatsen gezocht, maar Brad heeft toegang tot tientallen gebouwen en garages in het hele district.'

'Hij vertelde ons uit zichzelf dat hij zijn auto's op verschillende plaatsen stalt.'

'Ja, waarom was dat? Speelde hij een spelletje met ons?'

'Of hij wilde opscheppen over zijn verzameling. Dit is iemand die zich belangrijk moet voelen. Ik vraag me af of hij het is geweest die in de Range Rover naar Angeline Wasserman heeft zitten kijken.'

'Waarom hij?'

'De laatste keer dat ik hem zag, droeg hij een heel mooi linnen pak. Die hingen ook aan het rek bij Barneys.'

'Hij houdt van modieuze kleren,' zei hij. 'Misschien is hij vaste klant, net als Wasserman. Hij bespiedt haar, weet dat ze wat verstrooid is, jat haar tasje.'

'Het doel was om haar telefoon te krijgen, het geld en de creditcards waren helemaal niet interessant,' zei ik. 'Hoe meer ik erover nadenk, hoe logischer het klinkt: goed geklede man van middelbare leeftijd winkelt daar vaker, geen reden hem te verdenken. Angeline kent hem misschien van gezicht, maar door de getinte ramen van de Rover kon ze niet zien wie het was. Bovendien keek ze meer naar zijn auto... "een soort karma".'

Hij zocht het telefoonnummer van Wasserman op in zijn notitieblokje en toetste het in. 'Mevrouw Wasserman? Inspecteur Sturgis nog een keer... Dat begrijp ik, maar ik heb nog één vraagje voor u, is dat goed? Er is een man die regelmatig bij Barneys komt, halverwege de veertig, ziet er keurig uit, wit haar... O, ja? O... nee, eerder... Misschien... Goed, dank u... Nee, dat was het.'

Hij hing op. '"Dat is Brád. Die zie ik zo váák daar. Is er van hem ook iets gestolen?"'

'Ze ziet hem als slachtoffer, niet als verdachte,' zei ik, 'omdat hij rijk en modieus is.'

'Inderdaad. "Fantastisch aardige man, geweldige smaak, u zou de schitterende auto's eens moeten zien waar hij in rijdt, inspecteur, elke keer een andere." Kennelijk vragen Angeline en Brad elkaar regelmatig kledingadvies. Hij is altijd eerlijk, maar brengt het heel "lief".'

'Charmante kerel.'

'Hij rijdt dus in Nora's auto. Denk je dat Nora en Meserve erbij betrokken zijn? Of dat ze erg veel pech hebben gehad?'

'Ik weet het niet, maar Brad heeft hoe dan ook iets te maken met de telefoontjes naar Vasquez.'

'Hij heeft zijn eigen neef in de val gelokt.'

'Dezelfde neef die hij een baantje als conciërge heeft gegeven en een bouwval om in te wonen. Gezien Brads verleden, konden bloedverwanten alle kanten op. Als Vasquez de waarheid heeft verteld over die telefoontjes de week ervoor, was het een goed uitgedacht plan.'

'Een moord beramen,' zei hij. 'Hoe kon Brad er zeker van zijn dat Vasquez door het lint zou gaan en Peaty zou doodschieten?'

'Dat kon hij niet, maar hij kende beide partijen en mevrouw Stadl-braun, en nam gewoon een gokje. Hij zei dat hij een slecht voor-gevoel had bij Vasquez, maar dat hij hem er toch liet wonen om-dat er geen juridische uitweg was. Dat is onzin. Een huisbaas weet altijd wel een manier te vinden, zeker iemand met Brads erva-ring.'

'Een kansspel,' zei hij.

'Brad heeft in Vegas gewoond. Als je aan de ene tafel geen geluk hebt, ga je door naar de volgende.'

'Goed, laten we ervan uitgaan dat hij Peaty in de val heeft ge-lokt. Waarom?'

'Peaty had een strafblad en een voorgeschiedenis van pervers ge-drag. Daarmee was hij de perfecte zondebok voor Michaela en Tori en andere vermiste meisjes die eventueel zouden opduiken. Kijk maar naar wat er na de schietpartij is gebeurd: je hebt Peaty's busje onderzocht, ontdekte die verkrachtingsuitrusting – die niet echt verstopt was. En, krijg nou wat, er lag een sneeuwbol in de gereedschapskist. Net als die op de stoel van Meserves Toyota. En die had je gevonden omdat Brad je in paniek had gebeld na-dat hij de auto op een van zijn eigen parkeerplaatsen had ge-vonden. Als Meserve de stad uit is gevlucht met Nora, waarom heeft hij dan zijn auto laten staan op een plek waar hij gemak-kelijk ontdekt zou worden? Hij had hem op zijn minst in Nora's garage kunnen zetten – die trouwens leeg is – en dan had hij Brad niet boos gemaakt.'

'Trouwens?' vroeg hij.

'Koevoet.'

Hij schudde zijn hoofd en nam een slok.

Ik zei: 'Misschien is Nora niet de enige met theaterambities. De enige reden dat we van het bestaan van die sneeuwbol weten, is omdat Brad erover begon toen we bij hem thuis met hem spra-ken.'

'Hij schilderde Meserve af als geldwolf. Waar was dat dan goed voor? Weer een afleidingsmanoeuvre?'

'Of het was waar en hij had goede redenen om een hekel aan Me-serve te hebben.'

Milo maakte zijn riem wat losser, liet de ijsklontjes tussen zijn kiezen kraken en slikte. Toen pakte hij de rekening.

'Op jouw kosten of die van het bureau?' zei ik.

'Ik ga maar eens van die bumperstickerwijsheid toepassen. Spontane goede daden, bla, bla, bla. Misschien beloont de Almachtige me met een oplossing voor deze zaak.'

'Nooit geweten dat jij gelovig bent.'

'Van sommige dingen ga ik bidden.'

Toen we naar de parkeerplaats liepen, zei ik: 'Drie percelen op naam van Billy, drie voor Nora, en niets op naam van Brad. Net als de verjaarspartijtjes. Zijn hele jeugd werd hij buitengesloten omdat de Dowds hem altijd als last zagen. Hij mocht van Amelia bij Kolor Krew, maar alleen omdat hij kon zingen. Toen zijn gedrag problematisch werd, stuurde ze hem weg.'

'Afgedankt,' zei hij. 'Dadelpruimen.'

'Ik durf te wedden dat het om veel meer asociaal gedrag gaat. Het punt is dat dit gedrag doorging toen hij volwassen werd: zolang het Brad van pas komt – door te zorgen voor Nora en Billy – leidt hij een luxeleventje. Maar in feite is hij gewoon personeel. Het huis waarin hij woont is niet eens van hem. Eigenlijk is hij gewoon een van de vele huurders. In zekere zin werkt dat in zijn voordeel, kan hij andermans geld uitgeven en op grote voet leven. Maar het moet hem toch dwarszitten.'

'Personeel dat zich voordoet als de baas,' zei hij. 'Ik vraag me af hoe hij dat voor elkaar heeft gekregen.'

'Waarschijnlijk bij gebrek aan beter. Nora en Billy kunnen het niet. Hij is de toezichthouder en in ruil daarvoor krijgt hij auto's, kleren, doet hij alsof het onroerend goed van hem is. Een imago. Hij doet zich heel knap voor als rijke gentleman. Angeline Wasserman hoort in die wereld thuis en zij trapte erin.'

'Hij kan goed acteren.'

'Weet vrouwen te imponeren,' zei ik. 'Jonge, naïeve vrouwen moeten een makkie zijn geweest. Tori's ex had het idee dat ze een rijke vriend had. Een arme actrice die in een visrestaurant werkt om de huur voor een bouwval aan Noord-Hollywood te betalen en een man met een Porsche? Hetzelfde geldt voor Michaela.'

'Michaela heeft tegen jou nooit gezegd dat ze een vriend had?'

'Nee, maar dat is ook niet ter sprake gekomen. Mijn sessies met haar richtten zich op haar juridische problemen. Over één ding was ze heel duidelijk: Dylan paste niet meer bij haar. Misschien omdat ze een beter alternatief had gevonden.'

'Mister Porsche,' zei hij. 'Het zegt nog steeds niets over de manier waarop hij de touwtjes in handen heeft gekregen. Waarom zouden de Dowds hem de macht hebben gegeven?'

'Misschien deden ze dat niet, maar toen de ouders eenmaal waren overleden, wist hij zich als bewindvoerder binnen te wurmen. Misschien heeft hij zich ingelikt bij de advocaten, iemand omgekocht, hardgemaakt dat hij de beste keus was – iemand met hersens die het beste voorhad met Billy en Nora. Als Nora en Billy het ermee eens waren, waarom niet? Toen hij eenmaal binnen was, had hij het voor elkaar. Bewindvoerders worden niet beoordeeld, tenzij iemand klaagt over misbruik van fiduciaire verantwoordelijkheden. Nora en Billy krijgen wat ze willen, iedereen is tevreden.'

'Het PlayHouse en het landhuis voor haar, pizza en een breedbeeld voor Billy.'

'Ondertussen int Brad de maandelijkse huur.'

'Denk je dat hij geld afroomt?'

'Zou me niets verbazen.'

Milo beende naar het loket van de parkeerwachter en betaalde voor onze beide auto's.

Ik zei: 'Zeg Moeder Theresa, overdrijf je nu niet een beetje?'

Hij tuurde naar de hemel en sloeg zijn handen ineen. 'Hoort U dat? Wat dacht U van wat hemels bewijsmateriaal?'

'God helpt de mens die zichzelf helpt,' zei ik. 'Tijd om de kleine lettertjes te lezen op BNB's naamloze vennootschap.'

'Eerst wil ik Brad eens aan de tand voelen.'

We zaten een tijdje in zijn ongemarkeerde auto te praten over wat de beste aanpak was. Uiteindelijk besloten we dat we nog eens met hem moesten praten over Reynold Peaty's dood, dat Milo de vragen zou stellen en dat ik op non-verbale aanwijzingen zou letten. Als het juiste moment zich voordeed, zou Milo over de telefoontjes naar Armando Vasquez beginnen.

We namen ieder onze eigen auto naar de winkelpromenade aan Ocean Park. De deur naar BNB Vastgoed was dicht en niemand deed open. Toen Milo wilde vertrekken, viel mijn oog op de deur aan het eind van de gang van de eerste verdieping.

Sunny Sky Travel
Gespecialiseerd in tropische reizen

Posters op de ramen. Saffierblauwe zeeën, smaragdgroene palmbomen, gebruinde mensen met cocktails.
Onderaan: BRAZILIË!!!
Milo volgde mijn blik en had de deur al opengetrokken tegen de tijd dat ik hem had ingehaald.

Een jonge vrouw met katachtige ogen en een mouwloos rood topje zat achter een computer. Zachte blik, volle, ronde vormen. Op het naambordje op het bureau stond *Lourdes Texeiros*. Ze had een draadloze headset op haar dikke, zwarte krullen. Er hingen nog veel meer posters aan de wand. In de hoek stond een draairek met folders.
Ze glimlachte naar ons en zei in de headset: 'Een ogenblikje, alstublieft.' Ik liep naar het rek en vond wat ik zocht. Turneffe Island, Belize; Posada La Mandragora, Buzios, Brazilië; Hotel Monasterio, Tapir Lodge, Pelican's Pouch. Allemaal naast elkaar.
'Kan ik jullie helpen?'
'Uw buurman van een paar deuren verderop, meneer Bradley Dowd,' zei Milo, terwijl hij zijn penning liet zien. 'Hoe goed kent u hem?'
'Die onroerendgoedfiguur? Heeft hij iets gedaan?'
'Zijn naam is naar voren gekomen tijdens een onderzoek.'
'Witteboordencriminaliteit?'
'Gaf hij u een ongemakkelijk gevoel?'
'Nee, ik ken hem niet, hij is bijna nooit op kantoor. Hij lijkt me alleen een witteboordentype. Als hij iets gedaan heeft.'
Donkere ogen, scherp van nieuwsgierigheid.
Milo zei: 'Komt hij in zijn eentje naar kantoor?'
'Meestal met een andere man. Volgens mij is dat zijn broer, want hij lijkt voor hem te zorgen. Ook al is die andere man volgens mij ouder. Soms laat hij hem daar alleen. Hij is een beetje... nou ja, niet helemaal goed. Die andere.'
'Billy.'
'Ik weet niet hoe hij heet.' Ze fronste haar wenkbrauwen.
'Heeft hij u wel eens lastiggevallen?'

'Niet echt. Ik was hier een keer toen de airco het niet deed en toen had ik de deur openstaan. Hij kwam binnen, zei gedag en bleef staan. Ik groette hem terug en vroeg of hij soms een reis wilde maken. Hij bloosde, zei dat hij dat mocht willen en vertrok weer. Verder zag ik hem alleen als hij eten voor zijn broer haalde bij de Italiaan beneden. Als hij me zag, gedroeg hij zich altijd heel beschaamd, alsof hij iets stouts had gedaan. Ik heb wel eens geprobeerd een gesprek met hem aan te knopen, maar daar had hij moeite mee. Toen had ik door dat hij niet normaal is.'

'In welk opzicht?'

'Een beetje achterlijk? Het is hem niet echt aan te zien, hij ziet er heel gewoon uit.'

'Is Brad hier wel eens geweest?'

'Eén keer, een paar weken geleden. Hij stelde zich voor, heel aardig, iets té, weet u wel?'

'Glad?'

'Precies. Hij zei dat hij misschien op vakantie ging naar Latijns-Amerika en wilde wat informatie. Ik bood aan om hem het een en ander te laten zien, maar hij wilde daarmee beginnen.' Ze wees naar het rek. 'Hij griste een handvol mee en daarna heb ik nooit meer iets van hem gehoord. Is hij het land uit gevlucht of zo?'

'Waarom vraagt u dat?'

'De bestemmingen die we boeken,' zei ze. 'In de films vluchten de slechteriken altijd naar Brazilië. Iedereen denkt dat ze geen uitleveringsverdrag met Amerika hebben. Maar naar landen zonder uitleveringsverdrag wil niemand op vakantie.'

'Dat geloof ik graag. Kunt u ons nog meer over hem vertellen?'

'Ik zou het verder niet weten.'

'Goed, bedankt.' Hij leunde over haar bureau heen. 'We zouden het op prijs stellen als u niet zegt dat we naar hem hebben gevraagd.'

'Natuurlijk niet,' zei Lourdes Texeiros. 'Moet ik bang voor hem zijn?'

Milo keek haar aan. Nam de zwarte krullen in zich op. 'Nee hoor, helemaal niet.'

'Weer een afleidingsmanoeuvre,' zei ik, toen we de trap afliepen. 'Hij wilde dat wij dachten dat Nora samen met Meserve op stap was. Omdat hij haar beschermt, of omdat hij haar en Meserve heeft laten verdwijnen. Ik gok op dat laatste.'

'Al die jaren heeft hij voor twee lapzwansen gezorgd die het geluk hebben dat ze uit een rijk nest komen. Waarom zou hij dat nu willen veranderen?'

'Nora liet altijd alles aan hem over. Misschien veranderde dat.'

'Door Meserve,' zei hij.

'Hij weet haar voor zich te winnen,' zei ik. 'Net als Brad is Meserve een zogenaamde *player*, aantrekkelijk, ambitieus, manipulatief. Jonger dan Brad, maar ze lijken wel een beetje op elkaar. Misschien voelde Nora zich daarom tot hem aangetrokken. Hoe dan ook, ze was niet van plan om hem zomaar op te geven zoals ze met de anderen had gedaan.'

'Meserve baant zich een weg naar haar hart en haar bankrekening.'

'Een vette bankrekening. Brad heeft formeel wel macht, maar uitsluitend in het kader van de nalatenschap. Nora is een muts, maar je kunt moeilijk hard maken dat ze juridisch gezien niet gezond van geest is. Als zij controle eiste over haar eigendommen dan zou dat ontzettend lastig zijn voor Brad. Als ze Billy ervan overtuigde om hetzelfde te doen, was het een ramp.'

'Zeg maar dag tegen de schone schijn.'

'Uitgekotst zodra hij niet meer nodig is,' zei ik. 'Net als vroeger.'

In stilte liepen we naar de auto's.

Hij zei: 'Michaela en Tori en het echtpaar Gaidelas en god weet hoeveel anderen worden omgelegd uit bloeddorstigheid, en Nora en Meserve voor het geld?'

'Of een mengeling van bloeddorstigheid en geld.'

Hij dacht hierover na. 'Dat is niets nieuws. Ricks familieleden verloren niet alleen hun leven tijdens de Holocaust. Hun huizen en bedrijven en al hun andere bezittingen werden ook nog eens in beslag genomen.'

'Pak het allemaal,' zei ik. 'De ultieme trofee.'

41

We reden in de Seville naar Santa Monica Canyon.

Er stond geen Porsche of andere auto op de oprit van Brad Dowd.

Er brandde geen licht in het roodhouten huis en niemand deed open toen Milo aanklopte.

Ik sloot aan in de file op Channel Road, slaagde erin om uiteindelijk de snelweg langs de kust te bereiken en kon redelijk doorrijden van Chautauqua naar de Colony. Toen we Pepperdine University eenmaal waren gepasseerd, strekte het land zich voor ons uit en werd het rustig op de weg. De oceaan was leigrijs. Hongerige pelikanen doken omlaag. De zon scheen nog toen we aankwamen op Kanan Dume Road en Latigo Canyon in reden.

Milo had een kadastrale kaart van Billy Dowds perceel op schoot. Vier hectare. Er waren geen bouwvergunningen verleend.

De Seville was geen auto voor de bergen en ik remde af toen het terrein steiler en de bochten scherper begonnen te worden. De enige tegenligger die we zagen was bij de plek waar Michaela gillend de weg op was gerend.

Er stond een oude bruine Ford pick-up bij de afslag geparkeerd.

Een oude, gebruinde man tuurde naar het kreupelhout.

Houthakkersbloes, stoffige spijkerbroek, een bierbuik over zijn riem. Dun wit haar dat wapperde in de bries. Een lange, hoekige neus kliefde door de lucht.

Er kwam rook onder de motorkap vandaan.

Milo zei: 'Stop hier.'

De oude man draaide zich om en keek naar ons. De gesp van zijn riem was van geslagen koper, een grote ovaal met een paard erop in reliëf.

'Alles goed, meneer Bondurant?'

'Waarom niet, meneer de rechercheur?'

'Oververhit, zo te zien.'

'Dat heb ik nou altijd. Er zit een klein gaatje in de radiator en zolang ik hem bijschenk voordat hij dorstig wordt, red ik het.'

Bondurant slofte naar de truck, dook door het raam en haalde een gele plastic fles met antivries.

'Een vloeibaar dieet,' zei Milo. 'Weet u zeker dat het blok niet kapotgaat?'

'Maakt u zich zorgen om mij, meneer de rechercheur?'

'Daar zijn we voor. Dienen en beschermen.'

'Weten jullie al meer over dat meisje?'

'Daar zijn we nog mee bezig.'

Bondurants ogen verdwenen in een wirwar van rimpels. 'Niks, dus?'

'U hebt kennelijk aan haar gedacht.'

De oude man stak zijn borst vooruit. 'Wie zegt dat?'

'Dit is de plek waar u haar toen zag.'

'Het is ook een afslag,' zei Bondurant. Hij pakte de antivries. Staarde naar het kreupelhout. 'Een naakt meisje, het is zo'n verhaal dat je tijdens je diensttijd vertelt, waarvan iedereen denkt dat je het uit je duim zuigt.' Hij haalde zijn tong over zijn lippen. 'Een paar jaar geleden zou het heel wat zijn geweest.'

Hij trok zijn buik in en hees zijn spijkerbroek op. De vetrollen zakten omlaag over het hoofd van het paard.

Milo zei: 'Kent u uw buren?'

'Die heb ik niet echt.'

'Geen gezellige omgeving?'

'Ik zal u zeggen hoe het is,' zei Charley Bondurant. 'Vroeger was dit paardenland. Mijn opa fokte hier arabieren en Tennessee Walkers – beesten die je aan rijkelui kon verkopen. Sommige arabieren kwamen in Santa Anita en Hollywood Park terecht, en een paar goeie ook. Iedereen die hier woonde deed iets met paarden, je kon de stront op kilometers afstand ruiken. Nu komen hier alleen nog maar rijke stinkerds die nergens iets om geven. Ze kopen het land als investering, rijden er op zondag naartoe, staren er even naar, weten bij god niet wat ze moeten en gaan dan weer naar huis.'

'Rijkelui zoals Brad Dowd?'

'Wie?'

'Wit haar, halverwege de veertig, rijdt allerlei dure auto's.'

'O ja, hij,' zei Bondurant. 'Raast veel te hard de heuvel af. Dat is nou precies wat ik bedoel. In van die hawaïbloezen.'

'Komt hij hier vaak?'

'Zo nu en dan. Ik zie alleen zijn auto's langsscheuren. Veel cabrio's, vandaar dat ik zijn bloezen kan zien.'

'Maakt hij wel eens een praatje?'

'Hebt u me niet gehoord?' zei Bondurant. 'Hij raast voorbij.' Een knoestige hand kliefde door de lucht.

'Hoe vaak is zo nu en dan?' vroeg Milo.

Bondurant draaide zich half om. Zijn haviksneus wees naar ons. 'Moet ik een getal noemen?'

'Grafieken en tabellen vind ik ook prima, meneer Bondurant.'

De oude man draaide zich nu helemaal om. 'Heeft hij haar vermoord?'

'Dat weet ik niet.'

'Maar het is mogelijk.'

Milo zei niets.

Bondurant zei: 'U bent een stille, behalve als u iets van me wilt. Ik zal u zeggen, de overheid heeft nooit iets gedaan voor onze familie. We hadden allerlei problemen, maar een beetje hulp, ho maar.'

'Wat voor problemen?'

'Coyotes, wangzakratten, droogte, rondhangende hippies. Die verdomde Rouwmantels – dat is een vlindersoort, maar als ik "vlinder" zeg, denkt u "wat schattig", want u bent een stadse kerel. Ik denk "probleem". We hadden op een gegeven moment een hele zomer last van complete zwermen die eitjes legden in de bomen, zeker zes iepen verwoestten en bijna een achttien meter hoge treurwilg om zeep hielpen. Weet u wat we toen gedaan hebben? DDT gebruikt.'

Hij sloeg zijn armen over elkaar. 'Dat mag niet. Vraag de overheid of je met DDT mag spuiten en ze zeggen nee, dat is onwettig. Vraag je wat je dan moet doen om je iepen te beschermen, zeggen ze dat je dat zelf maar moet uitzoeken.'

'Vlindermoord is niet mijn pakkie-an,' zei Milo.

'Overal rupsen die zich nog verdomd snel wisten te verplaatsen,' zei Bondurant. 'Ik had er lol in om ze te vertrappen. Heeft die vent in die auto dat meisje vermoord?'

'Hij is iemand die we in de gaten houden. Dat is overheidstaal voor: meer ga ik u niet vertellen.'

Bondurant moest onwillekeurig glimlachen.

Milo zei: 'Wanneer hebt u hem voor het laatst gezien?'

'Een paar weken geleden, of zo. Maar dat zegt niks. Ik lig om

halfnegen in bed, als iemand langsrijdt zie of hoor ik dat niet.'
'Is er wel eens iemand bij hem?'
'Nee.'
'Hebt u wel eens iemand anders het terrein op zien gaan?'
'Hoezo zou ik dat zien?' zei Bondurant. 'Het ligt zeker tweeën-
halve kilometer boven me. Ik sluip niet rond. Zelfs toen Walter
MacIntyre er nog woonde, ging ik er niet naartoe, want iedereen
wist dat Walt hartstikke gestoord en opvliegend was.'
'Hoe dat zo?'
'Dat was jaren geleden, meneer de rechercheur.'
'Altijd interessant.'
'Walter MacIntyre heeft dat meisje niet vermoord, hij is al der-
tig jaar dood. Waarschijnlijk heeft de man met die auto het land
van Walters zoon gekocht, die is tandarts. Walter was ook tandarts, een grote praktijk in Santa Monica. Hij kocht dit land ergens in de jaren vijftig. De eerste stadslui die hier land kochten.
Mijn vader zei nog: "Moet je opletten wat er gaat gebeuren." En
hij had gelijk. Eerst leek het er nog op of Walter zich wilde aan-
passen. Bouwde een enorme paardenstal, maar zette er geen paarden in. Elk weekend kwam hij hier in zijn truck, maar niemand
begreep waarom. Waarschijnlijk om naar de zee te staren en tegen zichzelf te praten over de Russen.'
'Welke Russen?'
'Die uit Rusland,' zei Bondurant. 'Communisten. Daar was Walter helemaal gek van. Was ervan overtuigd dat het er elk moment
van kon wemelen en dat ze aardappel etende communisten van
ons zouden maken. Mijn vader had een hekel aan communisten,
maar Walter ging te ver. Een beetje... je weet wel.' Hij wapperde met zijn vinger bij zijn linkerslaap.
'Geobsedeerd.'
'Als u dat woord wilt gebruiken, best.' Bondurant hees zijn spijkerbroek weer op en liep met zijn kromme benen naar zijn truck.
Hij legde de antivries terug op de stoel naast de bestuurder en
sloeg met de palm van zijn hand op de motorkap. De motor rookte niet meer, er kwam alleen zo nu en dan nog een rookkringe-
tje onder de kap vandaan.
Hij zei: 'Ik ga weer. Ik hoop dat jullie de moordenaar van dat
meisje vinden. Een mooi meisje, verdomd zonde.'

De toegang naar het terrein was niet aangegeven. Ik reed er voorbij en moest een kilometer doorrijden naar een plek die breed genoeg was om te keren. En nog kwam ik verdraaid dicht bij de afgrond en voelde ik dat Milo zich schrap zette.

Ik reed langzaam terug, terwijl hij op de kaart tuurde. Uiteindelijk zag hij de toegang – geen hek, afgeschermd door grillige platanen. Een zandweg die hoog boven het ravijn liep.

Twee haarspeldbochten en de weg ging over op asfalt en bleef omhooggaan.

'Blijf langzaam rijden,' zei Milo. Met de laserblik van een politieman keek hij rond. Om ons heen alleen muren van eikenbomen en platanen met in de verte een lichtpuntje aan de horizon dat op een einde duidde.

Toen we een hectare land waren gepasseerd, kwamen we op een plateau omgeven door bergen, een hemel van stapelwolken boven ons. Onbewerkt land had plaatsgemaakt voor gras, duingras, gele mosterd, een paar eenzame eikenbomen in de verte. De geasfalteerde oprit sneed als een strakgetrokken lijn door het grasland. Aan het einde van het land stond een enorme schuur. Roodhouten muren door de tijd vergrijsd. Sombere wanden zonder ramen, dakspanen die op de hoeken waren afgesleten door de wind. Een absurd kleine voordeur.

Er hing een mosterdgeur in de koele lucht.

Milo zei: 'Geen bouwvergunning.'

'Mensen in deze contreien hebben het niet zo op met de overheid.'

Nergens plek om de Seville aan het zicht te onttrekken. Ik liet hem op het asfalt staan, deels verborgen achter takken, en we gingen te voet verder. Milo hield zijn hand bij zijn jas.

Toen we vijftien meter voor het gebouw stonden, werd duidelijk hoe groot het was. Het was twee verdiepingen hoog en zo'n zestig meter breed.

Hij zei: 'Zo'n groot gebouw, maar een deur waar nog geen auto door kan. Blijf hier, dan kijk ik achter.'

Hij pakte zijn pistool, sloop rond de noordkant van de schuur, bleef een paar minuten weg en kwam toen terug met zijn wapen in zijn holster. 'Kom kijken.'

Dubbele deuren van drie meter hoog, breed genoeg voor een diep-lader. Schone, geoliede scharnieren die pas geplaatst waren. Een generator die groot genoeg was om een complete camping van stroom te voorzien. Achter ons zong ergens een vogel. Er liepen bandensporen door het zand, een wirwar van lijnen, te veel om uit elkaar te halen.

Rechts lag een hangslot in het zand.

Ik zei: 'Lag dat daar zo?'

'Dat zou mijn officiële verklaring zijn.'

De schuur had geen hooizolder. Het was een twee verdiepingen hoge spelonk zo groot als een kathedraal, gestut door solide, ver-weerde spanten en witte stapelmuren. Net als in de garage van het PlayHouse stonden er ook hier om de zes meter luchtfilters te brommen. Rechts van een brandschone werkbank stond een antieke benzinepomp. Glimmend gereedschap aan de wand, keu-rig opgevouwen zeemleren lappen, blikjes was, poetsmiddel voor chroom, zadelzeep.

Er liep een pad van tegels door het midden van de ruimte, breed genoeg voor vier paarden. Aan weerszijden lagen ruimtes die dok-ter Walter MacIntyre als paardenstallen had bedoeld.

Er zaten geen deuren in en de betonnen vloeren waren aange-veegd. In elke ruimte stond een benzineslurpend monster met heel wat pk's.

Milo en ik liepen over het pad. Hij bekeek elke auto en legde zijn hand op de motorkap.

Een viertal Corvettes. Twee Porsches, één met een racenummer op het portier. Brad Dowds nieuwe zilverkleurige sportwagen stond er ook. Er hield zich een zwarte Jaguar D-type schuil als-of het een wapen was, die zich niets aantrok van een roomkleu-rige Packard Clipper die pedant in de stal ernaast stond.

Stal na stal was gevuld met lak en chroom. Een rode Ferrari Day-tona, de enorme zachtblauwe '59 Cadillac waarin Brad naar No-ra's huis was gereden, een zilverkleurige AC Cobra, een bruine GTO.

Alle motorkappen waren koud.

Milo liep de hoek om en bekeek een gele Pantera. Daarna liep hij naar de achtermuur en overzag de verzameling. 'Een jongen en zijn hobby's.'

'Voor de prijs van die Daytona kun je een huis kopen,' zei ik.
'Hij geeft zichzelf een fors salaris of hij roomt geld af.'
'Maar chroom bloedt niet, en ik ben op bloed uit.'

Buiten hing hij het slot weer aan de deur en veegde het schoon.
'Miljoenen aan autootjes, en hij doet de deur niet eens op slot.'
'Hij verwacht kennelijk geen bezoek.'
'Zelfverzekerd mannetje. Hij heeft ook geen reden om het niet te zijn.' We liepen langs de andere kant van de schuur terug naar de auto.
Tien passen later bleven we tegelijk staan.
Een grijze cirkel. Goed zichtbaar; een halve meter van de rand was het gras dood, waardoor er een kring van koud bruin zand overbleef.
Een stalen schijf met kleine metalen puntjes. Een hendel die makkelijk omhoogkwam toen Milo eraan trok. Na tweeënhalve centimeter klonk er een pneumatisch gesis. Hij liet hem weer zakken.
Ik zei: 'Bert de Schildpad.'
'Wat?'
'Een stripfiguur in van die boekjes die ze in de jaren vijftig aan schoolkinderen gaven om ze de basis van burgerbescherming te leren. Iets vóór mijn tijd, maar een nicht van mij heeft die van haar bewaard. Bert kroop altijd weg in zijn schulp. Kende de juiste schuilkelderetiquette.'
'Bij mij op school leerde je je hoofd tussen je knieën te stoppen en dag te zeggen,' zei Milo.
Hij liep op zijn tenen naar de deur. 'Die ouwe Walter was echt bang voor de communisten.'
'En daar plukt Brad nu de vruchten van.'

42

Milo keek of hij ergens een bewakingscamera kon ontdekken. 'Ik zie niets, maar wie weet...'

Hij liep terug naar de deur van de schuilkelder, ging op zijn hurken zitten en trok de hendel een paar centimeter verder omhoog. Gesis. Hij liet hem weer terugzakken.

'Een luchtsluis,' zei ik. 'Om radioactieve neerslag buiten te houden.'

'Canasta spelen terwijl de bom valt.' Hij hing voorover en legde zijn oor op het staal. 'Hoor jij ook de kreten van een dame in nood?'

In de verte ruiste een lichte bries door het gras. De vogel zweeg. Als wolken geluid zouden maken, was het misschien minder stil geweest.

Ik zei: 'Luid en duidelijk. Dat is reden om de kelder te doorzoeken.'

Hij trok de hendel tot halverwege. Tuurde naar binnen. Moest opstaan en zijn gewicht in de strijd gooien om de deur helemaal te openen. Met een laatste sis ging het luik open en Milo deed een stap naar achteren. Wachtte. Liep toen centimeter voor centimeter naar de ingang. Keek weer omlaag.

Kronkelend door een buis van golfplaten liep een wenteltrap, metalen treden met antislipmatjes. De trap was met bouten aan de onderkant bevestigd.

'De grote vraag blijft...' zei hij.

'Of hij beneden is.'

'Er is in geen van die auto's onlangs gereden, maar dat betekent misschien dat hij zich ergens schuilhoudt.' Hij trok zijn halfhoge schoenen uit, maakte zijn holster los maar liet zijn pistool zitten. Daarna ging hij op de rand van de opening zitten en slingerde hij zijn benen naar binnen. 'Als mij iets overkomt, mag je mijn Bert de Schildpadbroodtrommel hebben.'

Hij liep de trap af. Ik trok mijn schoenen uit en liep achter hem aan.

'Blijf buiten, Alex.'

'En daar in mijn eentje staan als hij komt opdagen?'

Hij wilde tegen me ingaan. Zweeg toen. Maar niet omdat hij van gedachten was veranderd.

Hij staarde naar iets.

Onder aan de trap was een deur. Hetzelfde grijze staal als het luik. Er was een glanzende koperen haak in het metaal geschroefd.

Aan de haak hing een wit nylon koord. De uiteinden waren om een paar oren gedraaid.

Wasachtig witte oren.

Het hoofd waaraan ze zaten was smal, goedgevormd met een dikke bos donker haar.

Een goedgevormd gezicht, maar gruwelijk. Huid die eerder perkamentachtig dan echt leek. Bobbelige jukbeenderen waar het vulmateriaal zat. Met vrijwel onzichtbare hechtingen werd de mond dichtgehouden en waren de ogen opengetrokken. Blauwe ogen, opengesperd van verrassing.

Glas.

Wat eens Dylan Meserve was geweest, leek net zo levensecht als de mal van een hoedenmaker.

Milo kroop kokhalzend naar buiten. Hij begon te ijsberen.

Ik liep wat verder naar de deur, rook de formaldehyde. Zag tekst op de deur, een paar centimeter onder de kin van het ding.

Ik liet me omlaag zakken tot ik het kon lezen.

Keurig handschrift, zwarte viltstift.

PROJECT VOLTOOID

Daaronder de datum en de tijd. Twee uur 's nachts. Vier dagen geleden.

Milo liep een tijdje rond op zoek naar tekenen dat er gegraven was, kwam hoofdschuddend terug, keek weer in de schuilkelder. 'God weet wat daar nog meer beneden is. Het morele dilemma is nu...'

'Is er beneden nog iemand die gered kan worden,' zei ik. 'Zo ja, maken wij de situatie erger door een reddingspoging te ondernemen? Je zou hem kunnen bellen. Als hij beneden is, horen we zijn telefoon misschien overgaan.'

'Als wij dat kunnen horen, heeft hij ons waarschijnlijk allang gehoord.'

'Hij kan in elk geval nergens naartoe.' Ik knikte naar het hoofd aan de deur. 'Over gerede verdenking gesproken.'

Hij haalde de telefoon uit zijn zak en probeerde Brads nummer. Beneden bleef het stil.

Hij sperde zijn ogen. 'Meneer Dowd? Met inspecteur Sturgis...
Nee, niets bijzonders, maar ik wilde graag nog even met u praten over Reynold Peaty... Wat losse eindjes... Eigenlijk hoopte
ik vanavond, waar bent u op dit moment? Daar zijn we straks
langs geweest... Ja, dat moet wel. Moet u horen... Nee, het is
geen enkel probleem om bij u langs te gaan, we zijn in de buurt.
Camarillo... Ja, het heeft er inderdaad mee te maken, maar daar
kan ik u op dit moment nog niets over zeggen... Helaas... Dus
kunnen we... Weet u het zeker? Vandaag zou beter uitkomen,
meneer Dowd... Goed, ik begrijp het, natuurlijk. Dan doen we
het morgen.'
Klik.
Hij zei: 'Zware dag in Pasadena, lekkages, bla, bla, bla. Hij was
een en al charme totdat ik Camarillo noemde. Toen begon zijn
stem een beetje te trillen. "Ik wil met alle plezier meewerken, inspecteur, maar vandaag lukt gewoon niet."'
'Je hebt hem laten schrikken, hij moet nadenken. Misschien valt
hij terug op wat hem vroeger tot rust bracht.'
'En wat is dat?'
'Knutselen.'

Milo ging de kelder weer binnen en bonsde op de deur terwijl hij
zo ver mogelijk uit de buurt van de haak probeerde te blijven.
Hij schoof een stukje opzij en vond een plekje op de deur waar
hij zijn oor tegenaan kon leggen zonder dood vlees aan te raken.
Hij klopte en bonsde op de metalen deur.
Toen klom hij weer naar boven en veegde wat onzichtbaar vuil
weg. 'Ik kan niet horen of er iemand is, en de deur is vergrendeld.'
Hij liet de hendel zakken, maakte hem schoon en veegde de voetstappen weg die we in het zand hadden achtergelaten.
We trokken onze schoenen weer aan, liepen terug naar de auto
en deden ons best om onze sporen uit te wissen.
Ik reed het terrein af en nam de weg omhoog die we ook hadden
genomen toen ik de inrit voorbij was gegaan. Toen er nergens op
loopafstand een plek was om de Seville te verbergen, keerde ik
en reed omlaag.
Een brievenbus met gouden plakletters, twee huizen verwijderd

van Billy Dowds terrein: familie Osgood. De oprit van grind was afgesloten met een doorhangend hek van planken en kippengaas.

Er lag post in de brievenbus. Milo stapte uit en bekeek de stapel. 'Van minstens een week. Kom, dan gaan we verboden terrein op.' Hij maakte het hek open, deed een stap naar achteren terwijl ik erdoor reed, trok het dicht en stapte weer in.

De Osgoods hadden een veel kleiner perceel dan Billy Dowd. Eenzelfde combinatie van eiken en platanen, een plat, bruin gazon in plaats van een weide. In het midden stond een lichtgroene bungalow uit de jaren vijftig met een wit dak en een lege veekraal ervoor. Geen dieren, geen stank van dieren. Aan een kant stonden zeker tien lege vuilnisbakken. Daarnaast stond een goedkope schommel en tegen de voordeur een plastic driewieler.

De lucht begon donker te worden. Er brandde geen licht achter de ramen.

Milo hing boven de driewieler en klopte voor de goede orde aan. Klemde daarna zijn visitekaartje tussen de deur en legde een briefje onder een van de ruitenwissers van de Seville.

Toen we naar de weg terugliepen, zei ik: 'Wat heb je geschreven?' '*O, fortuinlijke burgers,*' zei hij, '*u draagt uw steentje bij voor God en vaderland.*'

We liepen het terrein van Billy weer op en vonden een uitkijkplekje vlak bij de rand van de bomen en de weide.

Tien meter van de oprit. De grond was zacht door dode bladeren en zand. We leunden goed verscholen tegen de stevige boomstam van een lage eik.

Milo en ik, insecten en hagedissen en andere ongeziene dingen.

Niets om over te praten. We hadden ook geen behoefte om te praten. De lucht werd diepblauw, daarna zwart. Ik dacht aan Michaela en Dylan die iets verderop hadden gekampeerd.

Door Brad Dowd naar die plek gelokt.

Had hij stiekem plannen gehad om het spel met een bloederige verrassing te eindigen, om vervolgens verrast te worden door Michaela's ontsnapping?

Had hij haar daarom vermoord?

Of had ze een bepaalde rol gespeeld?

Hetzelfde voor Dylan. Het kostte me moeite om me hem te her-
inneren als op de foto's, niet als dat díng.
De tijd ging voorbij. Boven ons klonken kreten, bladeren ritsel-
den en er klonk een zacht gefladder toen een vleermuis uit de ei-
kenboom vloog en hoog boven de weide cirkelde.
Toen nog een. Toen vier.
'Geweldig,' zei Milo. 'Wanneer begint de dreigende achter-
grondmuziek?'
'Da dum, da dum.'
Hij lachte. Ik ook. Waarom niet.

Om beurten sliepen we wat. Milo's tweede dutje duurde vijf mi-
nuten en toen hij zich wakker schudde, zei hij: 'Had water mee
moeten nemen.'
'Wie had kunnen weten dat we zouden kamperen?'
'Een padvinder is op alles voorbereid. Jij bent toch padvinder ge-
weest?'
'Ja.'
'Ik ook. De padvindersbond zou eens moeten weten. Denk je dat
er nog iemand in die kelder zit?'
'Hopelijk niet zoals Dylan.'
Hij legde zijn hoofd in zijn hand.
Even later: 'Als hij vanavond niet tevoorschijn komt, weet je wat
er gaat gebeuren, Alex.'
'Een speciale eenheid.'
'Ik kan niet wachten om dat bevelschrift aan te vragen. Inder-
daad, edelachtbare, opgezet.'
Het was nu zo donker dat de nacht eindeloos leek.
Een halfuur lang zwegen we. Toen koplampen het asfalt op-
lichtten, waren we allebei klaarwakker.

Mistlampen. Het gebrom van een auto. De hoekige vorm pas-
seerde ons snel en reed in de richting van de schuur.
We kwamen overeind, liepen tussen de bomen door.
De Range Rover kwam vlak voor de veel te kleine voordeur van
de schuur tot stilstand, de motor zweeg. Er kwam een man achter het stuur vandaan die een buitenlamp boven de deur aan-
deed.

De lamp had een geel schijnsel en kleurde Brad Dowds witte haar groengeel.

Hij liep om de auto heen, opende het portier.

Stak zijn hand naar iemand uit.

Een vrouw, klein. Een ruime jas over een broek verborg haar contouren.

Met zijn tweeën liepen ze naar de deur en de vrouw wachtte tot Brad hem opendeed. Begaf zich toen in het gele schijnsel. Haar profiel werd duidelijk.

Stevige kin, klein neusje. Kort grijs haar dat in het licht een groen schijnsel kreeg.

Nora Dowd zei iets wat opgewekt klonk. Brad Dowd draaide zich om. Spreidde zijn armen.

Ze vloog in zijn armen.

Er was niets zusterlijks aan toen haar handen zijn nek streelden.

Zijn handen gleden rond haar billen. Ze giechelde.

Ze hief haar gezicht op toen hun lippen elkaar ontmoetten.

Een lange, kronkelende zoen. Ze liet haar hand naar zijn kruis zakken. Hij lachte. Zij lachte.

Ze gingen naar binnen.

Even later waren ze terug en liepen ze hand in hand om de zuidkant van de schuur.

Nora huppelde.

Brad zei: 'Wat een prachtige avond, is het niet geweldig?

Nora zei: 'Tijd voor een feestje.'

Ze kwamen bij het luik van de schuilkelder aan. Nora keek toe en streek haar haar glad, terwijl Brad de hendel omhoogtrok. Hij zette zijn gewicht erachter, zoals Milo ook had gedaan.

'O,' zei ze, 'wat ben je toch groot en sterk.'

'Ik heb nog iets veel groters voor je, schatje.'

'En ik heb iets heel zachts voor jou, schatje.'

Het luik ging open. Brad haalde een kleine zaklamp tevoorschijn en richtte hem in de opening. 'Je had gelijk. Hij hangt daar mooi.'

'Dat is nog eens een ontvangst,' zei Nora. 'Klop, klop, klop.'

'Hij hing altijd graag rond.'

Nora lachte.

Brad lachte.

Ze liep naar hem toe en legde haar hand op zijn kruis. 'Is dat een kernraket in je zak of ben je blij me te zien?'

Een gruwelijk slechte vertolking van Mae West.

Brad kuste haar, streelde haar en deed de zaklamp uit.

'Laten we onze spullen halen. Je zult wel genoeg hebben van dat ondergrondse leven.'

'Ik ben er klaar voor,' zei ze. 'Maar het was wel leuk.'

Brad ging op de rand van de ingang zitten. Toen hij omlaag wilde gaan, dook Milo op hem af, greep hem vast en rukte hem keihard naar achteren. Daarna rolde hij hem net zo snel op zijn buik, draaide zijn arm naar achteren en boeide hem.

Nora vocht niet terug toen ik haar vastgreep en haar armen achter haar rug trok.

Milo boorde zijn knie in Brads rug. Brad hapte naar adem. 'Ik krijg geen lucht.'

'Als je kunt praten, kun je nog ademhalen.'

Ik voelde dat Nora haar spieren spande en was klaar toen ze zich wilde losrukken. Slappe armen, niet veel spierkracht en haar polsen waren zo dun dat ik ze in één hand vast kon houden. Ik gebruikte toch maar twee handen en trok zó hard dat ze haar rug moest krommen.

'Je doet me píjn.'

'Laat haar met rust,' zei Brad.

'Laat hem met rust,' zei Nora.

'Familiegevoel,' zei Milo. 'Wat ontroerend.'

'Het is niet wat je denkt,' zei Nora. 'Hij is niet echt mijn broer.'

'Wat is hij dan?'

Ze lachte. Geen fijn geluid.

Brad zei: 'Wacht maar. Je zult nog van onze advocaat horen.'

'Wat is het probleem? Niet mooi opgezet?'

Toen hielden ze hun mond.

43

We brachten ze naar de schuur. Brad keek de hele tijd naar Nora. Zij keek niet terug.

Milo zei: 'Hou haar vast, Alex.' Hij duwde Brad naar het midden van het pad.

Hij koos de '59 Cadillac en duwde Brad voorin.

'Kijk nou, een veiligheidsgordel.' Hij trok de riem over Brads buik. De huid achter in zijn nek was zo wit als zijn haar geworden. Hij leek wel een marmeren standbeeld.

Nora keek strak voor zich uit. Haar polsen waren zacht alsof haar botten aan het smelten waren. Ze rook naar Frans parfum en marihuana.

Milo controleerde of Brad goed vastzat en sloeg toen het autoportier dicht. Ik voelde een gespannen schok van Nora's schouders tot aan haar heupen bij de klap. Ze zei niets, maar haar ademhaling versnelde.

Toen tilde ze haar rechtervoet op en probeerde een naaldhak in mijn instappers te boren.

Terwijl ik opzij sprong, begon ze te kronkelen en te spugen. Ik deed haar waarschijnlijk pijn in een poging haar in mijn macht te houden, want ze schreeuwde het uit. Maar misschien was dat acteerwerk.

Milo kwam aan gebeend en nam haar van me over. 'Kijk op die werkbank of je iets kunt vinden om mevrouw de Trechter vast te binden.'

Nora Dowd zei: 'Brad heeft me verkracht, tegen mijn wil.'

'Dat is dubbelop,' zei Milo.

'Hè?'

'Een verkrachting tegen je wil.'

Ze had een verwarde blik in haar rode, gedrogeerde ogen.

Milo zei: 'Dat is me nogal een kunstwerk dat aan de deur hangt.'

Nora begon met droge ogen te snikken. 'Dylan! Ik hield zoveel van hem. Brad was jaloers en toen heeft hij zoiets afschúwelijks gedaan! Ik heb geprobeerd hem tegen te houden, dat móét u geloven!'

'Hoe hebt u dat gedaan?'

'Door met hem te praten.'

'Een intellectueel debat?' zei Milo. 'De voordelen van organische kapok ten opzichte van polyurethaanschuim?'

Nora jammerde. 'O, mijn gód! Dat is afschúwelijk!'

Nog altijd droge ogen. Een ui zou van pas komen.

Ze snifte. Keek naar Milo.

Hij zei: 'Uw show wordt geannuleerd wegens slechte kritieken.'

In een la van de werkbank vond ik een rol isolatietape en twee rollen zwaar wit touw. Milo zei: 'Doe het.'

Hij hield Nora's armen achter haar rug vast en ze ging van jammeren over op vloeken. Ze vloekte nog harder toen ik haar polsen vastbond en ze probeerde Milo's arm met haar hoofd te slaan. Tegen de tijd dat hij haar naar de andere kant van de schuur sleepte om haar op de passagiersstoel van een witte '55 Thunderbird te zetten, was ze stil.

Hij zei: 'Leuk, leuk, leuk, als Milo het toneel op mag.' Hij duwde haar de auto in.

Daar stonden we dan met zijn tweeën. Hijgend. Zijn gezicht was vochtig en ik voelde een zweetdruppeltje langs mijn hoofd lopen. Mijn ribben deden pijn. Mijn nek voelde aan alsof ik door een botte guillotine was geraakt.

Milo pakte zijn telefoon.

De sirenes begonnen als gekreun in de verte en klonken op het laatst als nucleaire trombones.

Ik deed heel erg mijn best om niet te veel na te denken, en het lawaai klonk me als muziek in de oren.

Acht politieauto's, een disco van flikkerende lichten.

Milo haalde onmiddellijk zijn penning tevoorschijn.

Een roodverbrande brigadier met spleetogen stapte in zijn geelbruine uniform uit de voorste auto.

'Politie Los Angeles,' zei Milo.

'Handen waar ik ze kan zien.'

Meerdere wapens op ons gericht. We gehoorzaamden. De brigadier kwam op ons af met een mengeling van angst en agressie die agenten tonen als ze met het onbekende worden geconfronteerd. Zijn snor was oranje en borstelig, groot genoeg voor een

nest kolibries. *M. Pedersohn* stond er op zijn naambordje. Ge-
spannen nekspieren. Een blik op de kleine lettertjes op Milo's
penning deed niets om de spanning te verlichten.
Sproeterige handen sloegen op geelbruine heupen. 'Oké... en
waarom was je hier?'
'Vanwege een zaak,' zei Milo. 'Ik zal je laten...'
'De centrale zei dat het om een lichaam ging,' zei Pedersohn.
'Dat klopt ten dele,' zei Milo.
'Wat?'
Milo gebaarde naar de zuidkant van de schuur. Pedersohn bleef
staan om zijn mannen te laten zien dat er niet met hem gesold
kon worden. Milo verdween. Pedersohn liep achter hem aan.

Eén blik in de schuilkelder was genoeg om het zonverbrande ge-
zicht van de brigadier te doen verbleken.
'Jezus...' Hij greep zijn snor vast en wreef met zijn wijsvinger
over zijn tanden. 'Is dat...'
'Hij is niet van plastic,' zei Milo.
'Jezus... o, man... hoelang hangt dat daar al?'
'Dat is een van de vele vragen die zich aandienen, brigadier. Heb
je de jongens van het lab gebeld?'
'Eh... nog niet.' Hij keek nog een keer naar beneden. 'Dit is dui-
delijk werk voor het hoofdbureau.'
'Dan zou ik die ook maar bellen.'
Pedersohn rukte zijn mobilofoon van zijn riem. Bleef staan. Kneep
zijn ogen half toe. 'Waar zijn de verdachten?'
'Die doen alsof ze op reis gaan.'
'Wat?' zei Pedersohn.
Milo verdween weer.
Pedersohn keek mij aan.
Ik zei: 'Hij wordt altijd chagrijnig van een meervoudige moord.'

Er werd een assistent-patholoog-anatoom, een zekere Al Morden,
uit Palisades opgeroepen. Hij liep de trap af, keek naar het hoofd
en weigerde verder te gaan tot de schuilkelder was veiliggesteld.
Iedereen keek elkaar aarzelend aan. Brigadier Mitchell Pedersohn
zei: 'De mannen van het hoofdbureau kunnen elk moment komen.'

Milo zei: 'Dat van die broodtrommel geldt nog steeds, Alex.'

Pedersohn zei: 'Wát?'

Milo klom weer omlaag.

Enige ogenblikken later was hij terug. 'Geen boobytraps.'

'Wat is daar beneden?' wilde Pedersohn weten.

'Drie aparte schuilkelders die met elkaar zijn verbonden door tunnels. Zie het maar als een appartement voor een paranoialijder. In een van de kelders liggen vrouwenkleren en toiletgerei en een zacht bed, foto's van onze verdachten aan de wand, best gezellig. De andere zijn helemaal niet gezellig.'

'Ik bedoel als het gaat om bewijsmateriaal.'

'Dat ligt nogal ingewikkeld,' zei Milo, en hij richtte zich tot dokter Morden.

Mordens glimlach was grimmig. 'Mijn soort ingewikkeld?'

'Nou en of.'

44

Moordonderzoek Voortgangsrapport

DR#S 04-592 346-56

SLACHTOFFERS:	BRAND, MICHAELA ALLY
	GAIDELAS, ANDREW WILLIAM
	GAIDELAS, CATHERINE ANTONIA
	GIACOMO, VICTORIA MARY
	MESERVE, DYLAN ROGER
	PEATY, REYNOLD MILLARD
	BLANKE VROUW, IDENTITEIT ONBEKEND #1
	BLANKE VROUW, IDENTITEIT ONBEKEND #2
	BLANKE VROUW, IDENTITEIT ONBEKEND #3
	BLANKE VROUW, IDENTITEIT ONBEKEND #4

SLACHTOFFER LAS VEGAS, NEVADA:	DUTCHEY, JULIET LEE

SECTIE VIII: BEWIJSMATERIAAL

I. UIT OPSLAGRUIMTE, EIGENDOM VAN BNB PRODUCTIONS, WEST WOODBURY ROAD 9421/2, ALTADENA, CALIFORNIË, 91001:

1. 3 KARTONNEN DOZEN MET KLEDING, WAARVAN ENKELE VAN SLACHTOFFERS BRAND, M, GAIDELAS, A, GAIDELAS, C, ME-SERVE, D, GIACOMO, V.; VERSCHILLENDE DAMESKLEREN, EI-GENAAR ONBEKEND.

2. 2 'MADE IN MEXICO'-KISTJES VAN ONYX MET VERSCHILLENDE SIERADEN VAN GOUD, ZILVER EN ANDERE MATERIALEN; 3 BRILLEN, WAARVAN I VAN SLACHTOFFER GIACOMO, V, 2 VAN EIGENAAR ONBEKEND; I PAAR ZACHTE CONTACTLENZEN VAN SLACHTOFFER BRAND, M; I TANDPROTHESE VAN SLACHT-OFFER GAIDELAS, A.

3. 3 VUILNISZAKKEN MET 53 GEBLEEKTE MENSELIJKE BOTTEN, IDENTIFICATIE GAANDE OVEREENKOMSTIG HET GERECHTELIJK LABORATORIUM (REF: JESSICA SAMPLE, FORENSISCH ANTRO-POLOOG).

4. I KARTONNEN DOOS, OPDRUK SEARS-KENMORE, MET DAARIN 10 HERSLUITBARE PLASTIC ZAKKEN MET ELK EEN BOS MEN-SENHAAR VASTGEBONDEN MET TWEE ELASTIEKJES (REF: J. SAMPLE).

II. UIT KOFFERBAK 1989 LINCOLN LIMOUSINE REGISTRATIENR. 33893566, OP NAAM VAN BRADLEY MILLARD DOWD, AANGE-TROFFEN ACHTER OPSLAGPAND AAN WEST WOODBURY ROAD 9421/2:

1. DIGITALE CAMERA, MERK SONY, TYPE DSC 588.

2. I UITGESNEDEN DEEL ZWART TAPIJT UIT LINCOLN LIMOUSI-NE.

3. 2 LEREN STOELEN UIT LINCOLN LIMOUSINE, I VOOR, I ACH-TER.

334

III. UIT ONDERGRONDSE SCHUILKELDER, LATIGO CANYON ROAD 43885, MALIBU, CALIFORNIË, 90265:

UIT BLOK 'A' (MEEST NOORDELIJK, ZIE DIAGRAM):

1. KLEDING, COSMETICA, PERSOONLIJKE EIGENDOMMEN VAN VERDACHTE DOWD, N.

2. INKLAPBAAR TWEEPERSOONS BED EN BEDDENGOED.

3. FOTO'S VAN VERDACHTEN DOWD, B EN DOWD, N.

4. 5 TANDEN VAN SLACHTOFFER MESERVE, D, DOORBOORD EN AAN ZILVEREN KETTING GEREGEN.

5. 1 OPGEZET MENSELIJK HOOFD VAN SLACHTOFFER MESERVE, D.

6. 2 SOORTGELIJK BEHANDELDE HOOFDEN VAN SLACHTOFFERS GAIDELAS, A, GAIDELAS, C.

7. 1 CD MET DIGITALE FOTO'S, GEMARKEERD 'TIJD VOOR EEN FEESTJE' MET PORNOGRAFISCHE BEELDEN VAN:

A. VERDACHTE DOWD, B, IN GESLACHTSGEMEENSCHAP MET SLACHTOFFERS BRAND, M, GIACOMO, V, GAIDELAS, C, GAIDE-LAS, A, ONBEKENDE VROUWEN 1, 2, 3, 4 EN SLACHTOFFER LAS VEGAS, DUTCHEY, J.
B. VERDACHTE DOWD, B, IN GESLACHTSGEMEENSCHAP MET VER-DACHTE DOWD, N.
C. VERDACHTE DOWD, N, IN GESLACHTSGEMEENSCHAP MET SLACHTOFFER MESERVE, D.
D. VERDACHTE DOWD, B, IN GESLACHTSGEMEENSCHAP MET SLACHTOFFER MESERVE, D.

8. 4 DVD'S MET BEWEGENDE BEELDEN, INHOUD SOORTGELIJK AAN 3.

UIT BLOK 'B' EN 'C':

1. 2 250 MB COMPUTER ZIPDISKS, GEMARKEERD 'PT CLIMAX', INHOUD GECODEERD, MOGELIJK BESCHADIGD (REF: TECHNISCH LABORATORIUM, POLITIE LOS ANGELES, BRIG. S. FUJIKAWA).

2. 1 COMPUTER, MERK IBM, 1 RESERVEACCU, MERK APC, 1 19" MONITOR, MERK MICROTEK, 1 PRINTER, MERK HEWLETT-PACKARD, TYPE LASERJET 4050.

3. 1 42" FLATSCREEN TELEVISIE, MERK SONY.

4. 1 KOPEREN KLEDINGHAAK.

5. 1 X 19,17 M² BEIGE NYLON TAPIJT. 1 X 19, 35 M² BEIGE NYLON TAPIJT.

6. 12 DOZEN AKOESTISCHE PLAFONDTEGELS.

7. 2 PAAR SMITH & WESSON POLITIEHANDBOEIEN MET SLEUTEL.

8. 1 PAAR ANTIEKE, 'E.D. BEAN', IJZEREN ENKELBOEIEN, CA. 1885 (REF: ANDRE WASHINGTON, HISTORICUS).

9. 3 HOUTEN DOZEN MET VERSCHILLENDE CHIRURGISCHE MESSEN, NAALDEN, ZAGEN, SCHRAPERS, SCHAREN, CANULES, TRECHTERS.

10. 1 ZWARE ZUIGPOMP, MODEL A-334C.

11. 1 ZUIGPOMP, MERK KINGSLEY, MODEL CSI-PG005.

12. 4 ROLLEN NYLON MONOFILAMENT CHIRURGISCH HECHTMATERIAAL, MERK MEDIBOND, 2 X 20MM, 2 X 24MM.

13. 2 ONGEMARKEERDE KARTONNEN DOZEN MET AFGESLOTEN DOORZICHTIGE, PLASTIC ZAKKEN KATOENEN VULMATERIAAL.

14. 4 PLASTIC FLESSEN, ELK MET 5 LITER WATERSTOFPEROXIDE.

15. 1 DOOS LATEX 'PRETCONDOOMS' MET RIBBELS.

16. 1 PLASTIC FLES MET 20 LITER METHAANZUUROPLOSSING.

17. 5 PAAR LATEX HANDSCHOENEN.

18. 1 'TAXIDERMISCHE MODELLEERSET' MET EPOXYHARS.

19. 1 KWART FLES HUIDONTVETTER EN CONSERVERINGSMIDDEL, MERK EATON.

20. 1 ZAK GEDROOGD CONSERVERINGSMIDDEL MET KLEURINGS- MIDDEL, 2,5 KILO.

21. 1 CHIRURGISCHE TAFEL 'VOOR EENVOUDIGE CHIRURGISCHE INGREPEN' MET HOOFDSTEUN EN AFNEEMBARE AFVOER, MERK OAKES, TYPE G-235C.

Milo kwam zijn kamer weer binnen en haalde het moordboek uit mijn handen.
'Ik was nog niet klaar.'
Hij liet het dossier in een la vallen. 'Michaela's Honda is einde-lijk gevonden. In een parkeergarage van een BNB-gebouw in Sier-ra Madre. Wordt op dit moment naar het lab gesleept.'
'Gefeliciteerd. Ik zei dus...'
'Wat vind je van mijn schrijfkunst?'
'Zeer welbespraakt,' zei ik. 'Ga me alsjeblieft niet vertellen dat je wilt lunchen.'
'Het is allang geen lunchtijd meer. Laat jouw mensen mijn men-sen maar bellen, dan gaan we vanavond ergens eten.'
De stoel kreunde onder zijn gewicht toen hij zich erin liet vallen. 'Genoeg macho vertoon. Ik ben kapot en dat durf ik toe te geven.'
'Heb je nog een beetje kunnen slapen?'
'Een uurtje of vijf,' zei hij. 'In de afgelopen vijf dagen.'
'Tijd voor pauze,' zei ik.
'Het is niet de werkdruk die me wakker houdt, jongen, het is de realiteit. Aangezien je toch hebt zitten lezen, wil je misschien je inzichten met me delen.'

'Het PlayHouse was in een veel erger opzicht dan we dachten een kweekvijver van talent. Voor Nora had het een tweeledig doel. Ze voelde zich er almachtig en zij en Brad genoten ervan om slachtoffers uit te kiezen.'

'IJzige trut,' zei hij. 'En arrogant. Die keer dat we bij haar thuis waren, deed ze niet eens alsof Tori en Michaela haar iets konden schelen.'

'Ik vraag me af of ze überhaupt in staat is te doen alsof.'

'Geen acteertalent? Hoe is het mogelijk dat er zoveel mensen in haar geloofden?'

'Ze trok hunkerende mensen aan die dachten dat ze een koopje kregen. Emotioneel behoeftige mensen slikken alles.'

Hij slaakte een zucht. 'Al die aantrekkelijke mensen die auditie deden, maar geen idee hadden voor wat voor rol.'

'Heb je die andere meisjes kunnen identificeren?'

'Nog niet. We hebben geen andere mannenlijken gevonden, maar ik hou er rekening mee dat dit niet het einde is. Er zijn nog steeds een stuk of tien panden van BNB die we niet doorzocht hebben, en de graafmachines hebben nog maar een deel van het terrein omgespit. Hoe past die ontvoeringsgrap in het geheel, denk je?'

'Het theater van de wreden. Nora en Brad verzonnen het voor de lol en overtuigden Dylan Meserve ervan dat hij medesamenzweerder was. Maar in feite was hij niet meer dan een menselijk schaakstuk.'

'Denk je dat hij wist wat ze voor Michaela in petto hadden?'

'Zijn er aanwijzingen dat hij wist dat er andere slachtoffers waren?'

'Tot nu toe niet,' zei hij. 'Maar de manier waarop hij wilde dat Michaela hem smoorde, zou een voorbode kunnen zijn geweest van haar latere lot, of niet?'

'Of hij had zijn eigen hersenkronkels,' zei ik. 'We zullen het waarschijnlijk wel nooit weten, tenzij er iets van een dagboek opduikt. Of tenzij Nora en Brad hun mond opendoen.'

'Die houden tot nu toe hun lippen stijf op elkaar,' zei hij. 'Brad staat op jouw advies onder controle wegens suïcidegevaar. Volgens de cipier vond Brad dat erg grappig.'

'Hij houdt de schijn op,' zei ik. 'Als die afbrokkelt, heeft hij niets meer.'

'Jij bent de psycholoog... Terug naar die grap. Nora verleidt Meserve, doet alsof ze boos is en trapt Michaela uit haar klasje. Waarom?'

'Ik denk nog steeds dat het het plan was dat Brad haar zogenaamd zou "redden". Ze was blut en werkloos, hunkerde naar aandacht, was gefrustreerd over haar carrière. Als Brad "toevallig" in een van zijn glimmende auto's langs zou komen en een gesprek met haar aanknoopte, zou het voorzienigheid lijken. Ze kende hem van gezicht uit het PlayHouse, dus was hij geen vreemde voor haar. En vanwege Brads band met Nora zou Michaela waarschijnlijk staan te springen om het met hem aan te leggen.'

'Om een wit voetje te halen bij Nora.'

'Misschien heeft hij haar verteld dat hij zijn eigen connecties had, haar kon helpen met haar carrière. Hetzelfde geldt voor Tori. Voor hen allemaal.'

'Verleiding in plaats van ontvoering,' zei hij. 'Een fraai dineetje, lekker wijntje, ga mee naar mijn huis in Malibu dan kunnen we de zonsondergang bekijken... Ik vraag me af hoe Michaela zich voelde toen ze zag dat hij haar mee terug nam naar Latigo Canyon.'

'Als hij haar vertrouwen won door haar met een etentje en drank te verleiden, maakte ze zich misschien geen zorgen. Of hij nam haar eerst ergens anders mee naartoe en bond haar daar vast.'

'Een eventuele andere gruwelkamer hebben we nog niet gevonden. Eén ding staat vast: bij hem en bij Nora thuis gebeurde niets. Beide huizen zijn brandschoon.'

Ik zei: 'Waarom zou je je huis bezoedelen als je een speciale plek voor je hobby hebt? Deze mensen doen alles gescheiden.'

'Over hobby's gesproken. Enig idee waarom Meserve en het echtpaar Gaidelas als enige zijn geconserveerd?'

'De nekwond duidt erop dat ze van plan waren om Michaela ook te conserveren,' zei ik. 'Ze hebben zelfs een canule in haar hals ingebracht en zijn toen van gedachten veranderd. We zullen hun gedachtekronkels wel nooit helemaal begrijpen, maar het echtpaar Gaidelas en Meserve pasten in een of andere fantasie. Als je me de rest van het dossier laat...'

'Er staat niets in over het verleden, Alex. Alleen maar akelige dingen. Ik kan niet anders, maar jij hoeft dit niet te doen. Ga naar huis en vergeet het.'

'Hebben ze de gecodeerde disks nog gekraakt?'

Hij liet zijn tong over zijn droge, gebarsten lippen glijden, krabde op zijn hoofd en wreef over zijn gezicht. Hij had zich slordig geschoren en er liep een randje wit dons over zijn kaak. Zijn ogen waren half dicht en vermoeid. 'Ben je doof of zo?'

Ik herhaalde mijn vraag.

'Jij houdt ook nooit op,' zei hij.

'Daarom betaal je me zo goed.'

'De disk is gedecodeerd en staat klaar in kamer 4. Ik heb er het afgelopen uur naar zitten kijken. Vandaar mijn wijze raad naar huis te gaan.'

'Het heeft geen zin om het onvermijdelijke uit te stellen,' zei ik.

'Wat is er zo onvermijdelijk?'

'Ik was erbij toen je de schuilkelder vond. Ik zal ongetwijfeld worden gedagvaard. Door de officier van justitie of door Stavros Menas.'

'De Dowds wilden Menas allebei in de arm nemen, maar Nora won en ze was bepaald niet zusterlijk. Brad is op zoek naar een andere advocaat.'

'Geld is macht en zij heeft de touwtjes in handen.'

'Min de miljoenen die Brad heeft afgeroomd,' zei hij. 'Waarvan het meeste lijkt te zijn opgegaan aan zijn verzameling auto's en een eilandje aan de kust van Belize dat hij twee maanden geleden heeft gekocht. Plus nog een dure uitgave drie weken geleden: vierentwintig vlieguren voor een Gulfstream v. Dat is 350.000 dollar voor een vliegtuig met internationaal bereik. Wedden dat hij ergens ten zuiden van de evenaar een bankrekening heeft? De boedeladvocaten die hem destijds hebben aangewezen als bewindvoerder zitten nu met een maagzweer en de nieuwe door het hof aangewezen advocaten likken hun vingers erbij af. Dit betekent jarenlange processen, dus de rest van de boedel gaat in rook op.'

Ik zei: 'Die folders waren dus serieus. Hij was zijn ontsnapping aan het voorbereiden. Toen werd hij slim en legde ze in Nora's nachtkastje.'

'Te slim,' zei hij. 'In die Range Rover, op Billy's land. De brave verzorger van zijn broer en zus, maar ondertussen naaide hij ze in meerdere opzichten. Denk je dat hij van plan was om

Nora met zich mee te nemen of zou hij alleen zijn gegaan?'
'Als ze niet van het bestaan van zijn eiland wist, zou ik zeggen alleen. Is er iemand die Billy's belangen behartigt?'
'De door het hof aangewezen advocaten beweren dat zij dat doen.'
'Ik kreeg gisteren eindelijk toestemming om hem te zien, dus ben ik naar Riverside geweest.'
'In wat voor instelling hebben ze hem gestopt?'
'Heel naargeestig,' zei ik. 'Een zorginstelling met honderd dementen en Billy.'
'Ben je nog iets te weten gekomen?'
'Hij is in shock en weet niet waar hij is. Ik had drie minuten voordat de huisadvocaat er een einde aan maakte.'
'Waarom?'
'Billy begon te huilen.'
'Door jou?'
'Die mening was de hooggeachte raadsman toegedaan,' zei ik. 'Ik denk dat Billy een heleboel redenen heeft om te huilen en dat je de situatie alleen maar erger maakt als je hem niet de kans geeft dat te uiten. Ik heb tegen de hooggeachte raadsman gezegd dat Billy een fulltime therapeut nodig heeft. Niet dat ik mijn diensten aanbood, maar ik stelde voor dat hij daar iemand voor zou zoeken. Hij zag het anders. Toen ik terug was, heb ik de rechter gebeld die de opdracht tot plaatsing heeft gegeven. Ik heb nog niets van haar gehoord, maar ik zit al aan andere rechters te denken die misschien willen helpen.'
'Denk je dat Billy helemaal brandschoon is?' vroeg hij.
'Tenzij je in zijn flat iets onheilspellenders kunt vinden dan *Star Wars*-poppetjes en Disney-video's.'
Hij schudde zijn hoofd. 'Het is er net een kinderkamer. Dozen met gesuikerde cornflakes, flessen chocolademelk.'
Ik zei: 'Kind zijn is al moeilijk genoeg. Billy is geen kind en geen man. Was er nog geld over van zijn toelage?'
'Nee, alleen wat kleingeld in een spaarvarken. Sommige munten zijn nog van de jaren zestig.'
'Vijftienhonderd dollar per maand en die gaf hij allemaal uit aan pizza, Thai en huurfilms. Het verklaart wel waarom Reynold Peaty langskwam. Die deed of hij Billy's vriend was en kon zo aan het geld komen.'

'Klinkt logisch,' zei hij. 'Alleen is er in Peaty's krot geen geld gevonden.'

'Iemand als Peaty zou het wel weten uit te geven,' zei ik. 'Maar misschien kwam het geld ook wel weer bij de neef terecht, even ervan uitgaande dat zijn relatie met Brad verderging dan conciërge en werkgever. En vervolgens plande neeflief zijn dood.'

Hij fronste zijn wenkbrauwen. Een spiertje onder zijn linkeroog vertrok.

Ik zei: 'Wat?'

'Wat een familie.' Hij vond een muffe, oude sigaar in een la, liet hem tussen zijn vingers rollen en beet het puntje eraf. Spuugde dat in de prullenbak.

'Twee punten.' Ik kwam overeind en liep naar de deur. 'Tijd om die disk te bekijken.'

Hij bleef zitten. 'Dat is echt geen goed idee, Alex.'

'Dan ben ik er maar vanaf.'

'Zelfs als iemand je dagvaardt, kan dat nog maanden duren,' zei hij.

'Het heeft geen zin om al die tijd dingen te denken die misschien helemaal niet waar zijn.'

'Geloof me, jouw ideeën kunnen niet erger zijn dan de realiteit.'

'Geloof me,' zei ik. 'Dat kan best.'

45

Een kille, gele kamer.

De verhoortafel was opzij geschoven. Een metalen tafel, hetzelfde slagschipgrijs als de schuilkelder.

De dingen die een mens al niet opvallen.

Twee stoelen voor een 32" plasmascherm op een tafel op wielen. Op de onderste plank stond een dvd-speler. Een warboel aan kabels. Een sticker onder op de monitor met de waarschuwing dat niemand buiten het OM aan de apparatuur mocht komen.

Ik zei: 'Zijn de openbaar aanklagers opeens gul geworden?'

'Ze nemen hun kansen waar,' zei Milo. 'Rechtbanktelevisie, scenario's, boekendeals. Ze zijn van hogerhand al gewaarschuwd dat dit geen O.J. mag worden.' Hij haalde een afstandsbediening uit zijn jaszak en zette de monitor aan.

Toen ging hij naast me zitten en deed zijn ogen dicht.

Blauw scherm, videomenu. Tijd, datum, bewijscode van de officier van justitie.

Ik pakte de afstandsbediening uit Milo's hand. Hij hield zijn ogen dicht. Zijn ademhaling versnelde iets.

Ik drukte op een knop.

Er verscheen een gezicht in beeld.

Grote blauwe ogen, gebruinde huid, symmetrische gelaatstrekken, een dikke bos blond haar.

Onbekende vrouw nummer 1.

Milo had gevraagd of ik met Michaela wilde beginnen. Hier had ik over nagedacht, maar had toen besloten dat ik het in de juiste volgorde wilde doen.

Ik hoopte dat een gebrek aan persoonlijk contact zou helpen.

Dat was niet zo.

De camera bleef dicht op haar.

Een soepele, vriendelijke mannenstem buiten beeld zei: 'Goed, de auditie. Vind je het nog een beetje leuk?'

De camera zoomde in op de glimlach van het meisje. Vochtige witte tanden, volmaakt op een rij. 'Nou en of.'

'Nou en of, Brád. Als je jezelf presenteert aan een castingagent of wie dan ook, is het belangrijk dat je direct, duidelijk en persóónlijk bent.'

De glimlach van het meisje veranderde iets en werd een vragende boog. 'Eh, oké.' De camera zoomde weer uit. Zenuwachtige blauwe ogen. Ze giechelde.

'Take 2,' zei Brad Dowd.

'Hè?'

'Nou en of...'

'Nou, Brad.'

'Nou... en... of... Brad.'

De blik van het meisje flitste naar links. 'Nou... en... of... Brad.'

'Perfect. Goed, ga door.'

'Waarmee?'

'Zeg iets.'

'Wat dan?'

'Improviseer maar.'

'Eh...' Haar tong gleed over haar lippen. Een blik op de slag-schip-grijze muren achter haar. 'Het is anders hier. Hierbeneden.'

'Vind je het wat?'

'Eh... gaat wel.'

'Gaat wel...'

'Gaat wel, Brad.'

'Het ís ook anders,' zei Brad Dowd. 'Hermetisch. Weet je wat dat betekent?'

Ze giechelde. 'Eh, niet echt.'

'Het betekent geïsoleerd en stil. Weg van alle rompslomp. De Sturm und Drang.'

Geen reactie van het meisje.

'Weet je waarom je auditie doet op een hermetisch afgesloten plek?'

'Nora zei dat het sereen was.'

'Sereen,' zei Brad. 'Ja, dat is het goede woord. Zoals bij medita-tie. *Ohm, Shakti, bodhi vandana, cabalabaloo.* Heb je wel eens gemediteerd?'

'Ik heb pilates gedaan.'

'Ik heb pilates gedaan...'

'Brad.'

Een zucht buiten beeld. 'Een hermetisch afgesloten plek betekent minder afleiding. Snap je?'

'Ja... Brad.'

'Een hermetisch afgesloten, serene plek ver weg van overbodige elementen, zodat je gemakkelijker je centrum kunt vinden. Niet zoals tijdens de les waarbij iedereen kijkt en oordeelt. Niemand zal je hier beoordelen. Ooit.'

Het meisje glimlachte weer.

'Wat vind je daarvan?' vroeg Brad.

'Fijn.'

'Fijn?'

'Heel fijn.'

'Brád!'

Verschrikte blauwe ogen. 'Brad.'

344

'Heel fijn...'

'Heel fijn, Brad. Het spijt me, ik ben een beetje zenuwachtig.'

'Nu val je me in de rede.'

'Sorry... Brad.'

Tien seconden lang bleef het stil. Het meisje zat te friemelen. Brad Dowd zei. 'Het is je vergeven.'

'Bedankt... Brad.'

Weer tien seconden. Het meisje probeerde zich te ontspannen.

'Goed, we zijn sereen en hermetisch afgesloten en klaar om eens serieus aan het werk te gaan. Hou je van Sondheim?'

'Eh, die ken ik niet, Brad.'

'Geeft niet, we doen geen musical, het is vandaag tijd voor drama. Laat je linkerschouderbandje zakken – zorg ervoor dat het links is, want dat is je goede kant. Je rechterkant is iets zwakker. Trek niet je hele topje uit, het is geen porno, we willen alleen een ontbloot postuur als een klassiek beeldhouwwerk.'

De camera zoomde uit. Het meisje zat stijfjes op een klapstoel in een klein rood topje met spaghettibandjes. Slanke, blote bruine benen onder een kort spijkerrokje. Voeten in sandaaltjes op de grond. Bruine sandalen met hoge hakken.

'Ga je gang,' zei Brad.

Ze keek verward, deed toen haar hand omhoog en trok het rechterbandje opzij.

'Línks!'

'Sorry, sorry, die haal ik altijd door de war. Sorry Brad, die haal ik altijd door de war...' Ze frunnikte wat en trok het linkerbandje omlaag.

De camera gleed over een gladde, goudbruine schouder en zoomde toen weer uit en bracht haar hele lichaam in beeld.

Vijftien seconden gingen voorbij.

'Je hebt een prachtige romp.'

'Dank je... Brad.'

'Weet je wat een romp is?'

'Het lichaam... Brad.'

'Het bovenlichaam. Dat van jou is klassiek. Je boft.'

'Dank je, Brad.'

'Denk je dat je talent hebt?'

'Eh, dat hoop ik... Brad.'

345

'O toe, laat eens wat zorgeloos, zelfverzekerd supersterrengedrag zien.'

Ze knipperde met haar blauwe ogen. Ging rechtop zitten, wierp haar haar naar achteren. Balde haar vuisten en riep: 'Ik ben de beste! Brad!'

'Ben jij overal voor in?'

'O, ja. Brad.'

'Mooi zo.'

Vijf seconden. Toen: bang, bang, bang. Plof, plof, plof, plof, plof. Het meisje wilde zich omdraaien toen ze het lawaai hoorde.

'Blijf zitten,' blafte Brad.

Het meisje verstijfde.

'Hier is je tegenspeler.'

'Ik... eh... ik wist niet dat ik een tegenspeler...'

'Een ster moet overal op voorbereid zijn.'

Het hoofd van het meisje begon weer te draaien. Ze verstijfde opnieuw in reactie op een commando dat niet kwam.

'Goed zo,' zei Brad vleiend. 'Je leert het al.'

Het meisje likte haar lippen en glimlachte.

Het grijs achter haar werd vleeskleurig.

Een grote, harige borst en buik. Armen vol tatoeages.

De camera gleed omlaag naar een wilde bos schaamhaar. Een slappe penis hing vlak naast de wang van het meisje.

De schouders van het meisje verstijfden.

'Ik... eh...'

'Rustig maar,' zei Brad Dowd. 'Weet je nog wat je van Nora hebt geleerd over improvisatie?'

'Maar... ja, Brad.'

'Blijf heel stil zitten. Denk aan je lichaamsbeheersing... zo is het braaf.'

Het harige lijf trilde. Tatoeages bewogen.

De camera zoomde in op een bezweet, rond gezicht. Krullerige bakkebaarden. Kortgeknipte snor.

Reynold Peaty legde zijn handen op de schouders van het meisje. Zijn rechterduim gleed onder het rechterspaghettibandje. Speelde met het koordje. Schoof het omlaag.

Het meisje sprong op en wilde zich omdraaien. Zijn linkerhand pakte haar hoofd beet en hield haar vast.

'Hij doet me pijn...'

'Mond dicht!' zei Brad Dowd. 'Straks komen er vliegen binnen.' Peaty liet zijn rechterhand langs haar gezicht glijden en klemde hem rond haar mond.

Ze slaakte gedempte kreetjes. Peaty sloeg haar zo hard dat ze met haar ogen rolde. Met zijn ene hand trok hij haar aan haar haar overeind. Zijn andere hand gleed naar haar hals.

'Ja,' zei hij.

'Perfect,' zei Brad. 'Dit is Reynold. Jullie gaan samen een improvisatieparodie doen.'

Ik zette de dvd uit.

Milo was klaarwakker. Hij had er nog nooit zo triest uitgezien. Ik zei: 'Je had me gewaarschuwd.' Daarop liep ik de kamer uit.

46

De week die volgde was een brij van emoties.

Ik probeerde tevergeefs om beter onderdak en regelmatige therapie te regelen voor Billy Dowd.

Ik moest de verschillende verzoeken voor een nieuwe getuigenverklaring voor Erica Weiss, die de laatste nagel in Hausers doodskist wilde slaan, afslaan.

Ik negeerde de steeds dringender telefoontjes van Hausers advocaat.

Ik was niet meer op het politiebureau geweest sinds ik de dvd had gezien. Zes minuten beeld van een meisje dat ik nooit had gezien.

De dag dat Robin bij me introk, deed ik alsof mijn hoofd helder was. Toen ik de laatste doos met kleren naar de slaapkamer had gesleept, ging ze naast me op de rand van het bed zitten, wreef over mijn slapen en kuste mijn nek. 'Je moet er nog steeds aan denken, hè?'

'Ik gebruik spieren die ik al een tijdje niet heb gebruikt. En mijn ribben werken ook nog eens niet meer.'

'Je hoeft mij niet te overtuigen,' zei ze. 'Deze keer weet ik wat ik me op de hals haal.'

Mijn contact met Milo was beperkt gebleven tot een telefoontje om elf uur 's avonds. Met een stem die zwaar klonk van vermoeidheid vroeg hij of ik wat 'aanvullende dingen' wilde doen, terwijl hij de berg bewijsmateriaal te lijf ging bij wat de kranten de 'schuilkeldermoorden' noemden.

Een of andere sukkelige journalist van de *Times* probeerde een link te leggen met de paranoia van de Koude Oorlog.

Ik zei: 'Tuurlijk. Wat versta je onder aanvullende dingen?'

'Alles waar jij beter in bent dan ik.'

Dat kwam neer op een soort rouwtherapie.

Een sessie van drie kwartier met Lou en Arlene Giacomo liep uit tot twee uur. Hij was afgevallen sinds ik hem had gezien en zijn ogen stonden levenloos. Zij was een stille, waardige vrouw die voorovergebogen liep waardoor ze twee keer zo oud leek.

Ik zat daar terwijl zijn woede en haar gekwelde verhalen over hun leven met Tori elkaar afwisselden. Ze hadden zo'n op elkaar ingespeeld ritme dat het een script had kunnen zijn. Naarmate de tijd vorderde, schoven hun stoelen verder uiteen. Arlene had het over Tori's vormseljurk toen Lou snauwend overeind schoot en mijn kantoor verliet. Ze begon zich te verontschuldigen en veranderde toen van gedachten. We vonden hem bij de vijver waar hij de vissen aan het voeren was. Ze vertrokken in stilte en ze belden me geen van beiden die avond terug. De receptionist van het hotel zei dat ze hadden uitgecheckt.

De moeder van Brad Dowds slachtoffer uit Las Vegas, Juliet Dutchey, bleek een voormalig revuemeisje te zijn, een oudgediende uit het vroegere Flamingo Hotel. Andrea Dutchey was een weduwe van halverwege de vijftig, met nog altijd een strak lichaam. Ze verweet zichzelf dat ze haar dochter niet had afgeraden om naar Vegas te verhuizen, waarna ze in mijn hand kneep en me bedankte voor alles wat ik had gedaan. Ik had voor mijn gevoel helemaal niets gedaan en haar dankbaarheid stemde me droevig.

Susan Palmer kwam samen met haar man, Barry Palmer, een lange, stille, keurig gekapte man die liever ergens anders was. Ze begon heel koel en zakelijk, maar stortte al snel in. Hij hield zijn mond en bekeek de prenten aan de muur.

De moeder van Michaela Brand was te ziek om uit Arizona over te komen en dus sprak ik haar telefonisch. Haar zuurstofapparaat siste op de achtergrond en als ze al moest huilen, dan kon ik dat niet horen. Misschien kostten tranen te veel zuurstof. Ik bleef aan de lijn totdat ze opeens ophing.

Familieleden van Dylan Meserve waren nergens te vinden.

Ik belde Robin in haar studio en zei: 'Ik ben klaar, het is weer veilig.'

'Ik was niet gevlucht, hoor,' zei ze. 'Ik was aan het werk.'

'Druk?'

'Redelijk.'

'Kom toch naar huis.'

Stilte. 'Goed.'

Ik belde Albert Beamish.

Hij zei: 'Ik heb het allemaal gelezen. Ik ben blijkbaar nog steeds in staat ergens geschokt door te zijn.'

'Het is ook schokkend.'

'Ze waren lui en verwend, maar ik had geen idee dat het onmensen waren.'

'Dat gaat even wat verder dan dadelpruimen,' zei ik.

'Goeie genade, ja! Alex... Mag ik je zo noemen?'

'Natuurlijk. Meneer Beamish.'

Hij grinnikte. 'In de eerste plaats wil ik je bedanken voor deze informatie, dat was ongewoon attent. Zeker van iemand van de ik-generatie.'

'Graag gedaan. Geloof ik.'

Hij schraapte zijn keel 'In de tweede plaats, golf jij?'

'Nee, meneer.'

'Waarom niet?'

'Het is er nooit van gekomen.'

'Verdraaid jammer. Afijn, je houdt tenminste wel van een borreltje... misschien, als je een keertje tijd hebt...'

'Als u het goeie spul uit de kast haalt.'

'Ik heb alleen maar goed spul, jongeman. Waar zie je me voor aan?'

Twee weken na zijn arrestatie werd Brad Dowd dood aangetroffen in zijn cel. De lus waarmee hij zich had opgehangen was van een pyjamabroek gemaakt die hij in reepjes had gescheurd. Hij had op een strengbewaakte afdeling gezeten waar zulke dingen niet hoorden te gebeuren. De bewakers waren afgeleid geweest door een gevangene in een naburige cel die door het lint was gegaan en zijn cel met uitwerpselen had besmeurd. De gevangene, Theofolis Moomah, een bendeleider en verdacht van moord, was op wonderbaarlijke wijze hersteld op het moment dat Brads lichaam losgesneden werd. Een doorzoeking van Moomahs cel leverde een voorraad extra sigaretten en een rol biljetten van vijftig dollar op. Brads advocaat, die al verschillende bendeleiders had verdedigd, stuurde zijn rekening per koerier naar de onderzoeksrechter.

Stavros Menas belegde een persconferentie en riep luidkeels dat de zelfmoord bewees dat Brad een 'gestoorde kwade genius' was en zijn cliënte een onschuldig slachtoffer.

De officier van justitie kwam met een heel andere analyse.

Het werd een circus waar dierenactivisten geen bezwaar tegen konden hebben.

Ik nam me voor alles te vergeten, ging ervan uit dat het knagende gevoel vanzelf zou ophouden.

Toen dat niet gebeurde, ging ik op internet zoeken.

47

De vrouw zei: 'Niet te geloven dat u me op die manier hebt gevonden.'

Haar naam was Elise Van Syoc en ze was een makelaar bij Coldwell Banker in Encino. Het had lang geduurd, maar ik had haar gevonden via haar meisjesnaam, Ryan, en een vele jaren oude bijnaam.

Ginger.

Hippe bassist van de Kolor Krew!

Haar identiteit en afdruk van de foto die ik in het PlayHouse had gezien, doken eindelijk op met dank aan www.noshotwonders.com, een wrede spotverzameling van mislukte popbandjes op internet.

Toen ik haar belde, zei ze: 'Ik wil niet bij een of andere rechtszaak betrokken worden.'

'Daar gaat het niet om.'

'Waar dan om?'

'Nieuwsgierigheid,' zei ik. 'Beroepsmatig en persoonlijk. Ik weet op dit moment niet of ik die twee kan scheiden.'

'Klinkt ingewikkeld.'

'Het is een ingewikkelde situatie.'

'U schrijft toch geen boek of script?'

'Absoluut niet.'

'Een psycholoog... Wiens therapeut bent u precies?'

Ik probeerde mijn rol uit te leggen.

Ze kapte me af. 'Waar woont u?'

'Beverly Glen.'

'Huur- of koopwoning?'

'Koop.'

'Hebt u het huis al lang?'

'Al jaren.'

'In eigendom of met hypotheek?'

'In eigendom.'

'Knap hoor, dokter Delaware. Voor iemand in uw situatie is dit een goed moment om groter te gaan wonen. Hebt u wel eens aan de Valley gedacht? Daar kunt u een veel groter huis krijgen met meer grond én nog geld overhouden. Als u tenminste geen vooroordelen hebt over de andere kant van de heuvel.'

'Ik ga prat op mijn gebrek aan vooroordelen,' zei ik. 'Ik ga er ook prat op dat ik nooit iemand vergeet die zijn best doet voor me.'

'Wat een onderhandelaar... U belooft echt dat ik niet in de rechtszaal terechtkom?'

'Ik zweer het op mijn trustakte.'

Ze lachte.

Ik zei: 'Speelt u nog steeds basgitaar?'

'O, toe.' Ze moest weer lachen. 'Ik werd gevraagd vanwege mijn rode haar. Ze zag het als een voorteken – de Kolor Krew, begrijpt u?'

'Amelia Dowd.'

'Die gestoorde mevrouw D... Er komen weer allerlei herinneringen boven. Ik weet niet wat ik u verder kan vertellen.'

'Informatie over de familie zou kunnen helpen.'

'Voor uw psychologisch inzicht?'

'Voor mijn gemoedsrust.'

'Dat begrijp ik niet.'

'Het is een gruwelijke zaak. Ik word er min of meer door gekweld.'

'Hmm,' zei ze. 'Ik zou het, denk ik, in één zin voor u kunnen samenvatten: ze waren gek.'

'Zouden we er toch over kunnen praten?' vroeg ik. 'Zegt u maar waar en wanneer.'

'Zou u serieus overwegen te verhuizen?'

'Ik heb er niet eerder over nagedacht, maar...'

'Dan is dit een goed moment. Ach, ik moet toch eten, wat zou het ook. Over anderhalf uur bij Lucretia aan Ventura Boulevard, vlak bij Balbao Boulevard. Maar ik heb niet veel tijd. Misschien kan ik u laten zien dat het leven aan de andere kant van de heuvel heel smaakvol kan zijn.'

Het restaurant was groot, licht, fris en bijna leeg.

Ik was op tijd. Elise Van Syoc was er al en zat te flirten met een jonge ober terwijl ze een *cosmopolitan* in haar hand had en op een paranoot beet. 'Ginger' had geen rood haar meer. Ze had een dik, asblond kapsel tot op haar schouders. Een getailleerd zwart pakje, een gestileerd gezicht met grote donkere ogen. Een innemende glimlach en een stevige, droge handdruk.

'U bent jonger dan u klinkt, dokter Delaware.'

'U ook.'

'Wat lief.'

Ik ging zitten en bedankte haar voor haar komst. Ze wierp een blik op haar diamanten Movado-horloge. 'Hebben Brad en Nora echt gedaan wat iedereen zegt?'

Ik knikte.

'Geen sappige details?'

'Die wilt u niet weten.'

'Juist wel.'

'Nee, echt niet.'

'Is het zo gruwelijk?'

'Dat is een understatement.'

'Jakkes.' Ze nam een slokje van haar cosmopolitan. 'Vertelt u toch eens.'

Ik gaf haar een paar details.

Elise Van Syoc zei: 'Hoe bent u aan al dat geld gekomen met werk voor de politie? Dat kan niet veel betalen.'

'Ik heb ook andere dingen gedaan.'

'Zoals?'

'Investeringen, een eigen praktijk, consulten.'

'Interessant... U schrijft niet?'

'Alleen rapporten, hoezo?'

'Het klinkt als een goed boek... Ik vrees dat ik alleen tijd heb voor een glaasje, niet voor lunch. Ik heb zo een overdracht. Een enorm pand ten zuiden van de boulevard. En ik kan u echt niets meer over de Dowds vertellen dan dat het rare lui waren.'

'Dat is een goed begin.'

De ober kwam langs. Mager, donker, met een hongerige blik. Ik bestelde een Grolsch en hij zei: 'Natuurlijk.'

Toen hij het bier bracht, klonk Elise Van Syoc haar glas tegen het mijne. 'Hebt u een relatie? Ik vraag het in verband met uw woonruimte.'

'Ja.'

Ze grijnsde. 'Doet u aan overspel?'

Ik schoot in de lach.

Ze zei: 'Het was een poging waard.' Ze at het laatste stukje van de paranoot op.

Ik zei: 'De Kolor Krew...'

'De Kolor Krew was een lachertje.'

'Hoe bent u erbij betrokken?' vroeg ik. 'De andere drie leden waren broers en zus.'

'Zoals ik al aan de telefoon zei, ben ik gevraagd door die gestoorde mevrouw D.'

'Vanwege uw haar.'

'En ze dacht dat ik talent had. Ik zat bij Nora in de klas op Essex Academy. Mijn vader was chirurg en we woonden in June Street. In die tijd dacht ik dat ik van muziek hield. Had vioolles, ging over op de cello en wist mijn vader toen over te halen om een elektrische gitaar voor me te kopen. Ik zong als een depressieve gans, schreef belachelijke liedjes. Maar goed, ik dacht dat ik een rockster in de dop was. Hebben Brad en Nora die mensen echt vermoord?'

'Stuk voor stuk.'

'Waarom?'

'Daar probeer ik achter te komen.'

'Het is zo bizar,' zei ze. 'Dat ik iemand ken die zoiets gedaan heeft. Misschien zou ík een boek moeten schrijven.'

Een nieuwe blik in haar ogen. Nu begreep ik waarom ze met me had afgesproken.

'Ik heb gehoord dat het nog best moeilijk is,' zei ik.

'Schrijven?' Ze lachte. 'Dat zou ik ook niet zelf doen. Daar zou ik iemand voor inhuren, mijn naam eronder zetten. Zo zijn bestsellers tot stand gekomen.'

'Dat zal wel.'

'U keurt het niet goed.'

Ik zei: 'Dus Amelia Dowd vond dat u talent had...'

'Misschien moet ik u mijn verhaal helemaal niet vertellen.'

'Ik ben niet van plan het op te schrijven. Sterker nog, als u een boek schrijft, mag u mij citeren.'

'Belooft u dat?'

'Ik zweer het.'

Ze lachte.

Ik zei: 'Amelia Dowd...'

'Ze hoorde me in het schoolorkest cello spelen, dacht dat ik een soort Pablo Casals was, of zo. Dat zegt wel iets over háár gehoor. Ze belde direct mijn moeder, die twee kenden elkaar van andere schoolactiviteiten, thee bij de Wilshire Country Club, eerder kennissen dan vriendinnen. Amelia vertelde mijn moeder dat ze een band aan het vormen was – een heel gezond familiegebeuren, zoiets als de Partridge Family. De Cowsills, de Carpenters. Mijn haar was perfect, ik had talent en bas was gewoon een soort cello, nietwaar?'

'Trapte uw moeder daarin?'

'Mijn moeder is conservatief, vaderlandslievend en ze doet allerlei vrijwilligerswerk, maar ze is altijd dol geweest op alles wat

354

met showbizz te maken heeft. Het geheim dat ze iedereen vertelt die ze ook maar een beetje kent, is dat ze vroeger altijd actrice wilde worden, dat ze het evenbeeld van Grace Kelly was, maar dat keurige meisjes uit San Marino dat soort dingen niet deden, ook al deden keurige meisjes uit Philadelphia Main Line dat wel. Ze zat altijd te drammen dat ik bij de toneelclub moest, maar dat wilde ik niet. Ze was rijp voor mevrouw D. Bovendien deed mevrouw D. het voorkomen als een geweldige deal – een groot platencontract lag al te wachten, interviews, televisieoptredens.'

'Geloofde u haar?'

'Ik vond het belachelijk. En suf. De Cowsills? Ik hield van Big Brother and the Holding Company. Ik deed mee in de hoop dat er iets zou gebeuren, dat ik vrij kreeg van school.'

'Hadden de Dowds muziekervaring?'

'Brad kon een beetje gitaar spelen. Niks bijzonders, een paar akkoorden. Billy hield de gitaar vast alsof hij spastisch was, Amelia moest hem altijd voordoen hoe het moest. Kon absoluut niet zingen. Nora wel, maar ze kon niet samen zingen, ze verveelde zich altijd en was er nooit helemaal bij. Ze had alleen maar interesse in de toneelclub en kleren.'

'Een modepopje,' zei ik.

'Niet echt, ze had altijd de foute kleren aan. Veel te chic. Zelfs Essex was in die tijd al behoorlijk casual.'

'Was het haar idee of dat van haar moeder om bij de toneelclub te gaan?'

'Van haar, dacht ik. Ze wilde altijd per se de grote rollen, maar ze kreeg ze nooit omdat ze haar tekst niet goed kon onthouden. Veel mensen dachten dat ze een beetje achterlijk was. Iedereen wist dat Billy dat was, dus ik denk dat mensen ervan uitgingen dat het erfelijk was.'

'En Brad?'

'Slimmer dan die twee. Maar dat was iedereen.'

'Hoe was hij sociaal gezien?'

'De meisjes vonden hem leuk,' zei ze. 'Hij was een schatje. Maar hij was niet echt populair. Misschien omdat hij er vaak niet was.'

'Waarom niet?'

'Het ene jaar was hij er wel, het jaar daarop weer niet – dan zat hij ergens anders op school omdat hij problemen had. Maar het jaar dat mevrouw D. die band oprichtte, wilde ze hem maar wat graag om zich heen hebben.'

'Hoever zijn jullie gekomen?'

'Niet. Toen ik bij de eerste repetitie zag wat voor bagger het was, ben ik naar huis gegaan en heb ik tegen mijn moeder gezegd dat ik het niet wilde. Zij zei: "We zijn Ryans en we geven niet op." En als ik een eigen auto wilde, dan moest ik maar goed mijn best doen.'

Ze sloeg met een vlakke hand op tafel, toen met de andere, als een trage, zware maatslag. 'Dat was Nora's manier van drummen. Billy moest de ritmegitaar spelen en hij wist het tot twee krassende akkoorden te brengen – de c en de g, geloof ik. Maar hij klonk als een varken dat gekeeld werd.' Ze trok haar lippen op. 'En alsof dat nog niet erg genoeg was, moesten we ook nog zingen. Kansloos. Maar dat weerhield de gestoorde Amelia er niet van.'

'Waarvan?'

'Ons mee te slepen voor promotiefoto's. Ze had ergens aan Highland, in de buurt van Sunset, een goedkope fotograaf gevonden, een of andere dronken, ouwe lul die stokoude zwart-witfoto's aan de muur had hangen van mensen van wie niemand ooit had gehoord.' Ze trok haar neus op. 'Het stonk er naar kattenpis. De kostuums stonken naar een bejaardenhuis. Dozen vol troep. We moesten poseren als indianen, hippies, noem maar op. Allemaal in een andere kleur. Verschillende kleding en kleurschakering, noemde mevrouw D. het. Dat moest ons handelsmerk worden.'

'De Village People hebben er succes mee gehad.'

'En waar zijn die nú? Toen de foto's eenmaal gemaakt waren, was het tijd voor een impresario, de ene geföhnde gladjakker na de andere. Amelia flirtte met hen allemaal. En dan bedoel ik met de heupen tegen ze oprijen, diep decolleté, knipperende wimpers, de hele rataplan. Ze was een blonde stoot en buitte dat ten volle uit.'

'Klinkt niet als iemand op wie een conservatieve, vaderlandslievende dame zou vertrouwen,' zei ik.

'Gek hè? Showbizz gaat zeker boven alles. Als je mensen in deze stad vraagt of ze bereid zijn een orgaan op te geven voor een figurantenrol in een film, zouden de meeste direct vragen waar het scalpel is, dat garandeer ik je. De helft van de mensen in míjn vak hebben een of andere link met showbizz. Kom maar eens op kantoor langs, dan zie je mensen die je vaag bekend voorkomen, maar die je niet kunt plaatsen. Het meisje dat koffie bracht naar de bankier in *The Beverly Hillbillies* tijdens de tweede scène in aflevering één. Haar lidmaatschapskaart van het acteursgilde zit nog steeds in haar portemonnee en ze heeft het er altijd over. Als je slim bent, leer je wel dat het van korte duur is. De rest is net als Amelia Dowd.'

'Die leven in een fantasiewereld.'

'Vierentwintig uur per dag, zeven dagen per week. Afijn, dat is dus de geschiedenis van de Kolor Krew.'

'Het plan dat nooit ver kwam.'

'We hebben zeker twintig audities gedaan. Ze duurden nooit langer dan vijftien seconden, want zodra impresario's ons hoorden, ging het ze door merg en been. Wíj wisten dat we vreselijk waren. Maar Amelia stond er met haar vingers bij te knippen en stráálde dan. Als ik thuiskwam stak ik een stickie op, belde mijn vriendinnen en zat dan een tijd hysterisch te giechelen.'

'Hoe gingen de Dowds ermee om?'

'Billy was een gehoorzame robot. Nora was met haar gedachten ergens anders, net als altijd, als een soort Mona Lisa. Brad verborg altijd een grijns. Hij is degene die er uiteindelijk iets van zei. Niet onbeleefd, maar meer van: "Toe, we bereiken hier niets mee." Amelia negeerde hem. Letterlijk. Ze deed alsof hij er niet was en ging gewoon door met praten. Weer eens wat anders.'

'Hoe bedoelt u?'

'Meestal had ze méér dan genoeg aandacht voor Brad.'

'In de zin van mishandeling?'

'Niet precies.'

'Speciale aandacht.'

Elise Van Syoc probeerde een partje citroen aan haar prikker te spiesen. 'Dit zou het belangrijke deel van mijn boek kunnen worden.'

'Ze verleidde hem?'

'Of misschien andersom. Ik weet niet eens of er echt iets is gebeurd. Maar de manier waarop die twee met elkaar omgingen was niet bepaald moeder en zoon. Ik kreeg het pas in de gaten toen ik zoveel tijd met ze begon door te brengen. Het duurde even voor me opviel dat mevrouw D. nog gekker deed dan anders.'

'Wat deed ze dan?'

'Ze stelde niet veel voor als moeder. Met Billy en Nora was ze afstandelijk. Maar met Brad... Misschien dacht ze omdat Brad een geadopteerde neef was en niet haar eigen zoon... maar toch, hij was nog maar veertien en zij was een volwassen vrouw.'

'Heupwiegen en veel decolleté?'

'Dat ook, maar meestal was het subtieler. Heimelijke glimlachen, blikken als ze dacht dat niemand het zag. Zo nu en dan zag ik dat ze tegen zijn arm aan wreef en dat hij haar ook aanraakte. Nora en Billy viel het kennelijk niet op. Ik vroeg me af of ik het me inbeeldde, ik had het gevoel alsof ik op een heel vreemde planeet terecht was gekomen.'

'Hoe reageerde Brad daarop?'

'Soms deed hij of hij het niet doorhad. Op andere momenten leek hij er duidelijk van te genieten. Er hing een bepaald soort spanning tussen hen. Ik weet niet hoever het ging. Ik heb het nooit aan iemand verteld, ook niet aan vriendinnen. Ik dacht er ook niet over na in die termen.'

'Maar u vond het weerzinwekkend.'

'Ja,' zei ze. 'Maar omdat Amelia's eigen kinderen zich er niet aan leken te storen, dacht ik dat het aan mij lag.' Ze glimlachte even. 'Trekjes illegale wiet voedden mijn twijfels.'

'Amelia was verleidelijk,' zei ik, 'maar toch stuurde ze Brad weg.'

'Verschillende keren. Misschien wilde ze hem uit beeld zodat ze iets kon doen aan haar eigen impulsen. Zou je dat psychologisch inzicht kunnen noemen?'

'Nou.'

Ze glimlachte. 'Ik zou therapeut kunnen worden.'

'Hoe vaak is "verschillende keren"?'

'Drie of vier keer, geloof ik.'

'Omdat hij problemen had.'

'Dat waren de geruchten.'

'Waren de geruchten nog duidelijker?' zei ik.

'Eenvoudige jeugdcriminaliteit,' zei ze. 'Gebruiken ze die term nog?'

'Ik wel. Waar hebben we het dan over? Diefstal, spijbelen?'

'Alles.' Ze fronste haar wenkbrauwen. 'En er waren wat huisdieren in de buurt verdwenen. Er werd gespeculeerd dat Brad daar iets mee te maken had.'

'Waarom?'

'Dat weet ik echt niet, maar dat zeiden ze. Dat is belangrijk, hè? Dierenmishandeling wordt geassocieerd met seriemoordenaars, of niet?'

'Het is een risicofactor,' zei ik. 'Wanneer werd Brad voor het laatst weggestuurd?'

'Toen Amelia ophield met de band. Niet direct daarna, maar een week of vier, vijf later.'

'Wat overtuigde haar ervan om op te houden?'

'Wie zal het zeggen? Op een dag belde ze mijn moeder op en kondigde ze aan dat er geen toekomst in de popmuziek zat. Alsof zíj dat had besloten. Wat een gestoord wijf.'

'En daarna verdween Brad.'

'Ze had hem zeker niet meer nodig... Nu we het erover hebben, besef ik hoe moeilijk het voor hem moet zijn geweest. Gebruikt en afgedankt. Als hij zich daar iets van aantrok, dan liet hij dat niet merken. Integendeel, hij was altijd heel rustig, niets deed hem wat. Dat is toch ook niet normaal, hè? Zou u mijn psychologisch adviseur willen zijn?'

'Maak maar een contract op, dan hebben we het erover. En kapitein Dowd?'

'Wat is er met hem?'

'Bemoeide hij zich ook met de band?'

'Volgens mij bemoeide die zich nooit ergens mee. Zoals de meeste vaders uit de buurt. Maar die andere vaders waren er niet vanwege hun werk. Kapitein Dowd leefde van een erfenis en had nooit werk.'

'Hoe bracht hij zijn tijd door?'

'Hij tenniste, verzamelde auto's en wijn en weet ik wat nog meer. Was vaak op vakantie in het buitenland. "Grand Tours" noemde mijn moeder dat.'

'Waar ging hij dan naartoe?'

'Europa, denk ik.'

'Reisde hij samen met zijn vrouw?'

'Soms,' zei ze. 'Maar meestal alleen. Dat is de officiële versie.'

'En de onofficiële versie?'

Ze speelde met haar bril. 'Laten we het zo zeggen: ik heb mijn vader een keer horen zeggen dat kapitein Dowd bij de marine was gegaan om dicht bij jongens in strakke blauwe uniforms te zijn.'

'Hij reisde samen met jongemannen?'

'Hij ging op reis om jongemannen op te zoeken.'

'Aldus het roddelcircuit,' zei ik.

'Houdt de boel interessant,' zei ze.

'Dus kapitein Dowd was homoseksueel en dat was een publiek geheim?'

'Als mijn vader het wist, wist iedereen het. Hij leek me best een aardige man, de kapitein. Maar hij was geen indrukwekkende verschijning. Misschien flirtte Amelia daarom met iedereen.'

'En ook met Brad,' zei ik.

'Ze waren allemaal gestoord,' zei ze. 'Verklaart dat wat er is gebeurd?'

'Het is een begin.'

'Dat is ook geen antwoord.'

'Ik probeer nog steeds met de goede vragen te komen.'

Haar donkere ogen verhardden en even dacht ik dat ze met een scherp weerwoord zou komen. Maar in plaats daarvan stond ze op en streek ze haar broek glad. 'Ik moet ervandoor.'

Ik bedankte haar nogmaals voor haar tijd.

Ze zei: 'Ik weet best dat u me naar de mond praatte toen u het over uw gebrek aan vooroordelen had, maar ik zou u graag willen bellen als er een mooi pandje vrijkomt. Echt iets wat de moeite waard is. Dit is een uitgelezen moment voor iemand in uw positie. Mag ik uw telefoonnummer hebben?'

Ik gaf haar mijn kaartje, betaalde voor de drankjes en bracht haar naar haar zilveren Mercedes sportwagen.

Ze stapte in, startte de motor en deed de kap omlaag. 'Dat boek komt er waarschijnlijk nooit, ik haat schrijven. Misschien een kabelfilm.'

'Succes.'

'Het is gek,' zei ze, 'maar nadat u had gebeld, heb ik geprobeerd het te begrijpen, geprobeerd te ontdekken of er iets was wat het voorspeld had kunnen hebben.'

'En hebt u iets gevonden?'

'Het is waarschijnlijk niet van belang. Ik zoek nu overal iets achter. Maar als het waar is wat ze zeggen over wat er met die mensen is gebeurd... de gruwelijke details, bedoel ik...'

'Het is waar.'

Ze haalde een poederdoos uit haar tas en bekeek haar gezicht in het spiegeltje, legde haar hand even op haar haar en zette een zonnebril op. 'Mevrouw D. had een bepaalde routine als we aan het dollen waren tijdens repetities, en dat was nogal vaak. Als ze haar geduld verloor, maar het niet wilde laten merken omdat ze erbij wilde horen, dan begon ze in haar handen te klappen om ons stil te krijgen en deed ze of ze de Rode Koningin was uit *Alice in Wonderland*. De eerste paar keer kondigde ze dat ook aan. "Ik ben de Rode Koningin en ik moet gehoorzaamd worden!" Uiteindelijk hadden we het dan door. Telkens als ze klapte, kregen we de Rode Koninginroutine. Waarbij zij dingen zei als: "Ik ben vijf keer rijker en slimmer dan jij," of: "Wat voor zin heeft een kind zonder betekenis?" Ik zag het als een van haar eigenaardigheden, maar misschien...'

Ze viel stil.

'Misschien wat?'

'Waarschijnlijk vindt u dit veel te letterlijk klinken. Maar als ze dan al die teksten van Lewis Carroll had gespuid, trok ze haar wenkbrauwen op, begon ze te kakelen en zwaaide ze met haar vinger door de lucht. Alsof ze wilde weten waar de wind vandaan kwam. Als we dan nog stééds niet opletten – wat meestal het geval was – dan begon ze te snateren, als een mannenstem zo diep. Dan trok ze gekke bekken en schudde ze als een geflipte stripper met haar borsten. Ze was behoorlijk ruim bedeeld van boven, het was absurd.'

Ze liet haar handen over haar eigen smalle torso glijden.

'Als we ons dan nog steeds niet gedroegen, liet ze haar hand zakken, zo, over haar hals, dan legde ze haar handen op haar heupen en schreeuwde ze: "Eraf met jullie hoofden!" Het was maf en eng, ik vond het vreselijk als ze dat deed. Nora en Billy trokken zich er ogenschijnlijk niets van aan.'

'En Brad?'

'Dat is het 'm,' zei ze. 'Brad moest dan lachen. Zo'n heimelijke glimlach. Alsof het een grapje tussen hem en Amelia was. U weet toch wat voor hobby hij had, hè? Daar had hij zich in die tijd helemaal op gestort. Hij had allerlei messen en had die ook altijd bij zich. Ik heb nooit gezien dat hij iemand pijn deed en hij gedroeg zich ook niet dreigend. Mij heeft hij in elk geval nooit bedreigd. Waarschijnlijk betekent het niets... Amelia met haar hand op haar hals.'

Ik zei niets.

Elise Van Syoc zei: 'Toch?'

48

Ik reed de heuvel over en dacht na over wat familie had betekend voor de kinderen Dowd.

Grenzen waren er om opgerekt te worden, mensen waren er om gebruikt te worden, alles draaide om het optreden.

Brad was in de steek gelaten, met tegenzin in huis genomen, uitgebuit, uitgekotst. Teruggehaald om gebruikt te worden door een vrouw die zich aan hem stoorde en hem begeerde.

Jaren later, na haar dood, had hij zich weer in de familie weten binnen te dringen en had hij de machtspositie ingenomen. In de wetenschap dat hij er nooit had thuisgehoord en er ook nooit zou thuishoren.

Tegen die tijd had hij Juliet Dutchey vermoord. Mogelijk ook andere vrouwen.

De hobby van zijn jeugd had hij bewaard voor drie van zijn slachtoffers.

Toen Milo en ik destijds aan het speculeren waren, had hij zich hardop afgevraagd of Cathy en Andy Gaidelas soms oudersymbolen waren.

Hangen jullie nog steeds de oedipustheorie aan?

Meer dan ik een paar weken geleden had gedaan.

Waarom Meserve?

De enige keer dat ik Brad boos had gezien was toen hij het over Meserve had gehad.

Jong, glad, manipulatief.

Had Brad zichzelf twintig jaar jonger gezien?

Kwam het ondanks de gelikte manieren, de kleren, de auto's –
het imago – allemaal neer op zelfhaat?

Een lichaam dat in een gevangeniscel hing suggereerde 'misschien'.
Gebruikt en uitgekotst... het was nog geen verklaring voor de
mate van de gruwelen. Dat is het nooit. Ik vroeg me af waarom
ik het bleef proberen.

Ik reed over Mulholland Drive langs droomhuizen en andere gel-
delijke lasten, niet in staat het uit mijn hoofd te zetten.

Brad was de ultieme acteur geweest. Hij had Billy en Nora be-
schermd, had met haar een seksuele relatie gehad en had van beide gestolen.

Had zijn eigen neef aangezet tot moord en hem toen laten exe-
cuteren.

Hij had zijn andere nicht – een agente – geprobeerd te versieren
op het moment dat hij door haar collega's werd onderzocht in
verband met de verdwijning van een danseres.

Waarom niet? Waarom zou bloedverwantschap enige betekenis
voor hem hebben?

Marcia Peaty zag Brad als intens slecht, maar ze was ervan overtuigd dat neef Reynold alleen een onbeduidende sukkel was geweest.

Ze was een voormalig politieagente, maar ze zat er goed naast.
Daar leed ze al heel lang onder. Als ze mijn patiënte was, zou ik
haar onder ogen laten zien dat ze ook maar een mens was, niet
meer en niet minder.

Als het erop aankwam, waren regels en uitzonderingen moeilijk
te onderscheiden.

Diakens sluipen huizen binnen en wurgen hele gezinnen. Diplo-
maten en president-directeuren en andere achtenswaardige types
gaan op seksvakantie naar Thailand.

Je kunt iedereen voor de gek houden.

Als Brad en Nora niet zo arrogant waren geweest, hadden ze nog
jaren ongestraft met hun hobby kunnen doorgaan.

Hoelang zou het hebben geduurd voordat hij het geld erdoorheen
had gejaagd en zou hebben besloten dat hij Nora niet langer nodig had?

De vlieguren en het eiland bij de kust van Belize suggereerden dat het niet lang meer zou hebben geduurd.

Had Nora – verdoofd, harteloos, eeuwig stoned – enig idee dat haar leven gered was?

Wat voor leven stond haar te wachten? Om te beginnen een zware depressie wanneer de realiteit van het gevangenisleven eenmaal tot haar was doorgedrongen. Als ze tenminste genoeg diepgang had om überhaupt tot lijden in staat te zijn. Als ze het redde en een gevangenistheater oprichtte, zou het er wat rooskleuriger voor haar uit kunnen zien. Casten, regisseren. Ervaren. Over een paar jaar zou ze misschien zelfs in aanmerking komen voor zo'n lovend artikel in de *Times* over iemand die zijn leven heeft gebeterd.

Of misschien had ik wel te veel vertrouwen in het systeem en zou Nora nooit een gevangeniscel van binnen hoeven te zien.

Woonde ze straks weer aan McCadden Place en liet ze haar opgezette hond uit.

Stavros Menas liet geen kans voorbijgaan om te roepen dat zij ook een slachtoffer van Brad was.

Milo en ik hadden haar grapjes horen maken over Meserves hoofd, maar we zouden allebei belachelijk gemaakt kunnen worden als we moesten getuigen, en jury's in Los Angeles waren geneigd de politie en psychologen te wantrouwen. Op de disks was te zien dat ze met eigen goedvinden met Brad en Meserve had gevreeën, maar meer niet. Er was geen forensisch bewijsmateriaal dat haar in verband bracht met de moorden, en jury's vandaag de dag verwachtten hoogwaardige wetenschap.

Menas zou zijn prijs opdrijven door alles ontoelaatbaar te laten verklaren. Misschien zou hij Nora laten getuigen en kreeg ze eindelijk de hoofdrol.

Hij zou hoe dan ook zijn miljoen wel binnenhalen.

Het zou de advocaten die met elkaar wedijverden om het bewind voor Bill Dowds armzalige leven ook geen windeieren leggen.

Ik was nog steeds niet teruggebeld door de rechter die Billy had weggestopt en veroordeeld tot zacht voedsel en een plastic mes en vork.

De keer dat ik bij hem op bezoek was geweest, had hij me zijn vriend genoemd, zijn hoofd op mijn schouder gelegd en mijn overhemd nat gemaakt met zijn tranen.

Wat voor nut heeft een kind zonder betekenis?
Amelia Dowd had geen idee wat voor kroost ze had gekweekt.
Ik vroeg me af wat kapitein William Dowd junior had geweten,
terwijl hij door het buitenland reisde.
Ze waren allebei omgekomen bij een auto-ongeluk. Een enorme
Cadillac was op Route 1 van de weg af geraakt en van een klif
af gereden op weg naar de Pebble Beach Autoshow.
Er was geen reden geweest om aan iets anders te denken dan een
ongeluk.
Maar Brad was die week in de stad geweest en Brad had verstand
van auto's. Milo had dit naar voren gebracht tijdens een gesprek
met de officier van justitie. De aanklagers beaamden dat het een
interessante theorie was, maar het bewijsmateriaal was allang verdwenen, Brad was dood en het was tijd om een zaak op te bouwen tegen een nog levende verdachte.
En tijd voor mij om...?

Robins truck stond voor het huis. Ik dacht dat ze ergens achterin zou zitten te tekenen of te lezen of dat ze misschien een dutje
deed. Maar ze zat met haar benen onder zich gevouwen op de
bank in de woonkamer op me te wachten. Een mouwloze he-
melsblauwe jurk deed haar haar prachtig uitkomen. Ze had een
heldere blik en blote voeten.
'Nog iets te weten gekomen?' vroeg ze.
'Dat ik beter boekhouder had kunnen worden.'
Ze stond op, pakte mijn hand en nam me mee naar de keuken.
'Sorry, maar ik heb geen trek,' zei ik.
'Dat had ik ook niet gedacht.' We liepen verder naar de bijkeu-
ken.
Voor de wasdroger stond een plastic mand. Niet die van Spike,
die had ze weggedaan. Niet op de plek waar Spikes mand had
gestaan. Iets naar links.
Robin ging op haar knieën zitten, deed het hekje open en haalde
een rimpelig, reebruin beestje tevoorschijn.
Een platte kop, lange oren en een natte zwarte neus. Grote brui-
ne ogen keken naar Robin en gleden toen naar mij.
'Jij mag haar een naam geven,' zei ze.
'Haar?'

'Dat verdien je wel, vond ik. Geen machoconcurrentie meer. Ze komt uit een kampioensnest met een geweldig karakter.'

Ze wreef over het buikje van de puppy en gaf haar toen aan mij. Warm en bijna klein genoeg om in één hand te passen. Ik kriebelde een donzig, stomp kinnetje. Een roze tongetje floepte naar buiten en de puppy strekte de nek uit zoals een buldog dat doet. Een van de lange oren viel omlaag.

'Het duurt nog een paar weken voordat die overeind blijven staan,' zei Robin.

Spike was een zwaarlijvige bonk spieren en durf geweest. Dit beestje was zacht als boter.

'Hoe oud?' vroeg ik.

'Tien weken.'

'De kleinste uit het nest?'

'De fokker zegt dat ze nog bijtrekt.'

De puppy begon mijn vingers te likken. Ik bracht haar naar mijn gezicht en ze maakte mijn kin nat. Ze rook naar hondenshampoo en die aangeboren geur die puppy's zo vertederend maakt. Ik kriebelde haar kinnetje weer. Ze gaf me als antwoord een duw met haar kaak. Likte nog wat aan mijn vingers en uitte een keelklank die meer op die van een poes dan van een hond leek.

'Liefde op het eerste gezicht,' zei Robin. Ze aaide het beestje, maar de puppy kroop dichter tegen mij aan.

Robin moest lachen. 'Dat wordt nog wat.'

'O, ja?' vroeg ik de puppy. 'Of is het maar een kalverliefde?'

De puppy staarde me aan, nam elke lettergreep in zich op met die grote bruine ogen.

Toen liet ze haar kopje zakken en duwde zich tegen mijn hals aan, knorde nog wat en duwde met haar kopje tot ze onder mijn kin verdween. Na nog wat wriemelen vond ze eindelijk een fijn plekje.

Ze deed haar ogen dicht en viel in slaap. Snurkte zachtjes.

'Lief,' zei ik.

'Daar kunnen we wel wat van gebruiken, vind je niet?'

'Ja,' zei ik. 'Dank je wel.'

'Graag gedaan,' zei ze, en ze woelde door mijn haar. 'En wie staat er vannacht op om haar uit te laten?'

Jonathan Kellerman is een van 's werelds populairste auteurs. Hij heeft met zijn kennis als klinisch psycholoog vierentwintig zeer succesvolle misdaadromans geschreven, waaronder de Alex Delaware-serie, *Domein van de beul*, *Billy Straight*, *Lege plek* en *De juni moorden*. Samen met zijn vrouw, schrijfster Faye Kellerman, schreef hij de bestseller *Dubbele doodslag*. Hij is de schrijver van vele essays, korte verhalen, wetenschappelijke artikelen, twee kinderboeken en drie boeken over psychologie, waaronder *Savage Spawn: Reflections on Violent Children*. Zijn werk is bekroond met de Goldwyn Award, de Edgar Award en de Anthony Award, en hij was genomineerd voor een Shamus Award. Jonathan en Faye Kellerman wonen in Californië en New Mexico. Romanschrijver Jesse Kellerman is een van hun vier kinderen. Ga ook naar de website van de auteur: www.jonathankellerman.com.